李嘉诚传

峥嵘

LI
Ka-
shing

李忠海 著

国际文化出版公司
·北京·

图书在版编目（CIP）数据

李嘉诚传：峥嵘／李忠海著．—北京：国际文化出版公司，2014.7
ISBN 978-7-5125-0694-7

I．①李…　II．①李…　III．①李嘉诚－传记　IV．① K825.38

中国版本图书馆 CIP 数据核字（2014）第 107129 号

著作权登记号 图字：01-2014-2325 号

李嘉诚传：峥嵘

作　　　者	李忠海
责任编辑	潘建农
统筹监制	葛宏峰
策划编辑	刘　毅
美术编辑	秦　宇
出版发行	国际文化出版公司
经　　　销	国文润华文化传媒（北京）有限责任公司
印　　　刷	北京盛兰兄弟印刷装订有限公司
开　　　本	710 毫米 ×1000 毫米　　16 开
	22.5 印张　　　　367 千字
版　　　次	2014 年 7 月第 1 版
	2014 年 7 月第 1 次印刷
书　　　号	ISBN 978-7-5125-0694-7
定　　　价	39.80 元

国际文化出版公司
北京朝阳区东土城路乙 9 号　　邮编：100013
总编室：（010）64271551　　传真：（010）64271578
销售热线：（010）64271187
传真：（010）64271187-800
E-mail：icpc@95777.sina.net
http://www.sinoread.com

▲ 面线巷五号，李嘉诚诞生的地方。右边灰色小楼为改建后的李宅。门前的这条小巷长不过十余米，宽仅容两人侧身而过。

▲ 背山面海的深水湾道 79 号，李嘉诚与庄月明的爱巢，现已扩建。（李忠海摄）

▲ 李嘉诚参观家乡潮州开元寺。

▲ 李嘉诚与原潮州市市长骆文智在广济桥修缮动工典礼后合照。
"我离开潮州六十多年，家乡的美丽景色与广济桥一样，长在我
的心怀。"

▲ 李嘉诚出席捐建的沙田门诊部揭幕典礼。

▲ 李嘉诚、吴光正出席健康创繁荣推广活动。

▲ 香港中大医学院院长霍泰辉教授致送纪念品予李嘉诚，感谢其对医疗教育的支持。"如果有一天，假如我事业可以达到跟今天大不相同环境的话，那么以后要牢牢记住，教育、医疗都是最重要的。"

仁为己任　善与人同

代　序

　　对世间芸芸众生来说，李嘉诚先生是一位出类拔萃的企业领袖，一个家喻户晓和令人景仰的名字。历史学者李忠海博士这部巨著，为大家详尽地介绍了李嘉诚先生不平凡的人生历程；他勤奋坚毅的性格和认真负责、一丝不苟的办事精神，与他在事业上取得的辉煌成就，对世人和后辈来说，有十分重要的启迪和教育意义。

　　李嘉诚先生令我感受最深刻的，是他那深厚的善根和他那"仁为己任，善与人同"的精神。世间有不少成功的企业家和富人，但如李先生这样善心和至诚的着实不多。

　　李先生深信：人需要物质财富与精神财富并重。单是物质财富并不足以令人快乐，助人才是快乐之本。因此，他成立了"李嘉诚基金会"，大幅地长期资助教育、医疗及慈善事业。

　　李先生曾说过：基金会是他的第三个儿子，他为了基金会的工作，劳心劳力，任劳任怨。他亲自去跑中国西部贫困的山区，深入苗寨及村校等去了解情况，以便提供有效而实质性的帮助。

　　李先生深信"知识改变命运"。为此，他大力资助教育。他亲手创办了汕头大学，并大幅资助海内外无数大学，包括香港大学、中文大学、科技大学、理工大学、[①]伯克莱加州大学、多伦多大学、剑桥大学、北京大学等。他对医疗服务及医学研究的关心及大力支持，也是众所周知的。他亲自创办的宁养服务（善终服务），闻者无不动容，感动莫名。

　　我所认识的李嘉诚先生，是个极富悲心愿力，坐言起行，全情投入，亲力亲为的大慈善家；一个不折不扣的人间菩萨。愿他那闻声救苦的菩萨精神及善行，能感染世人，共同把苦难的世间建成快乐自在的人间净土。

李焯芬

（国际著名工程学家、香港大学副校长、中国工程院院士、加拿大工程院院士）

---

① 中文大学、科技大学和理工大学分别为香港中文大学、香港科技大学和香港理工大学。

目录 | **Contents**

"我自小便很喜欢念书，而且很有上进心。那时候，我就暗暗地发誓，要像父亲一样做一名桃李满天下的教师，但是由于环境的改变，贫困生活迫使我孕育了一股强烈的斗志，就是要赚钱。可以说，我拼命创业的原动力就是随着环境的变迁而来的。"

第一章

生在潮州

▲ 广济桥承载了许许多多潮汕父老乡亲的许许多多的梦。（李忠海摄）

◀ 李嘉诚的父母亲李云经先生与庄碧琴女士。（香港保良局历史博物馆图片）

▲ 潮州开元寺，成为潮州文化的一个象征与缩影。（李若芊摄）

　　1928 年 7 月 29 日（农历六月十三日），一位影响香港现代社会经济与历史发展进程的新生命——商圣李嘉诚，诞生于潮州北门街面线巷一个书香门第的世家里。

　　潮州位于广东省东部的韩江中下游，从汉武帝元鼎六年（公元前 111 年）设置古揭阳县算起，单就直接行政管辖而言，至今已有两千一百多年的悠久历史。古潮州濒临南海，自隋以降，因潮水往复激荡，潮起潮落，奔腾不息而得盛名。潮州的历史文化，更是在两千年的文明史中，随波逐流，绵绵流长。古时民间相传潮州曾有凤来仪，飘然来贺，垂幸这方山水，因而别号凤城、凤楼城。

　　潮州是南粤大地的一颗璀璨闪烁的明珠，汇聚岭南青山绿水之妩媚，整合华夏文化之精华，沉淀中国历史之和硕，凝聚韩江波涛之灵气，以历史悠久、物产丰富、文化发达、人文超卓、人杰地灵、书卷深沉、山明水秀、世风淳朴、民心向善、男孝女贤、爱国爱乡、不甘现状著称于世，素有“海滨邹鲁”、“岭南名邦”之盛誉。

　　北宋真宗朝宰相陈尧佐有诗赞曰：

休嗟城邑住天荒，已得仙枝耀故乡。

从此方舆载人物，海滨邹鲁是潮阳。

潮汕地区在中华文明漫长的历史演进中，曾发生过三宗镌刻在历史上值得大书特书的大事。其中之一，就是在一千五百年前的盛唐，唐宋八大家之一的唐代著名文学家韩愈力弹佛门，与皇争执，枉被小人陷害，贬黜潮州，留下那首向华夏大地展示迷人风光、醉人心弦、令人向往的岭南名镇潮州的七律《左迁至蓝关示侄孙湘》：

> 一封朝奏九重天，夕贬潮阳路八千。
> 欲为圣明除弊事，肯将衰朽惜残年。
> 云横秦岭家何在？雪拥蓝关马不前。
> 知汝远来应有意，好收吾骨瘴江边。

今日，稍有些许文化的潮州男女，甚至去过潮州，在那里暂短沐浴潮汕文化的人，皆能朗朗上口地道出韩夫子的这首七律。

潮州不仅山明水秀，风光旖旎，钟灵毓秀，而且是人文荟萃、藏龙卧虎之风水宝地。仅唐宋两代，就有十位宰相由于各种原因来到潮州，带来中原文化，兴利除弊，为潮州的经济、社会与文化的发展做出了不同的贡献。也因此，他们的大名与潮州盛名一齐世代传颂下来。

韩愈被贬为潮州刺史，在这里留下了"为官八个月，江山易姓韩"的美谈。

清康熙二十三年，两广总督吴兴祚参拜韩文公祠时，题诗勒石，其诗谓：

> 文章随代起，烟瘴几时开。
> 不有韩夫子，人心尚草莱。

明清两代，潮州更是人才辈出。才子佳人，个个风流倜傥；骚人墨客，竞相金榜题名；有志之士，人人漂洋过海。真道是灿若星河，蔚然成风。

1986年12月8日，国务院将潮州市正式列为国家历史文化名城。

潮州自古以来就是历代郡、州、路、府治所在地，为粤东政治、经济、文化之中心，因此也荟萃了历代人文之精髓，成为岭南有名的礼仪之隅，文化之畿，商业之镇。

更因此，沉淀了厚重的中原历史文化，当中原历史文化在历史沿革中不断浸润、变异、嬗变、异化之时，潮州成为保存华夏古文化的天然历史博物馆，传承演绎了原汁原味的中原历史文化，使得华夏古文明能够非常意外地保留一处奇葩。

从地理来看，潮州必是一个卧虎藏龙的绝妙仙境，也是一个人杰地灵的世外桃源。湘桥春涨、凤台时雨、龙湫宝塔、韩祠橡木、北阁佛灯、西湖渔筏、金山古松、鳄渡秋风等潮州八景，更令人神往，令人流连，令人痴迷，令人陶醉，令人忘我，令人遐想。或许，更令潮州人自豪。

令人不解的是，如此绝佳的山水，居然造就了一代又一代不辞辛苦，离妻别子，漂洋过海，远走他乡，群下南洋的特殊的社会景象。贫困动荡的年代如此，兵荒马乱的年代如此，安定发展的年代亦如此。就好像，只有离开潮州的潮州人，才能算是真正的潮州人。遗憾的是，作者并非潮州人，只能雾里探花，难以感同身受。

当然，当作者一次又一次前来这里探微寻幽，踱步广济桥，凭栏遥望韩公祠，举目凤凰塔，沉湎开元寺，流连面线巷，置身这风景如画的三山一水之时，沉思冥想，恍恍惚惚间，仿佛又回到历史的长河中，在华夏古文化的发酵下，梦游周公，诚惶诚恐之间，居然与韩愈有一面之缘，荡漾韩江，把盏论诗呢。

可不是么，当你置身潮汕大地之时，在你的面前，随时都可能有唐音隋乐的余音绕梁，悠悠袅袅，更恍惚间，韩愈悄然来到你身边。不吟诵几句，真的不知道自己曾经读过几年圣贤书呢。又或，仅仅因为这一面之缘，灵感大发，诗兴顿起，一首千古绝唱，令你名垂青史也不一定呢。一杯土酒，两行热泪，忧国忧民，豪情万丈，牢骚满腹，仅此而已。

话说当年，又有多少文人骚客，摇头晃脑，之乎者也，儿女情长。遗憾的是，没有留下多少千古绝唱般的脍炙人口的感天动地的绝妙篇章。当然，对于现代人来讲，韩愈已经无缘一面，更是茶余酒后，不足挂齿。本书主人公李嘉诚，才是最实际最实在最实用最实质最实情实效的。只是不好意思直截了当地承认罢了。秀才也罢，商贾也罢，政要也罢。

自然，在今天潮州的大街小巷，人们议论最多的必是李嘉诚。在今时今日的潮州街头巷尾，如果你问李嘉诚是何许人也，则无人不晓，或妇或孺，或翁或妪，那自豪的神态，就好像昨天还与李嘉诚一起喝过功夫茶呢。

潮州文物古迹遍布城中城外城郊的每个角落。城东的广济桥是与赵州桥并列的中国古代四大名桥之一，被列为全国重点文物保护单位。虽然此桥远没有赵州桥那样因为入选小学课本而威名远播，但是，它所拥有的独特建筑艺术风格与独具匠心的科学设计，确可以名列四桥之首，仅此一点，就可以让后人对广济桥刮目相看。

真正的专家，大体都知道，广济桥的独特，在于它汇聚了当时中国建筑艺术与科学技术的精华，是中国当时乃至整个世界的筑桥技术的最高杰作与典范。

李嘉诚曾动情地说：

> 童年的时候，我也曾经走过广济桥，它是潮州文化一座主要的历史地标，不仅是我们潮汕乡亲故土的回忆，也连接着我们的中华文化。先民建造广济桥时，付出了艰苦的劳动，发挥建筑的智慧，桥下的流水日夜奔腾，桥上的脚印奔向古今，广济桥常在，中华的人文精神长存。我离开潮州六十多年，家乡的美丽景色与广济桥一样，长在我的心怀。

李嘉诚为广济桥的重修工程认捐了 720 万元，兴建了六座楼台亭阁。

幼时的李嘉诚，尚在为温饱烦恼，就算居住之地距离广济桥不过咫尺之遥，偶尔穿梭桥上，相信不曾踱步流连广济桥，发思古之幽情。

也许，外行人到此一游只是看看古朴典雅，落落大方，玲珑剔透犹如南粤大地的美女般娇小精美娴静的广济桥而已。

∽ 家族身世

潮州韩江东岸的凤凰塔，据有关记载，凤凰塔建于明万历年间公元 1573 年至 1619 年，修长玲珑，八面石砖，高四十六米，空心七层，塔顶是万斤铜葫芦压顶，建塔时潮州知府郭子章写下对联，概括了塔之气势：

> 玉柱擎天凤起丹山标七级，金轮着地龙蟠赤海镇三阳。

清代文人墨客，在这里多有墨宝。此外，潮州还有韩文公祠、开元寺等省、市文物保护单位十三处。

唐宋以降，随着中原人口逐渐南迁、经济文化中心逐渐南移，历代官员被贬至这个所谓化外的荒山野岭之地，岭南大地开始注入历史活力。当然，南迁的人群中，除去因战乱避祸的苦难百姓外，有相当部分的人是当地有头有面、财雄势大的士大夫，对朝政不满的异见人士，还有官场的失意者，而这些人恰恰是历朝历代的精英。

正是这一特殊的历史背景，形成了中原文化与潮州当地文化的水乳交融，也可能潮州文化是水，也可能中原文化是乳，总之，形成了具有浓郁地方特色的潮州文化。当然，潮州古文化的核心，依然是华夏音伦。全国第二批历史文化名城中，潮州赫然其中。

潮汕商业社会的形成，受益于得天独厚的自然地理条件，得益于汕头的开埠，更是得益于潮商的诚信经营，得益于潮汕社会诚信氛围的形成。

本书的主人公——商圣李嘉诚，就是生长在这样的一个人文沉淀的商业社会环境中。

我们做个大胆的假设，如果李嘉诚没有离开潮州，相信国学深厚满腹经纶的他，或许会成为名垂青史的诗人或文学家、历史学家。总之，成为一个响当当的"家"是很自然的事情。那时，我们耳中听到的，就不是现在的3G之声，而是李嘉诚的之乎者也。

李嘉诚的先祖原为中原河南焦作人士，因避灾荒民乱，明末，跋山涉水，不远万里南徙福建莆田。清初满人入关极力排汉，尤其是扬州屠城十日后，李氏一世祖李明山为躲避战乱，率全家由福建莆田，迁徙至潮州府海阳县（今潮州市），定居城内北门面线巷，这里也就成了李嘉诚的降生之地。

1993年8月18日，《福建日报》头版报道，李嘉诚在会见福建省省委书记陈光毅时说道："我们祖先有几代在福建莆田居住生活过，我可以说是半个福建人。"

夏萍著《李嘉诚传》一书曾语焉不详地描述了李嘉诚在潮州的世系。书中写道："李氏家族自一世祖李明山起在这块土地（粤东潮州府海阳县）上居住了约有十代，其中经历了二世祖李朝客、三世祖李子坤、四世祖李仲联、五世祖李世馨、六世祖李克任、七世祖李鹏万、八世祖李起英及李晓帆，传至九世有李嘉诚伯父李云章、父亲李云经、叔父李云松，直至李嘉诚恰居第十世。"

　　传到李嘉诚，在潮州延续的李氏家族恰届有案可稽的十世。莫非，李嘉诚真的应验了十代兴衰的历史轮回？

　　李嘉诚的一世祖李明山又是从哪里迁居过来的呢？夏萍《李嘉诚传》中写道："李嘉诚祖先原为中原人士，因灾荒而南徙迁居福建莆田。""时值明末清初年间，再因狼烟四起，战火连绵……由一世祖李明山带领全家，迁居至粤东潮州府海阳县，定居于潮州城门北门面线巷。"

　　资料显示，李嘉诚先祖在莆田白塘洋尾居住，据《陇西李氏宗谱》所载，白塘洋尾李氏诗礼传世，家学渊源，人才辈出。李嘉诚在莆田的祖居地白塘洋尾，毗邻福建省最大的天然湖——白塘湖。这里一年四季水绿波平，沿岸垂柳依依，水竹挺拔，碧水倒映亭台，岸上曲径相连，小桥流水人家，一派江南水乡景色。更因李氏数百年来人文鼎盛，留下不少古祠堂，古牌匾，古桥梁，古民居，民风淳朴，民俗奇特，处处散发着古色古香的古文明的气息。洋尾村于2003年被福建省公布为历史文化名村，成为莆田市第一个获此殊荣的村庄。

　　白塘洋尾族谱上的李明山一支是否就是潮州李嘉诚祖先一世祖李明山？也是否为由河南焦作南迁的李明山一支？便成为李氏族系延续的关键。

　　2007年7月，在河南省焦作市博爱县孝敬镇唐村发现了一块宽0.5米，高1.52米，厚0.12米的青石墓碑。碑文清晰明确地引出了李嘉诚祖先。该碑文拓本上注有：皇明庠生李公讳自奇，字之奇行五配陈氏，生于明万历八年，卒于康熙六年（1667年），（碑文）为大清康熙二十八年（1689年）所立，（其）子李允、李牟、李参。其中最为关键的一点是：碑文中注有李牟的儿子叫李怀功，字明山，孙子叫李朝客。李明山一脉后迁往福建省莆田，之后又迁往潮州府。碑文内容清晰可辨，碑首刻有"流芳"二字，左右饰有精美的龙图案，上覆莲叶，下饰莲花底座，碑的四周饰以五福献寿、梅寿连年等富贵图案。碑文竖行，楷书阴刻，正中间为墓主的名讳，右有铭文，左为奉祀人，碑文中载有"曾孙朝客徙往福建莆田后居潮州府"文。即李氏一族自河南焦作经福建莆田迁往广东潮州。

　　翻查《李氏家谱》详载：李明山之父李牟字沐，婚配汤氏，生子怀功，字明山，庠生。牟文武双修，明崇祯七年（1634年）随父李自奇往陕西、山西传拳，诱入闯贼（李自成起义军）营为将，明崇祯十七年（1644年）遭闯贼误杀，子怀功依牟堂兄李仲浙江俊府武堂习拳成师，徙往福建传拳为生，徙莆田又迁潮州府。

李牟何许人也？李自成军中的李牟是李自奇（又作李之奇）之子。《博爱县志》1035 页记载："自奇配陈氏，行五。生三子：长李允；次李牟；三李参。庠生，拳师，文武双修。崇祯年山西、陕西传拳。"

康熙元年（1662 年），李自奇因钱粮紧绌，无银周转，将其地一段六分地卖予司马伦名下，其卖地文契于今尚存，上有立契人李自奇的画押。依时间推算，彼时其孙李明山一支已经举家迁往福建莆田。

李牟的基本情况是：字沐，配汤氏，行二。生一子怀功字明山。李牟仲昆三人，他是老二。长兄李允，字涞，配陈氏，行一，生一子怀德字泰山，文武双修，生于万历三十二年，卒于康熙十三年，享年七十岁，耕樵卖煤为生。弟李参字浴，配王氏，行三。生一子怀贡字金山，文武双修，生于万历三十八年，卒于康熙二十六年。

李牟有一子，名怀功字明山，配汤氏行一，拳师，生于崇祯元年（1627 年）。其父李牟 1644 年遭李自成杀害后，17 岁的李明山靠李仲济养，避浙江李俊府书社助业，武堂习拳成师。此时正是大明渐亡，清朝初兴，战乱频仍，时年 17 岁的李明山避战乱辗转迁徙福州莆田传拳为生，后迁居潮州府。

据河南焦作博爱唐村清康熙年间《李氏家谱》、地契、碑记、墓志、《博爱县志》与《陇西李氏宗谱》等文物史料互为参证，李嘉诚祖籍是河南省焦作市博爱县（原怀庆府河内县）。往博爱进一步考证，在唐村李氏十八世李立炳先生家，见到征集来的清代康熙年间三份地契。三份地契均是白绵纸，薄如蝉翼，墨写文书。其中康熙元年李公自奇的卖地契，长 46 厘米，宽 26 厘米。虽然经年已久，纸色变黄，且有溃烂之处，但上面的文字保存基本完好。

据《李氏家谱》记载，李明山出生于崇祯元年（1627 年）。顺治十八年（1661 年）及康熙元年（1662 年），为加强对汉人控制，强令沿海居民内迁。时年三十有五的李明山携眷从莆田迁往潮州时，已成家生子十多年，李朝客已有 18 岁左右。若依博爱墓志铭文，李氏南迁是在李朝客出世以后，则李明山一支在莆田生活约为十八年。

文与物互为佐证，可说明李嘉诚先祖确为河南焦作人士。唯先祖李公自奇往陕西传拳，亦自陕西颠沛流离定居河南博爱，故莆田李氏族谱冠以陇西李氏族谱，相信此说较为公允。又，大唐开国皇帝李渊生于关陇，自称祖居关陇，是西凉王李暠之后裔，凡李氏之后皆以陇西人自居，故有陇西族谱之谓。

　　历史给潮汕大地开了一个天大的玩笑。当潮汕五千年历史沉浸在河南焦作人韩夫子的"文章随代起"的韩水韩山之时，又一个河南焦作世家、商圣李嘉诚也将不可避免地影响着他们未来"财富逐代兴"的千年盛世。

　　李氏家族乃地地道道的书香世家，在动荡的明末，也不乏安身立命的拳脚功夫。如果从他们在潮州的历史上溯更久远的宋元，乃至盛唐，有理由相信，这是一个世代书墨飘香、家学深厚的清流望族。说句庸俗的话，在李嘉诚的血管里，流淌承袭着地道的皇家贵胄的贵族血统。话虽如此，毕竟仍觉得此为大胆立论，小心求证之结果。当然，许多人都说当今河南人喜欢造假，不过就上述碑铭地契等文物考证确乎为真。河南人似乎用不着开这样的天大玩笑来引诱首富投资。

　　其一，李嘉诚自言祖辈曾在福建莆田生活过几代，若依上述考证之时间推算，李明山迁入莆田，但于彼地停留不久，约为十八年即迁往潮州。

　　其二，福建谱牒专家考证，福建李氏乃大唐江王李元祥后裔在当地开枝散叶之延续，若然如此，或应包括莆田李氏在内。又或，若包括莆田李氏，其中的一种可能是，李嘉诚远祖曾外出为官，迁离福建，世居中原，至清初再迁返故居。

　　其三，莆田白塘洋尾李氏应该早于李明山迁来时，已经有隆盛之家族繁衍，而李明山南下白塘洋尾，很大的可能是投亲靠戚，近亲结盟，寄人于自己血缘最近的李氏一支。否则，李明山一支很难在乡风排外的福建立足求存。

　　上述疑问，当需更多资料进一步求证，于此抛砖，期能尔后假以时日，以求石出。

　　李嘉诚的曾祖父李鹏万，曾为大清每十二年选拔一次的文官八贡之一，在当地一时传为佳话。李嘉诚的祖父李晓帆是清末秀才，伯祖父李起英（旭升）是清朝贡生。这在当时，也算是名头不小的荣誉。也由此，李家在潮州成了名副其实的清流望族。

　　李氏祖居门前用于插贡旗的三米高的碑座，就是历史的见证。当年的街坊邻居每每走过这碑座，都是毕恭毕敬，崇拜有加。依当时的环境，路人相过，莫不诚惶诚恐，至为敬仰，几乎顶礼膜拜。这里不过是二十米深，两人迎面而过都要侧身的杂草丛生的残旧小巷，周围环绕驸马府、贡院、孔院，从历史的沧桑沉淀中，还是可以感受到当年这个地方不同一般的显赫尊贵。

　　李氏家族治学风气甚浓，知书达礼，家学厚重，颇有名望，极受左邻右舍尊重，故地位很高。伯父李云章负笈扶桑，取得博士学位后返回故里，服务乡邻，报效故土。但是，动荡的时局，令忧国忧民的他，空有满腔热血，最后也只能是默默耕耘，默默奉献，默默终老。真个是，有心杀贼，无力回天。怀才难遇，抱恨终天。

虽然李嘉诚再三强调不应有怀才不遇的怨言，但实情确实是怀才不遇。如果当时……那么……所以，有关李家这位名头响当当的东洋博士，并没有太多的文献资料可资传世。至少，没有太多的可以彪炳青史的丰功伟绩，让我们一同着墨，缅怀追思。特别是历来低调的李嘉诚，也绝少提及李家的过往辉煌。

叔父李云松曾任隆都后沟小学校长。

父亲李云经

李嘉诚的父亲李云经先生少年时聪颖好学，15岁时以优异成绩考入省立金山中学。按照今天的行话，那绝对是一所名校，其在教育界的名头犹如今日香港的皇仁中学。

毕业后，因家境清贫，无力上大学，应聘在莲阳懋德学校教书。当时的大学，那绝对是有钱人的玩意儿。在这样一个大的社会环境及家族渊源中，李嘉诚的父亲李云经先生别无选择地走上了经史治国的坎坷清贫老路。

这是一条漫长无尽头的曲折凄凉的旧路土路，艰辛之路。数年之后，李云经先生出人意料地弃教从商，远渡重洋，只身下南洋，在爪哇国一间潮商开办的裕合公司做店员，以图有朝一日能够出人头地，腰缠万贯，衣锦还乡。

不久，因南洋时局动荡，华人谋生殊为艰难，几经掂量，乡情缠绕的李云经先生决定放弃梦想，打道回府。回到潮州的李云经先生，在潮安城恒安银庄任司库与出纳。

据国学大师饶宗颐忆述，当年的李云经先生，身穿一身洗得发白的青布马褂，时常往饶家名下的钱庄交收，与饶家多有来往。饱读诗书的饶老对当年斯文含蓄的李云经印象颇深，称李做事一丝不苟，公事公办，不苟言笑。他甚至纳闷叹惜：这人明明是个做学问的料，怎么不务正业，跑来与钱打交道？

不久，恒安银庄又倒闭了。李云经先生再次痛苦地面对失业了。从李云经存世的仅有的几张照片中的忧郁眼神，可以想见当时无可奈何的环境与其内心的苦楚无奈。满腹经纶，居然食不果腹，衣难全温，何其酸楚。

在无可奈何的情况下，面对嗷嗷待哺的子女，只好别无选择地重返教坛，再执教鞭，在隆都后沟学校做教书匠。教书育人成了李云经先生在故乡潮州最后的职业。正是这最后的职业，才使李云经先生颠簸浮躁的心境渐渐平复下来。

半个多世纪过去了，已经很难准确考证李云经先生弃教从商的心路历程。唯一可能的解释是，生活所逼的不得已的现实选择。很多书上说：李云经先生因家境贫寒，时局所迫才从商。或许，李云经先生天生就缺乏经商的头脑。更重要的是，虽有地利，缺乏天时，在一个动荡的国家，动荡的世界，要想成就自己的志愿，犹如骆驼穿针眼儿，谈何容易。

经商，绝非乱世出英雄那么简单直接。或许，李云经先生的兄长李云章负笈扶桑，获取博士之功名的现实，促使不甘为后的李云经先生有一种必须成功的压力动力冲力张力毅力。

李云经先生生活在潮州这个大的重商文化氛围中，接受的虽是传统家教，但他不可能不受潮州大气候的影响。尤其是读书人的心高气傲，读书人的愤世嫉俗，读书人的侠义忠胆。还有，读书人的忧国忧民，读书人的好高骛远。

在潮汕，作为一个移民堆积，不安现状的文化圈，处处传颂着海外游子建业致富的动人故事，即使失望多于希望，梦幻多于现实，即使清苦甚者彷徨，仍构成潮汕人涉海闯荡，走向天涯的原动力。因为，他们的先民就是这样不远万里，跋山涉水，不言放弃，梦里淘金的倔强汉子。从中原到闽南再到岭南，不就是这样一步一步跋山涉水走过来了吗？

历史如此，今日亦然。

不管李云经先生最初下南洋的动机如何，他在这方面确实是出师未捷。最终，李云经先生还是在这动荡的社会现实中，身不由己也好，心甘情愿也好，不得不回到现实中，默默无闻地去实现他的经史治国的远大理想。

当然，他已经把这一远大理想潜移默化地转嫁移植到他的弟子身上。当然，最多最直接的传承者，就是与自己朝夕相处耳熏目染的儿子李嘉诚。现实永远都是这样残酷，为了等米下锅的老婆孩子，必须无条件地面对这残酷无情的现实。

但是，现实又能怎么样？除了能够较平常人稍微幸运地获得一日三餐之外，凄苦的心灵，又靠什么来抚慰？彷徨的精神，又靠什么来寄托？罢了，国家兴亡，匹夫有责。

李云经先生天生是个教书匠。重执教鞭后，孜孜不倦，因材施教，诲人至上，因教学有方而声誉日隆。未几，1935 年春，被聘为庵埠宏安小学校长。

经历了多年的奔波闯荡，李云经先生更加重视家庭的温馨与快乐。虽然不甚得志，郁郁寡欢。但是，每当回到尚可温饱的家中，李云经便全然忘却外面世界的烦恼，展露难得的笑容，与妻庄碧琴相敬如宾，和风沐雨。闲暇时，更是与子女嬉戏一番。甚或，带同李嘉诚到咫尺之遥的韩江河畔钓鱼捉虾。

1937 年，李云经先生被转聘为庵埠郭垄小学校长。

1937 年 "七·七" 卢沟桥事变后，内地渐渐陷入日本人的铁蹄蹂躏之中。

李云经先生则是义无反顾地投入抗日救亡运动，他积极进行抗日宣传，亲自编写许多通俗易懂、热情奔放的抗战话剧与歌谣。在课堂上也多番讲述精忠报国的历史故事。

李云经肯定不是共产党员或国民党员，但是，做人的良知与多少年来先贤诗书的浸淫，使得他毫不犹豫地举起爱国义旗。

在他先后任教的崇圣小学和郭垄小学，出现了唱抗日歌、演抗战剧、谈抗战事、为前线募捐的爱国义举。

〰 求知

李嘉诚 5 岁入学读书，每天放学回家后，他就悄悄进入长辈们用以藏书的茅草书屋，看他能看懂的书。甚至，也看他不能看懂的书。总之，凡是白纸黑字，他就看。

看官大可不必惊讶，在李家的书屋，除了经世致用方面的书，并无其他。

看了有关岳飞、文天祥的书，被 "人生自古谁无死，留取丹心照汗青" 的文天祥高风亮节所感染；他也沉浸在岳飞的 "壮志饥餐胡虏肉，笑谈渴饮匈奴血" 的爱国氛围里。国破山河在，城春草木深。他更幻想着他日跃马扬鞭，奔驰疆场，弯弓射雕，驱倭逐寇，还我山河。相信，李嘉诚那时想都未想过，会成为财倾天下的超级富豪。

从这些英雄人物的身上，李嘉诚深深懂得了民族国家的尊严，也深深懂得了故土之于生命，祖国之于人民，人格之于人生，拼搏之于命运的内涵。

童年时代的李嘉诚的一部分时光，就是在长辈们的藏书房里静静地度过的。

不知不觉中，少年老成的李嘉诚已经悄然长高了，长大了。这已经成了李云经先生的最大安慰与希望。李云经先生把生命的全部希望寄托在这个与众不同的儿子身上。李云经不时用欣喜欣慰欣然的眼光凝视着自己的儿子李嘉诚。

李云经将自己的精力心血倾注在儿子李嘉诚身上。

7岁那年，一个初秋的深夜，一觉醒来的李嘉诚，看到身披青布长襟的爸爸，在昏弱的灯光下，仍在一丝不苟地批改学生作业。幼小的心灵，好生不明，他当时就纳闷："老师付出很多很多，为什么收获却很少很少？"殊不知，单就生活而言，李家在当地已是小康之家，并无三餐之忧。偶尔也可以有些许多余的米周济乡邻。

李嘉诚出生在这个书香世家，自幼受到翰墨的熏陶，闻到的是墨香，听到的是书声，看到的是文房四宝。更从父亲的背影，看到了孜孜不倦的凄苦沉重的义不容辞的历史使命。

李嘉诚聪颖好学，3岁就能咏《三字经》、《千家诗》、《论语》。儿子读书的悟性与勤勉，深得父亲的赞许。看着李嘉诚摇头晃脑地背诵之乎者也，邻里个个好生羡慕。多年来内心孤苦伶仃远甚于物质稀缺的李云经先生，终于可以得到丝丝慰藉。至少，几十年的家学得以真传。真可谓后继有人，孺子可教也。

李嘉诚的童年是在旧中国的战乱动荡中度过的。小小年纪的李嘉诚已切身感受到民族的衰落，政府的腐败，时局的动荡，给普罗大众生活带来的深重苦难与磨难。

1932年，李嘉诚进入潮州北门街观海寺小学念书。

三年后，1935年，随父亲转入潮安县庵埠镇宏安崇圣小学就读。他聪明机智，刻苦好学，有时放学后还躲在家中的小书房里如醉如痴、如饥似渴地读书。书成了儿时李嘉诚最好的伴侣。

风雨飘摇中的李家三间茅屋，不时传出琅琅之声。

凡有志之人，无论年长年幼，一旦心里有了远大的目标，就会有永不枯竭的动力和永不气馁的行动。不能肯定此时此刻的李嘉诚有多么远大的理想，但可以肯定的是，李嘉诚隐隐约约感悟到，知识终将可以改变自己的命运。

也只有知识，可以改变自己的命运。知识，是自己未来全部希望之所在。至少，读书与求知是当时幼小心灵的唯一精神寄托。所以，李嘉诚一有时间就躲在屋里，饥不择食地看书，家中仅有的几十本书，一遍又一遍地重复阅读。一些篇幅短的书，甚至能够倒背如流。

李嘉诚的堂兄李嘉来，毕生从事教育事业，对于李嘉诚的沉迷读书，也是啧啧称奇："嘉诚要小我十多岁，却异常懂事。他读书非常刻苦，我看过好多次，他在书房里点煤油灯读书，很晚很晚都不睡觉。"看来，不能不承认天才的存在。

正是这位堂兄李嘉来，长期居住在李嘉诚举资兴建的北门街面线巷五号的四层小楼里，直到 2005 年去世。而与嘉来兄手足情深的李嘉诚，亦曾亲往面线巷致祭。

客观上，童年时代的李嘉诚也绝对没有条件去尽心尽情玩乐。唯其由此，读书成了他最大的乐趣，他最大的乐趣只能从书本中，一字一句中寻找体会感悟。

伏尔泰曾说过"书读得越多而不加思索，你就会觉得你知道得很多；而当你读书而思考得越多的时候，你就会越清楚地看到，你知道得还很少。"

当然，年幼的李嘉诚不可能完全明白大哲学家如斯深奥的哲理。但是，他却知道，读书的乐趣。他也知道，书读得越多，越觉得自己懂得太少。不过，与同龄人相比，李嘉诚读的书太多太多了。而这一读书嗜好居然影响李嘉诚一生。直到今天，李嘉诚依然故我，依然手不释卷。

即使有很多书，或其中个别语句，他看不懂或似懂非懂，但他仍能凭他的天赋和聪颖努力去领悟，去揣摩，去思索。当然，他有别人所没有的得天独厚的条件，那就是他随时可以请教自己的父亲老师。

在书房的小小天地里，李嘉诚常常做着状元及第、衣锦还乡的美梦，他对那些肝胆相照，舍身取义，精忠报国的有识之士敬佩不已。

此时的李母庄碧琴，总是充满了安慰与希望，凭着一个贤淑母亲的直觉，她的儿子李嘉诚的将来，一定是一片光明灿烂的天空。至少，一定比同龄人有出息。有时，被儿子读书声所陶醉的庄碧琴，居然忘记自己手中的针线，心满意足地痴痴望着爱儿。这或许是她平时未必时时与夫君爱儿共同居住生活的缘故吧。

多少年后，李嘉诚总能在母亲身上，感受到这慈祥期望、心满意足的眼神。

甚或，这一慈祥的目光，亦成了李嘉诚扬鞭奋蹄的动力。当然，母亲绝然没有料到，她的儿子后来会有如此惊天动地、光宗耀祖的伟业。

读书，成了儿时李嘉诚最大的乐趣，也是李嘉诚最大的选择。虽然，小小李嘉诚也和所有的孩子一样爱玩耍，但出奇的是，考试成绩总是名列前茅，数学成绩十之八九是满分。

儿时的李嘉诚，已经成了小伙伴心目中的大学问家。心思缜密的小小李嘉诚，成了名副其实的老夫子。因为，从他的口中，总是可以听到一个个动人的故事，《封神演义》、《吕氏春秋》，等等。只是，当时的李嘉诚，不像现在这样，戴着黑框大眼镜。那时的李嘉诚，晃动着大大的脑袋，一双惹人瞩目的大眼睛，闪烁着少年少有的精灵与成熟。

李云经先生一生未能成就辉煌大业，把全部希望寄托在长子李嘉诚身上。这绝不单单是潮州人的重男轻女使然。李嘉诚亦不负慈父厚望。

李云经先生知道未成年的儿子未来步向社会时，更需要依靠亲朋好友的帮助，同时又不希望儿子抱有太多不切实际的天真幻想，因而时时谆谆教诲李嘉诚，"失意不灰心，得意莫忘形"、"人穷志不短"、"做人不可有傲气，但不能没骨气"、"求人不如求己"、"吃得苦中苦，方为人上人"等。所有这一切，都铭刻在幼小的李嘉诚的心中，并且，在未来的人生路上受益无穷。

李嘉诚从小就表现出读书学习的天分来。一个星期六的下午，他开心地走到爸爸身边，跟他说："爸爸，英文不是很难学，我念给你听。"听罢，爸爸流露出一份无可奈何的伤感。

李云经何尝不希望自己的儿子将来能够出人头地。

多少年后，回忆昔日这份伤感，想到父亲对生活的无助彷徨，李嘉诚情不自禁地眼泛泪光，说："他知道我很喜欢读书，但当时条件不许可。"于是，教育就成为李嘉诚日后要追寻的梦，实践的梦，超越自我的梦。一个圆父亲想圆未曾圆的历史之梦。这个梦是源自内心世界深处，绵亘半个世纪的执着的梦。每有贡献祖国的机会，他都不放过，尤其目睹人民生活在贫困无知之中。

　　"文化大革命"，国家搞成这样……我想捐钱到汕头做医疗工作，只是想对国家民族有利，但最后都做不到。

这一愿望一直缠绕着李嘉诚数十年，从未间断，从未放弃，也从未动摇。

"祖国在梦萦，河山，多年未亲近。"从60年代到70年代，期待了整整二十年。未曾间断的遗憾，遗憾；未曾放弃的等待，等待。

贡献祖国的机会终于来了。1978年中国经济改革开放，李嘉诚被邀出席国庆典礼，欣赏烟花时，他既兴奋又激动："我终于有机会为祖国做些什么事情了。"

在李嘉诚的身上，洋装虽然穿在身，我心依然是中国心。这种爱是刻骨铭心的，自发自觉的，真心实意的，绝对是无法割舍的。

李嘉诚是校长之子，令学长许幼琨印象极深：李嘉诚小时叫李雨霖，这完全是因为潮州人的乡俗。潮州人小时与成人后，分别用两个不同的名字，不过校内的顽皮的小同学更喜欢叫他李大头，尤其是宽宽的额头，在深邃精灵的眼神外，更平添一份令人敬畏的智慧。

以至于成名后的李嘉诚，也曾被不知后生几辈，不知天高地厚的一个记者戏称过李大头。李嘉诚对此，只是默然以对。李嘉诚望着这个记者，想说的话，到了嘴边，又咽了回去：头大不要紧，就怕里面是空的。

李嘉诚对同学、老师非常客气，有礼貌，并未因自己是校长之子，恃势凌人，李嘉诚从来不与同学打架争执或过不去。

李嘉诚读书非常刻苦自觉，读书读到很晚都不睡觉。他儿时的朋友回忆说："阿诚那时就像书虫，见书就会入迷，见书就会忘记一切。"

莫非幼时的李嘉诚，得天提示，深知"书中自有黄金屋"的说教？莫非幼时的李嘉诚，得己领悟，深知"知识可以改变命运"的道理？

∽ 少年磨难

幼小的李嘉诚，除上学外，还照顾父亲的起居，两父子寄住在崇圣小学后面的一所简陋的茅草屋里，这样的房子在当地并无任何特别与突出的地方，唯一不同的是，门口雕有一块牌匾叫"读月书斋"。正是这块匾牌，清清楚楚地显示出，李云经先生与众不同的身份。

曾是李云经学生的许锡丰说："李校长教过我算术，他下午在房子午睡时，儿子用风炉煮饭给他吃，一餐一碗饭，吃不饱。"他还记得李校长穿着洗得发白的青蓝色长衫，架着一副圆形眼镜，一副十足的满腹经纶的书生模样，平时不苟言笑。但讲起课来，却是抑扬顿挫，循循善诱，滔滔不绝。

李嘉诚在回忆自己少年往事时曾说过："我的先父、伯父、叔叔的文化程度很高，都是受人尊敬的读书人。"对此，李嘉诚似乎很自豪。

由于生活困苦，母亲庄碧琴与弟妹留在潮州市，而父子二人则徒步大半天到临近的集塘镇宏安乡生活，父亲在当地有六十名学生的崇圣小学当校长，并寄宿在学校内。

1937年，正当李嘉诚怀抱梦想，孜孜以求地陶醉于常人不能理喻的四书五经，之乎者也的枯燥教条而忘我境界之时，一个改变中华民族历史命运的悲惨时代开始了，那就是日本大举侵华的战争年代开始了。

抗日战争爆发后，少年李嘉诚耳闻目睹了民族危亡，国难当头，民不聊生的乱象和中国人民的苦难，在他幼小的心灵里播下了奋发自强，振兴中华的种子。

李嘉诚刚刚读初中的时候，日军轰炸潮州。迄今，李嘉诚还依稀记得日军投掷的炸弹落在身边的恐怖情景。生与死只有一线之隔，只有瞬间选择，而且是不可能的痛苦选择，是不能由自己决定的选择。

事隔一年之后，李云经先生执教的小学，也在战火纷飞中，不得不关上了破烂不堪的大门。李云经先生又一次尝到了失业的痛苦滋味，而这次更是拖家带口六个人。

1940年秋天，饥寒交迫的李云经一家人逃到澄海县隆都松坑乡，寄居在姨亲家中。之后，不得不再次背井离乡，投奔在后沟小学任教的胞弟家中。然而，身为教书匠的胞弟李云松，也不过是家徒四壁，生活日用捉襟见肘，李云经纵然尚有微不足道的积蓄，终非长久之计。

祸不单行，就在这时，常年奔波劳累的祖母不幸逝世。苍天啊，人生的出路与希望究竟在哪里？顿失母亲的李云经先生不禁发出了痛苦无助的呐喊。

此时此刻，李嘉诚的母亲庄碧琴非常谨慎地建议丈夫，不如到香港去碰碰运气。庄碧琴为怕刺伤夫君的自尊，没有直接说出去投奔香港自己的弟弟庄静庵。

山穷水尽疑无路，柳暗花明在何处？希望中的又一村，恐怕只能到香港去寻找。别无选择的李云经先生，沉思良久，终于沉重地默默地点了点头。

正是这一沉重的点头，决定了商圣李嘉诚的一生。造就了成就商圣李嘉诚的辉煌一生。

李嘉诚正常健康的成长岁月很快为不健康的时代车轮的颠簸所碾碎，时运世运势运，国事家事人事，一个落后无助彷徨民族及其家庭个体细胞的命运注定无力回天，父亲不得不带着一家人仓皇凄凉无奈逃难到香港。

1940 年秋天，12 岁的李嘉诚满怀彷徨无奈而又充满希望的复杂心情，随父亲李云经由潮州颠沛流离至香港。香港，香港，梦的工厂，梦的向往，梦的荡漾，梦的开始，梦的迷茫，梦的扩张。

李嘉诚从小康之家瞬间坠入彷徨无助的困楚，这种情况使他对世人真面目、世态炎凉有过早的刻骨铭心的洞察体味。他的父母在悲惨世界面前的无能为力与无可奈何，别无选择，但又绝对不言放弃而与世抗争的坚毅品格，也在相当大的程度上导致了李嘉诚对人生的变迁动荡苦涩的体验与感悟。

这一非常的生命磨难与切肤领悟，必然蕴含着对人生的积极进取，对社会的开放包容，对公正平等的深深的期盼与等待，对自身命运的紧紧把握与争取，对理想的孜孜不倦的追求与演绎。

生存环境残酷，则导致李嘉诚义无反顾地改变自身命运的执着与期望。李嘉诚不仅仅要改变自己，而且要改变社会，改变民族，改变国家，改变历史。当然，首先要改变自己。

儿时的良好教育以及对家庭对社会对人生的责任承担，使得李嘉诚能够规避那种消极迷茫的一面，而对人情世故的分寸有着实实在在的准确把握；在求人求己之中，产生自立自强之心，同时也获得对社会的深切了解和直接锲入，对生命对自由的坚毅执着与默默追求。

这种良好健康的心境培育，不是偏向乖戾偏激，而是更为健康壮实丰满厚重，这一健壮的人格人性，对人性有基本的洞若观火式的精确把握，又绝无幻想、浪漫、轻率，即对付出与获得有切身入骨的理解与领悟。

完全避免感情外露、感情用事，在市场上拼搏沉着冷静，对投资决策的算计能以十年二十年为期，其坚忍、其沉稳、其胆识、其谋略、其韬晦，也许正由于这少年时的不幸之不幸，也许正因为这少年的不幸所铸成的万幸。

后来有人问起李嘉诚："请您说说一个人的成功是不是跟从小的志向有关，而一个人的志向是不是天生的？"

李嘉诚不紧不慢地回答说：

> 我自小便很喜欢念书，而且很有上进心。那时候，我就暗暗地发誓，要像父亲一样做一名桃李满天下的教师，但是由于环境的改变，贫困生活迫使我孕育了一股强烈的斗志，就是要赚钱。可以说，我拼命创业的原动力就是随着环境的变迁而来的。

李嘉诚没有掩饰他内心深处的想法，事实也确实如此。

对李嘉诚的人生境界影响最大者，莫过于其父亲李云经先生了。李嘉诚年少时多次在半夜醒来，看见父亲仍在灯下批改学生作业的孤灯背影，看到孜孜以求地博览群书，看到循循善诱的谦谦君子般的父亲，这一言一行给李嘉诚留下了难忘的印象。

对李云经先生这样的知识分子，世俗社会里最常见的世俗的平庸的理解方式是：辛勤一辈子，如斯辛苦，什么也没得到，真的不值得。蒙垢卑俗的灵性魂魄浑然间忘却了感动上苍，忘记了正是这样千千万万的人在支撑华夏文明，在默默无闻中不经意地延续着历史与生命，延续着梦幻与期望，延续着传说与物语。更大程度上延续着文化与文明，延续着灵魂与精神。

从李嘉诚多年以后多次谈及此事来看，父亲及其行为已成为一种永恒的象征与鞭策，像一个大大的特写定格在自己的脑海中。父亲和那一孤灯背影的场景是对李嘉诚人生境界最有力直接的挑战、警示和支撑，或者说是默默的鞭策与激励。

不能只为名利，只做一个名利场上的追逐名利的名利之徒。人生在世，有可能成就一种高尚的境界，一种高尚的情操，一种高尚的胸襟，一种圣人的蓝图，一种超越人生超越凡人的大气。

∽ 家风

李云经先生的为人，是作为儿子的李嘉诚不可超越也无法超越的，那一境界只可以追随，可以参照，可以临摹，可以仿效。

　　李嘉诚在社会上再怎么成功，再怎样声名显赫，如果他不能像父亲一样对大地有忘我的爱，如果他不具有父亲那样超脱的境界，他就不可能告慰一生穷窘的父亲，就不能告慰在天国的父亲灵魂的期盼。

　　父亲在李嘉诚心目中，是一盏不熄的指路明灯，今生今世，直到永远。这种力量是有形的，也是无形的，是现实的，也是浮世的。

　　父亲的熏陶和遗训，李嘉诚永志不忘，时刻铭记在心，并伴随他一生的风风雨雨，使他终生都历历在耳。虽然，父亲没有给李嘉诚留下一文钱。相反，他给李嘉诚留下了一副沉甸甸的家庭重担。当然，弥留之际，更留下了期待无奈的目光。

　　孝，是人之为人的根本，是人们修身的基石，是社会赖以发展的动力。孝是家庭和睦，民族有序，国家有规，人伦有据的法宝。李嘉诚浸润在儒学之中，李嘉诚受惠于儒学之外。

　　孔子认为孝的精神核心是敬、无违，是使父母心里高兴欢愉，心情舒畅；行孝的外在形式是对父母有礼。对父母要以礼敬之，以礼事之、以礼爱之，以礼葬之、以礼祭之，以礼思之。

　　唯孝，才能长幼有序，才能父子笃、兄弟睦、夫妇和、朋友近；才能善继先人之志、勤治先人之为。孝，能使家政修明、内外无分、上下无怨、子孙世昌、家道中兴。身修家齐，相敬若宾，举案齐眉，自然有助于国家的稳定和社会的发展。

　　《孝经》总结说："故自天子至于庶人，孝无终始，而患不及者，未之有也。"也就是说，不管你是哪一层次的人，也不管你身处何地何情形，是什么身份的人，只要你愿意，你就能够随时随地尽孝。

　　德国大诗人歌德有句名言广为人颂："我年轻时领略过一种高尚的情操，我至今不能忘掉，这是我的烦恼。"

　　李嘉诚亦如是。李嘉诚的烦恼，或许与歌德的烦恼如出一辙吧。领受过，就发挥发扬发展发掘无穷，成为自己生命的一部分，并把它发挥得天衣无缝，完美无缺。发挥至人生最高境界。领受过，就根深蒂固，就永世不忘，就雨露滋润，就润物细无声，就时时发酵，就点点滴滴在心头，成为生命的一部分，成为命运的奠基石。一种无法超越的情感与精神，一种高深莫测的心灵感悟。

　　李嘉诚说："我爸爸是非常典型的中国人，有气节，讲义气，且诚恳待人。"

　　李嘉诚由寄人篱下到富可敌国，也就是短短的六十年时间。个人的生命状况发生如此天翻地覆的变化，然而，看不到他有什么张狂和戾气，至多是很自然而然的霸气王气圣气书卷气。在非常特殊的情况下，流露出些许凌人盛气。他仿佛无视自己财富的滋长和力量的扩张，只是沉稳地、老谋深算地注视着下一单生意。注视着商场上的任何风吹草动。

这期间既有职业金融家的敬业精神和职业伦理，有着传统文明对财富的韬晦之术，有着传统的对世道人心的警觉，又有着对波涛汹涌的商海的高度敏感，更有着对现代科学技术发明的灵敏嗅觉。

纵观李嘉诚的人生，他一直坚定地维护着中国人的规矩、中国人的本心和自己的本分。中西文明在他身上，有着近乎完美的融合。

难以战胜病魔的李云经先生终于带着自己满腔的热血，带着自己未酬的壮志，在凄凉中，在悲苦中，在无奈中，极不情愿极不放心地悄悄离开了这个世界。

"不！我不要穷！我不能困！"李嘉诚从心底发出一声呐喊。身为长子的李嘉诚，毅然担负起照顾母亲、抚养弟妹的家庭重担。从此，他不得不离开学校，走上了漫长人生之路。这位如同初生之犊不畏虎的小小少年，由此无所畏惧地投身到大海般梦幻无穷和险恶的香港商界，时年仅仅 15 岁。

今天的 15 岁少年，也许还在母亲怀抱中撒娇。

凭着不要穷不服输这样的人生信条，李嘉诚走出了自己辉煌的人生路。一个典型的白手起家而成功的世纪神话，千千万万人的梦想，而李嘉诚帮他们实现了这一梦想。

李云经先生是一位令人尊敬的敬业的教育家，是中国传统教育那种传道与授业解惑集于一身的教育家。而且也应该看作一位成功的教育家。

李嘉诚在童年因此受到很好的学校教育和家庭教育，他的聪明也很早就显山露水。学校给了他信心确认和个性发挥的机会，父亲给他做人的境界和道理，社会给了他足够挥发挪腾的运气。

在一个从无根基的地方生存，可谓重新做人，逍遥和闲暇都已是绝对奢侈，生计迫在眉睫，全家人的命运由他决定，全家人的生计等着他去承担。

李嘉诚的父亲李云经先生没能重新开始，就在忧愤贫病中离开了人世。正是这样一个家庭的悲欢离合的故事演绎了中华民族经典的血肉文本。

天灾、战乱、动荡、逃亡……寡母弱子，在千余年来大量的悲情小说中都可以一一领略，都可以似曾相识。但是，未必人人都能感知感触感觉感慨。

如今，别无选择地降落在幼小瘦弱的李嘉诚的肩上。莫非，天降大任于斯人，必先劳其筋骨，苦其心志？在李云经的身影倒下之后，全家人的生活、弟弟妹妹们的成长就落在了李嘉诚身上。

此时的李嘉诚，悲丧慈父的眼泪尚未擦干，就责无旁贷，义无反顾地承担起这副沉甸甸的家庭重担。

历史，别无选择地认定了李嘉诚。李嘉诚，义无反顾地演绎了历史。当然，李嘉诚不能也不可能随心所欲地改写历史。但是李嘉诚有可能，也有能力随心所欲地改写个人历史，并以此影响社会历史。这就是将要展现在世人面前的商圣的波澜壮阔，惊心动魄的辉煌人生。

李嘉诚的历史，毫无痕迹地融合在香港的历史中，镌刻在中国的历史岁月中。

商圣李嘉诚，镌刻在中国历史的封神榜上，演绎出华夏五千年文明史上谜一般的当代神话。

路漫漫其修远兮，吾将上下而求索。

"抗日战争爆发后，我随先父来到香港，举目看到的都是世态炎凉，人情冷暖，就感到这个世界原来是这样的。因此在我的心里产生很多想法。就这样，童年时五彩缤纷的梦想和天真都完全消失了。"

第二章

避难香港

▲ 李嘉诚为捐建的明爱安老院揭幕。

▲ 李嘉诚与"重生行动"手术康复者的合影。

"历史带给我们的礼物是感动。"作为一个从事历史研究二十余年的史学工作者，作者本人居然许久许久都不曾明了德国大文豪歌德的这句话，以至于长时间都不敢自报家门。

1938年6月，日本帝国主义侵略军的铁蹄横行潮汕，到处烧杀淫掠，致使工厂停工，商店关门，学校停课。

昔日喧闹繁华的潮州城一片死寂，人们纷纷逃往乡间。

兵荒马乱，战火纷飞，民不聊生，流离失所。水深火热，生灵涂炭，疮痍满目，哀鸿遍野。展现在人们面前的是一幅悲惨世界的凄凉的残破的甚至血雨腥风的历史残卷。

1940年晚秋，一个天未亮的凌晨，寒风瑟瑟，月色蒙蒙，父亲李云经带领一家六口，开始长途迁徙。他们跋山涉水，从梅县、惠州、鲨鱼涌到深圳，小心翼翼避开日军的血腥铁蹄。历经艰辛，担惊受怕七日，终于来到当时尚算太平安静的香港，投奔庄碧琴的弟弟，也就是李嘉诚的舅舅庄静庵先生。

庄静庵是香港钟表业的老行尊。庄氏与李嘉诚一样是潮州人，而庄静庵更是香港第一代钟表商人，年轻时靠数百元白手起家。

庄静庵1908年在潮州出生，小学毕业后到广州谋生，在一个银号做学徒，由于为人聪明机灵，办事勤快获升至经理，之后自立门户转行做贸易生意。1935年，庄静庵靠自己在广州积攒下的数十两碎银子，在港岛上环开办了一间小小的钟表配件作坊，小打小闹，专门生产皮质、布质表带。庄氏薄利多销的灵活经营策略十分奏效，很快就在这个行业站稳脚跟，闯出一点名堂。

庄氏不满足于仅仅制作表带，扩大再生产，将生意逐渐扩至机械零配件。由于薄有积蓄而成立了中南钟表公司，而且先后取得乐都表及得其利是表的代理经销权。庄氏的生意已有相当之规模，公司设于德辅道中的中南行十一楼至顶楼。庄静奄凭着自己的精明与不懈努力，终于成为香港上流社会的殷实大户。在香港，像庄静奄这样的人家，是典型的吃洋肉、喝洋酒、坐洋车、住洋房的上流社会人家。

李云经一家到来时，妻弟庄静庵安顿李云经一家在中南表行的货仓住下，设家宴为面黄肌瘦的姐姐、姐夫一家洗尘。对故土怀有深情厚谊的庄氏仔细询问了家乡潮州的近况，然后为姐夫详细介绍了香港现状，劝李云经不要着急，先安心休息，逛逛街，熟悉熟悉环境，再慢慢找工作。

庄静奄还意有所指地安慰李云经父子，在香港这个充满机会的社会，只要自己肯努力，肯进取，肯拼搏，就一定能够出人头地，过上温馨舒适的好日子。

李云经先生何尝不急，一家六口的衣食住行，都等待他去打点。在香港，不可能靠别人生活，就算是自己的至亲。饱经风霜的李云经不可能不明白这一点。

庄静庵闭口不提让姐夫李云经到他的公司做职员，这倒是李云经夫妇万万始料不及的。一时难以接受的庄碧琴想去张口问一问自己的亲弟弟，被李云经默默地拦住了。

李云经先生作为一个读书人固有的清高孤傲，就算是已经沦落到山穷水尽的地步，使得他也不大可能张开口去求人。另外，他也想到，既来之，则安之，一切最终都还是要靠自己争取，让自己到外面找工打工吧。天无绝人之路，天生我材必有用，这里始终是香港。自己毕竟读过几年书，知书识墨，总还能派得上用场。相信养家糊口应该没问题。第二天，迫不及待的李云经就开始走街串巷，漫无目标地寻找工作。

然而，当时的香港又是怎样的情形呢？1937年，内地抗日战争爆发后，香港人口一下子猛增了近80万。其中，1937年，有10万人涌入香港避难，1938年达18.8万人，1939年头五个月就达30万人。其结果如1938年8月30日《星岛日报》所描述的那样：

"所有楼屋和房间都一扫而光，完全住满了，业主们乐得眉开眼笑。聪明的业主认为时机不再，增加租金，一次、二次、三次、四次，无屋阶级都受够了。有人在背后狠命咒骂业主丧绝天良，有人在悲歌饮泣，请业主把良心捧出来，不要乘危而取。然而，这有什么用处呢？他已经无良心可捧。"

"有的竟在骑楼下生男生女，实行着家庭生活。"许多骑楼的主人对露宿者非常讨厌，就在骑楼下贴出告示，此处不准睡觉，违者送官究治。于是，露宿者连乞求的权利也没有，只好向别的街角移动。在清冷彻骨的寒夜里，只有街头歌者那哀怨的歌声，温存抚慰着他们那绝国的心情。

∽ 世态炎凉

此时的李云经先生，依然秉持自己的固有信念与做人的原则，一来不想给妻弟添太多的麻烦，来香港投靠妻弟，已是万不得已。二来还希望能够保持自己作为一个知识分子所看重的清高与尊严。况且，李云经也甚自负，毕竟自己也算是才高八斗，满腹经纶。

当时，李云经先生逃亡到香港的另一个原因，是长辈的亲友中有一人被日本人任命在当地做官。此人与李云经素有交情，很看重李云经的才学，每隔一两天便派人来游说李云经回潮安替日本人做事，甚具民族气节与做人傲骨的李云经坚辞不受。为了避免发生意外与不必要的麻烦，只好远走他乡，与这位亲友不辞而别。

李云经先生是一位正直爱国的知识分子，他不甘心国破家亡，也不愿在日寇统治区苟且过活。但是，现实就是现实，到香港后，他才发现，香港的一切依然艰难，甚至更困难过乡下。

20世纪40年代初期的香港，尤其在日占时期，经济萧条，百业不振，李嘉诚一家在香港谋生异常艰难。李云经四处奔波，希望能找一份小工，可以养家糊口。但是，就像每日初升的太阳的希望，随着日落而渐渐变成日复一日的失望再失望，甚至几近绝望。

《华商报》记者黄达才1941年在《今日的香港》一文中有活灵活现的描述。"物价涨房屋贵，而薪水阶级的收入，却不能跟乘风赛跑。"那些侨居香港的同胞，"十之九五，在生活上，像热锅上的蚂蚁，苦闷，焦虑，极度不安。"

　　"有的人正在发国难财，把物价抬得高高的，也有人吃不消生活的煎熬，穷苦，饥饿，病亡，走险。恰恰成一对照，反映出朱门酒肉臭，路有冻死骨。"

　　一个堂堂正正的校长，一个满腹经纶的学者，一个忧国忧民的君子，为了五斗米，就算愿意折腰，居然也徒叹奈何。可以想见，李云经先生的内心熬煎犹胜于肌肤肠胃的痛苦。

　　李云经的品格虽与香港的商业文化格格不入，但在环境的逼迫下，他也不得不努力使自己与环境融合。他面对现实，对儿子的教育，按照行话来说因材施教，因地制宜，就是他不再死抱着古圣先贤的风范训子，而是要求李嘉诚必须变通，简单讲，就是"学做香港人"。尽可能融入香港社会。这首先得迈过两个坎儿，即一要学会广东话，二要攻克英语关。因为李嘉诚来自潮州，讲的是潮州话。在香港不懂粤语，可以说是寸步难行。另外，香港长期处于英国殖民统治下，其官方语言是英语，也是香港社会的最重要交际工具。尤其在上流社会，英语更是通用语言。直到今天，说英语依然是一种身份的象征，至少在某些人看来是这样。

　　　　在潮州城虽然我们家境并不富裕，但是父亲一辈都是读书人出身。记得小时候，父亲无论到哪里去都会带着我。当时我可以感觉到父亲是受人尊敬、被人看重的。

　　　　到了香港，可能这里的生活比较忙碌，待人的态度明显不同，这一点印象我很深刻。我12岁到香港，可以说，从那时候开始，我变得很生性，很懂事，绝对不要给父母添任何烦事。

　　李嘉诚初到香港最深刻的印象，竟然是香港的世态炎凉，人情淡薄。当时的李嘉诚，可能除了怨恨，很难有其他的想法，如果有，那一定是蕴藏在心中的要改变贫困现状的信念。

　　李嘉诚深刻领会父亲的苦心。他把学广东话当作一件大事来对待，他拜表妹表弟为师，勤练不辍，很快就学会了一口流利的广东话。

　　香港之所以成为国际化大都市，与港人的整体英语水平是分不开的，掌握了英语，就能够更好地从事国际间的经济文化交流。

　　来港之初，李嘉诚再也不是什么学校骄子，他坐在教室里听老师讲课就如同在听天书，如坠云雾，简直不知所云。而其他的同学，自小就开始了对英语的学习，所以听起老师讲课来毫无困难。

李嘉诚深深感到自己的不足，并因此产生一种莫名的自卑心理。这是以前从未有过的。但是，这种自卑，不是变为沉沦，而是成为向上的无穷动力。他知道，在香港，想做大事，非得学会英语不可。因此他暗下决心：一定要掌握英语。

李嘉诚学英语，几乎到如痴如醉，走火入魔的地步。上学放学的路上，边走边背单词；夜深人静，他怕影响家人的睡眠，便独自跑到户外的路灯下读英语。每日天刚蒙蒙亮，他就一骨碌爬起来，口中念念有词，苦练英语会话能力。即使后来因父亲过早病故，李嘉诚辍学到茶楼、到中南钟表公司当学徒，每天十多个小时的辛苦劳作后，他也从不间断学习英语。他怕遭到茶客的耻笑和老板的训斥，常常利用短暂的空闲靠着墙角，快速拿出写好的纸片看一眼。

李嘉诚因为从小好学善学专学能学会学多学快学易学，记忆力也异常惊人，经过一年多的刻苦努力，他终于逾越了英语难关，能够较熟练运用英语书写与会话。

拿起破旧的教科书，他既是学生，也是老师。无数昏黄灯光的夜里，他摸索教学、出题、答案的逻辑，寻找每个篇章的关键字句，模拟师生对话，自问自答。直到现在，他还保持这样的习惯。

"孤独是他的能量，也是他的朋友。独处时，他脑海会开始做思想的挣扎，会不断自己抛问题、自己回答。"他的一位友人说。正如叔本华在他的《论天才》一文中，曾引西塞罗的话说："所有的天才都是忧郁的。"

李嘉诚自律惊人，除了《三国志》与《水浒传》，几乎不看小说，不看没有用的书。他也确实没有权利娱乐。没有学历、人脉、资金，想出人头地，自学是他唯一武器。"上学对他来说是正面的，因为'不足感'缠绕在心里，他害怕自己不足，所以学习能力特别强。"李嘉诚友人评论道。

从李嘉诚青少年时代的生活经历可以看出，环境的作用确实是巨大的，因此不断学习以适应环境，进而适应创造新的环境，是一种最重要的谋生或创造自我价值的能力，这也是李嘉诚成功的不二法门。

李嘉诚审时度势，能够在异常艰辛的困苦环境面前面对现实，顺应环境变化，转变观念，懂得抛弃自己那些不合时宜的东西，吸收新环境中有用的新东西，迅速适应了陌生的环境并在其中挥洒自如。在这个意义上，与其说香港改写了李嘉诚的人生之路，造就了商圣李嘉诚，不如说是李嘉诚适应了香港、战胜了香港，甚或改造了香港。

其实，李云经除了庄静奄一家较为直系的亲属外，在香港还有几家远房亲戚，他们偶尔也会上门看看，带来几斗米，扔下几文钱。无奈，长贫难顾。这些人家也渐行渐远，失去了联系。

∽ 生活窘迫

几经艰辛，李云经总算在香港找到一份差事，在一家公司做小职员，获取微薄的报酬。这点少而又少的酬劳，对走投无路的李云经来说，至少也可以算得上是个心灵安慰。但是，要养活一家六口，依然是三餐不继，上顿不接下顿。日复一日，李家生活依然穷困不堪。

为了生存，母亲不得不带着李嘉诚的弟弟妹妹返回潮州，李嘉诚则跟随父亲留在香港。看着相濡以沫手足情深的弟弟妹妹，迫于生活，依依不舍地含泪离开父亲，小小的李嘉诚把眼泪硬是咽进肚子里。

香港的太平日子还没过上几天，日军疯狂邪恶的炸弹便在九龙港岛街道甚至民居炸开了花。1941年12月8日，在偷袭珍珠港的同日，日本开始了对香港的大规模野蛮空袭。12月25日，对英国人来讲，是个悲惨的甚至是耻辱的黑色圣诞日。孤军奋战的数千英军，无可奈何地放下了手中的武器，乖乖地成了日军的俘虏。

日本人血腥四溅的太阳旗，不费吹灰之力就插到了太平山顶。香港进入了暗无天日的日占时期。漫长的四年，痛苦的四年，绝望的四年。当然，也是英国人、香港人耻辱的四年。过惯了小国寡民，小街横巷，悠闲自在生活的香港人，在日军铁蹄下胆战心惊地痛苦呻吟着。惨无人性的日军，为了维持所谓的"大东亚圣战"，搜刮掳掠，将香港的仅有物资掠往日本，或转往东南亚。

战争年代，物资奇缺，特别是，此时战火已经波及南中国大部分，大量的难民涌进香港，粮食匮乏。日军为了便于控制，实行战时配给制，每日定量供应大米。据林友兰的《香港史话》记载，香港1945年12月初的惨景，"1941

年买一斤牛肉只需 4 角，现需 2 元，普通蔬菜，每斤只需 5 分至 8 分，现需 2 角至 4 角，茶楼点心每碟只需 5 分，现已涨至 2 角至 3 角。普通民房每层月租 30 元，现已涨至 100 至 150 元。"

李云经的微薄薪酬，连交房租都成了很大的问题。

香港人生活在从来不会遇到过的惶惶不可终日中。

想到今后的生活，想到母亲与弟弟妹妹被逼骨肉分离回到乡下，生活无着的困惑，李嘉诚感到难以名状的悲哀。李嘉诚后来有感而发：

> 每个人都必须去承担生命中自己的那一份忧伤，否则怎么会知道什么叫做幸福。

"盘中已无斗米储，还视架上无悬衣。"真个是屋漏偏逢连夜雨。1943 年，李云经先生因长期劳累、贫穷、忧愤，终于病倒了。且病情不断加重，最后不得不住进医院。李云经先生患的是肺痨病。这在当时还是一种不治之症，犹如今日的癌症，染上这种病，等于被判了死刑。他预感到自己不久于人世，把一切希望都寄托在儿子身上。

冥冥中命运似一双翻飞的手，有相当一些人感叹自己生不逢时，李嘉诚是否相信命运？

> 我 18 岁已经做经理，19 岁做总经理，负责办公室的工作和工厂的工作。虽然打工，我一天都做十多个小时，有的时候做到晚上，做得非常非常疲倦，公寓晚上十一点就没有电梯了，我常常爬楼梯到十楼住所，有时候疲倦得不得了，就闭着眼睛爬。
>
> 我说，我一定有一个办法，可以令到我自己爬楼梯的时候舒服一点，就一边爬，一边数楼梯，数够了楼梯级数，就睁开眼睛。

李嘉诚每一天的生活，总是比别人提前开始，而休息，却永远要比别人晚，晚而又晚，少而又少。少年李嘉诚无限凄绝地倾泻着他人生的第一场戚戚苦雨，他开始忘却自己的年龄，甚至有意隐瞒自己的年龄，沉默替代了悲戚——贫困！多么痛苦、多么耻辱、多么无奈的悲惨世界。

不仅仅是字眼，简直就是严苛的无情的冷漠的清规戒律，是世界上最残酷、最现实、最苛刻的法律，最最冰冷沉重的枷锁。穷对许多人来讲，就意味着丧气，就意味着失败，就意味着沉沦，就意味着消亡。

在父亲住院期间，李嘉诚尽心侍奉，哪怕是刮风下雨，也阻挡不了他去医院探望和照料父亲的孝心与脚步。

这也是香港最艰难的时刻，日本人的占领使粮食、饮水、燃料、电力等一切的生活必需品都出现短缺。李嘉诚每三个月理一次发，找到路边收费最便宜的理发师，把头发剃光，等头发长至耳际时再修剪。他的棉被薄得不能再薄，冬天的夜晚，他经常被冻醒，躺在那里瑟瑟发抖。床是悬在半空的吊床，每晚他先要深深吸一口气，双手从床架底下的缺口通过引体向上的动作，才能爬上床，如果臂力不足，就上不了床，家中狭促，连一个上床的小木梯都买不起，放不下。

1944年的照片所见，李嘉诚面容清秀却神色忧郁。过度劳累、长期缺乏睡眠和营养、精神孤单的多重打击，使他彻底消瘦下来，体重只有46公斤。但比起笼罩在他头上的死亡阴影，这一切又似乎算不了什么。

在父亲因肺结核离去前，李嘉诚发现自己也出现了与父亲同样的症状——上午时身体潮热，睡梦中则大汗不止，咳出的痰中带血迹，而这个病症亦最终夺去了父亲的性命。没有钱去看病，他用自然方法对付肺病，清晨时到外面呼吸新鲜空气，替人写家书来交换有营养的鱼汁与鱼杂汤……这是他人生第一场血战。多年之后，他仍不清楚自己为何有如此坚定的信念——我不会死去！我不能死去！

从小时绝不相信命运，年幼时可说生不逢时，抗日战乱，避难香港，父亲病故，15岁挑起家庭重担。小孩子的时候，我是非常非常喜欢念书的人。先父是染了肺病逝世的，先父进医院两三天，我就知道我自己也有肺病，因为13岁小孩子懂得去买旧的医书来看。三千零八个日夜，一个医生都没有看过，早上痰有血，下午发热，所有症状，没有人可以讲，记起这个，真的是无处话凄凉，不尽辛酸。

那个时候肺病是必死之病，去照X光片，医生会吓起来，我的肺里面好多不同的洞，已经钙化了。到了那个时候怎么医呢？吐血吐了很多，你也没有钱，如果有什么伤风了，身体不好了，喝盐水。盐水不能治病。但是你如果喉咙痛啦，伤风发热啦，盐水会有用。

李嘉诚每天都极早到医院，停留到最后时限才拖着沉重的脚步沉重的心情离去。在父亲的病榻前，李嘉诚从未表现过丝毫的哀伤，以免父亲挂念。虽然，在人背后，小小李嘉诚忧心如焚，愁眉苦脸。

父子情深，为子至孝，一举一动，令到病友，令到医护为之动容。

∽ 男儿的眼泪

李嘉诚回想到这里时，总免不了唏嘘一番：我的童年岁月很艰苦，苦在没有人可以倾诉；难道你写信告诉妈妈？绝对不会。一生中有什么不如意的事，绝对不告诉母亲。因为告诉了只能徒令母亲担心，就算见到母亲，也是强作欢颜。对自己的爸爸，只有一件事至今可以让李嘉诚安慰自己。

爸爸过世前一天，他没有什么话可说，他反过来问我，有什么事跟他说。若你细想一下，也觉得悲哀；但我很自信地跟他说，安慰他："你一点也不用担忧，我绝对不会让你失望的。我一定会令家人有好日子过。"

为了维持儿子的学费，李云经先生坚持不住院；医生开了药方，他也不去药店买药。李嘉诚的舅舅庄静奄知道这个情况后，"强行"送他住院。同时，庄静奄也可能掏出了一点儿钞票。毕竟这是他的姐夫。他不能眼睁睁看着自己的姐姐守寡。李云经先生住进医院后仍偷偷把药钱省下来，准备给儿子交学费。

在李云经先生病重弥留之际，李嘉诚的母亲庄碧琴携带两子一女，匆匆忙忙失魂落魄地从乡下赶到香港。但是，李云经先生最终还是没能摆脱病魔的纠缠，撒手人寰，抱恨归西。1943年，在缺医少药的困顿郁闷境况下，李云经先生在香港不幸与世长辞。

李嘉诚每每回忆起这段往事，都泪水潸然，心情沉闷。

　　父母生我养我，经受了多么大的痛苦与折磨，又费了多少心血与精力；他们爱护我、养育我、怀抱我、呵护我、牵挂我……多么想报答他们的恩德啊，可是，老天啊，在我念及恩德，图谋报答将要有能力报答的时候，他却不在了。李嘉诚的悲痛比这无边的苍天还要无限，还要深沉，还要悲切！

　　《诗经》有云："父兮生我，母兮鞠我。拊我畜我，长我育我。顾我复我，出入腹我"。其中的苍凉凄切，哀婉凄楚，只是反映了人们感念父母的生养之情却又无法回报的悲哀之情，却远远不足以表达李嘉诚对先父李云经的深切怀念与感恩戴德，远远不足以表达李嘉诚对悲惨世界的痛苦呐喊彷徨无助与奋力抗争。

　　聪明好学的李嘉诚没有别的选择，不得不忍痛割爱，放弃学业，提前挑起赡养母亲和抚养弟弟妹妹的生活重担。此时的李嘉诚只能是仰天长叹："欲报之德，昊天罔极。"此时李嘉诚的孤苦、凄凉、无奈、迷茫，向谁诉说？又能向谁倾诉？

　　商圣李嘉诚是亿万人顶礼膜拜的偶像。那么，李嘉诚心中的偶像又是谁？他的答案是：父亲李云经。对李嘉诚来讲，父亲李云经永远是生活的源泉与动力。正因为如此，李嘉诚开始走向顽强拼搏的人生之路：父亲临终前夕期期盼盼的眼神，永远存留在李嘉诚的视野中。

　　由于家庭生活所逼迫，李嘉诚不仅很早走向社会，面对社会，应付社会，而且十分早熟，在还只是个十几岁少年的时候，他就已经开始有意识地体察世事人情，被逼工于心计地揣摩所面对的每个人的心态需求。

　　生存环境残酷，则往往会导致必须懂得赫胥黎的物竞天择，适者生存的法则天条，必须掌握机心、谋略、实用、变通、随机应变，等等。往事不堪回首，回忆如此凄楚。

　　看到李嘉诚不经意谈到此处，所流露出的哀伤神情，望者心碎，闻者颤微。这阶段的经历，在他脑海里有极深刻的印象，更许下愿望：

　　　　如果有一天，假如我事业可以达到跟今天大不相同的环境之下，
　　那一定要牢牢记住，教育、医疗都是最重要的。

　　父亲病逝以后，小嘉诚和母亲东拼西借，总算凑足了一点少而又少的钱，

由于家贫无钱买永久墓地，于是把父亲草草落葬在港岛鸡笼湾的潮州义冢。

到了 1952 年，这个并非永久墓地的山坟要依例起骨，当时李嘉诚已经创办了长江塑胶厂，生活开始好转，于是通过经纪，在交通方便，环境背山面海的香港仔永远坟场，向一个家族承购了一块坟地。按照当时的规矩，买坟地的人必须先付钱，才可以看地。卖地给李嘉诚的经纪是两个客家兄弟。他们向李嘉诚吹嘘，说这块风水宝地如何如何好，先人葬在这里，后人必可发达。虽然李嘉诚希望有朝一日能够发达，但他还没有单纯到相信自己几十元钱，就能买到一块绝好上佳的风水宝地。他想只要父亲有个安息之地，早日将父亲入土为安，他和母亲也就安心了。他将钱交给卖地人之后，便心急火燎地跟着他们看地去。

在落葬当日，李嘉诚一直亲自打点，正要入土之际，坟场管理人兼经纪突然催促李嘉诚去吃饭，但他却坚持要父亲入土为安才吃，坟地的人无奈之余，突然用客家话说："这个后生仔怎么催都不肯离去吃饭，这次真麻烦，下面还有东西，你说怎么样才可请他走？"

坟地的人以为李嘉诚不懂客家话，但李嘉诚一听就知道"东西"即是人，知道墓地下面还有另外一副骸骨，坟地的人想趁他离开吃饭，掘起骸骨把父亲安葬。李嘉诚想，世界上居然有如此丧尽天良恬不知耻的黑心人，为了这么一点钱，连已经埋葬的死人也不肯放过。他想到父亲一生胸怀坦荡，鸠占鹊巢的无耻不义之举，是绝对不会答应的，即使将他落葬在此，又怎么能够让在天之灵的父亲安息安乐呢。

李嘉诚暗自思量，这两个人如此黑心，连死人都不放过，要将已付的买墓钱退回，是绝对不可能的了，若同他们纠缠争吵，自己身单力孤，恐会遭到无情暗算。于是他就直言揭穿经纪，同时提出对方可以保留已付订金，条件是不能再出售墓地。

由于买来的墓地不能用，临急之下，李嘉诚即时决定，把父亲迁葬同一坟场管理的深圳沙岭潮州坟场。沙岭坟场的环境，和香港仔坟地不可同日而语，后者有很多望族先人，墓地相隔起码大沙岭十倍。深圳坟地每个面积相同，无分贵贱，墓地更是紧紧相连，距离不足一英尺已葬了另一人，满山遍野皆如是。李父骸骨在沙岭下葬的墓穴只有约三英尺乘四英尺。

这次买地葬父的周折，让李嘉诚看到了社会的阴暗，领略了人性的无耻，给自己的人生上了宝贵的第一课。他告诫自己，不论将来日子如何艰难，一定不可以坑害别人，一定不可以损人利己。

2006 年年底，李嘉诚低调迁葬父弟的消息曝光。据香港《东周刊》报道，2005 年 3 月，李嘉诚在爱妻庄月明墓被贼人滋扰后，迅速把父亲李云经和弟弟李嘉宣的坟墓由深圳沙岭迁到香港的柴湾佛教坟场，这是他第二次迁葬亡父。搬迁当日，李嘉诚亲自监工，奉龛若神，于早上六时开始从沙岭搬迁，下午四时完成在柴湾安葬，过程十分顺利。

由此可见，李嘉诚安排父亲迁葬，最重要是先人入土为安，把父弟由深圳迁回香港，也是为了加强保安，妻子墓地被破坏才触动李嘉诚再迁父冢的考虑，把他们搬到保安和环境较佳的柴湾佛教坟场，以免坟墓被破坏，令先人再受骚扰。

柴湾新墓同样设有墓椁，非常牢固，确保轻易不受破坏，整个安排，当然是基于保安理由，绝非如外间谣传，是为了风水转运。新墓竖有一方黑色大理石石碑，碑面上鎏刻金字：广东省潮州市显考李公云经太府君之墓。

童年时代的良好传统教育以及对家庭对社会的过早责任担当，使得李嘉诚能够对人情世故有着实在的精妙独到准确的把握揣摩度量。

　　虽然我在事业发展方面一直比较顺利，但和大家一样，无论我喜欢或不喜欢，我也有达不到的梦想、做不到的事、说不出的话，有愤怒、有不满、伤心的时候，我也会流下眼泪。

李嘉诚的眼泪更多的是对民族对国家对时代对社会对人性对人生的悲哀与痛心。也许正由于这少年时的不幸，成就了商圣李嘉诚的大幸万幸。

不幸耶？侥幸耶？幸运耶？一切都随风而去，一切，又都随风而来。

这是一个典型的白手起家的真实的当代神话。成功的神话，千千万万人的梦想，两手空空的李嘉诚帮他们实现了这一梦想。虽然我们在这里绞尽脑汁挖空心思费尽笔墨去演绎，但是依然感觉到力有不逮力不从心。

李云经是一个令人尊敬的教育家，是中国传统教育那种传道与授业解惑教书育人诲人集一身的默默奉献的虔诚的教育家。正是这样的蜡烛成灰，春蚕到死的大仁大智，塑造了一代名扬四海，威震华夏的精英。

学校给了李嘉诚信心的确认和个性的发挥、智慧的酝酿，父亲升华了他做人的境界、情操、胸襟、气度，灌输了做人的道理、原则、准绳，社会给予了他无情的甚或残酷的激励鞭策。

一切，不期然又回到了生活的起点，回到了现实的原点，回到了一种残酷的近乎无法面对的严重扭曲的现实，回到了一种冷漠无情视如陌路的悲惨世界，回到了一种令人压抑令人窒息的尘世当中。过去，现在，将来，每个人，包括李嘉诚在内还可以选择吗？又如何选择？

武侠大师金庸虽力倡类似原教旨的纯儒精神，大儒大侠情怀，大仁大义胸襟，大悲大喜大觉，大智大悟秉赋，大开大合气度，也最终意识到这一文明最有光彩的内容，无法在传统社会里原汁原味地繁衍生存，更加无法在现代社会里发扬光大。那么，又到哪里去寻找这种天方夜谭式的理想国度与人间净土？

所有这些在现代文明领域里无力突破的文明梦想，却在李嘉诚六十年来的实践领域里得到了最完美的收获与最充分的演绎。可以去寻求，可以去揣摩，可以去承受，可以去变现。甚至可以去模仿。但是，不是人人都可以体验。最多不过是纸上谈兵而已。

"山重水复疑无路，柳暗花明又一村。"在香港这片狭窄的土地上得到了共鸣，李嘉诚得到了浸淫洗礼，得到了挥洒，得到了发挥，得到了真谛。最主要的是，得到了别人所没有遇到的运气。与西方文化相处、碰撞、贴面肉搏、水乳交融，相辅相成，在人们都以为这里是文化沙漠的地方，出现了真正经受考验的生命健旺壮盛，影响无所不及的粒粒种子。

所幸者，李嘉诚是也。李嘉诚，一个深明儒道真谛的商者，将国粹发挥升华到一个新的无人企及的超乎现实的理想境界，甚至可以说是神话玄妙近乎虚幻的理想世界。亦由此，世人开始，从过去的历史中，过去的脚步中，过去的禅示中，过去的沉疴中，寻找未来，寻找光明，寻找出路，寻找希望的田野，寻找桃花盛开的地方。甚至，寻找通向未来之路的诺亚方舟。

简单直接地讲，追求梦想，寻找财富，追寻自我，超越自我。以小我去成就大我。在一个从无根基、无依无靠的地方生存，可谓重新做人，全家人的命运由李嘉诚一力承担一力维持一力决定。李嘉诚能够左顾右盼吗？只能义无反顾。

李嘉诚最先努力的乃是适应社会这所学校，到茶楼做店小二，到舅父公司里做小职员，在五金公司做街头推销员，虽然艰难，然而却可让一家人吃上饱饭，而且他也很快了解、熟悉了社会的各色人等和谋生的诸种方式。

社会对于初涉世情的李嘉诚不仅仅是严厉的、残酷的，他完全知道在那里不能做感情的交易，不能抱任何的幻想，不能有任何的怠懈，更加不能有任何的侥幸，甚至不能有任何的犹豫彷徨蹉跎。他的情感也因此很少外露，他避免一切感情的冲突。沉稳、含蓄、寡言、谨慎，避免用感情直接表达自己内心深处的世界，避免让世界分享他的感情世界，甚至，避免让世界窥视他的情感世界。

天道酬勤，世道无欺。李嘉诚看到了，剩下的只是他如何自处和报世，如何充实自我，提升自我，展示自我，否定自我，表现自我，肯定自我，升华自我，超越自我，从而征服与改造世界，让庞大的世界变为自我。应该说，商圣李嘉诚做得极为出色。

少年的欢乐、人性的懒散和尘世的嗜欲，在他身上几乎找不到丝丝迹象，于他似乎是如此的陌生，那样的遥远。他的精力几乎完全花在赚钱与学习上了，花在与人与钱打交道上了，花在挣取他和家人活命的微薄收入上了。

此时此刻的李嘉诚，还在生命生存的泥潭中苦苦挣扎，而且容不得半点迟疑气馁。当然，那时的李嘉诚别无选择，也不能选择。他唯一的选择就是适应这个多变的社会。尽管这是一杯浓得酽得发苦发涩的功夫茶。

∽ 为了生存

多少年后的今天，李嘉诚依然抱憾，自己没有童年与少年。甚至对儿子能读世界名校心生嫉妒。直到今天，李嘉诚感叹昨天的李嘉诚，是多么向往学校的琅琅书声啊。扭曲的世界，带来多么大的扭曲与多么大的遗憾。所幸的是，这种遗憾，仅仅是发自时空之外的感叹，如果回到现实，李嘉诚依然可以引经据典，滔滔不绝，振聋发聩，发人深省。

李嘉诚出身并非大富大贵之大家，就算其身世显赫，可以上溯到一千年前的大唐李皇，但在他来到这个世界的时候，家道中衰，止于小知识分子家庭，在生活和世界的边缘，这种家庭及生活背景出身的孩子，一般来讲是健康的，他们聪敏、灵气、善良、温情，求知若渴。更重要的是，对知识有着超越生命超越世界超越自我的追求，对人生更有着出人头地的强烈欲望。始终，他们具有常人不具备的超常的视野与心智。

对大部分受过良好童年教育的孩子来说，接下来是青少年时期的一帆风顺，千宠百爱，千呵百护，如果没有意外的悲剧使他们脱离生活的平稳的安全的无惊无险的轨道，他们将信守自己生活的真理，遵循生活事先已经安排好的不变轨迹，按部就班，亦步亦趋，并以此演绎整个生命历程的诸种平淡无奇的经验，从平淡复归平淡，从平凡走向平凡，从平庸变成平庸。

李嘉诚不得不过早地踏入社会大门。求职无门，一次又一次碰壁，虽然有时有点灰心，但是看到母亲、弟妹期待的眼神，没有丝毫的气馁丝毫的动摇，一天又一天，带着希望走出家门。

虽然香港的九月天很多时都是阴沉沉的，但是作为长子的李嘉诚必须要给这个家徒四壁的家带来灿烂的阳光，哪怕是刹那的光明与看不到的希望。甚至乎嘴角微微一翘的刹那间的微笑。

一次，母亲对李嘉诚说："你去找一找潮州的老乡吧，潮州人总是帮潮州人的"。李嘉诚手拿打听到的地址，找到了上环黄记杂货店，说来这位店主黄先生还与李家有点关系，早年黄先生也住在潮州北门，与李嘉诚家仅隔两条街，况且，他还是李嘉诚伯父李云章的学生，尊师重道的潮州人总会念及这层老关系的。还未等李嘉诚的稚气喘定，眼前的景象已经令李嘉诚大失所望。店铺早已倒闭，只有黄记招牌还在海风吹拂中，摇摇欲坠地飘摇在那里。

又一次的碰壁，又一次的失望。多少次的碰壁失望，多数人也由此灰心失望，成为社会里的普普通通的类型，从事普普通通的工作，做一个普普通通的难分彼此的似曾相识的类型。当然，世界本来就该如此。否则，岂不人人都成了李嘉诚，这个世界哪有那么多的机会与财富？

然而，当文明转型的阵痛不期然降临在每个个体生命和家庭时，无论自愿或者被迫，无论偶然或必然，他们都必须重新寻找生活的基础，必须重新建构对于生活和世界的认知，必须重新感知过去现在生活所赋予人类的真谛，必须重新找寻新生活的社会支撑点，必须寻找属于自己的那份苦难幸运。在此意义上，那个时代的草根知识分子及其后代，都在参与着对社会既有的潜规则的改造创新演绎变通。

李嘉诚万幸地感受着时代的沧桑，现实的悲苦，生活的磨难，时空的巨大落差。

对于具体的个体生命来说，是某些偶然的、神秘的因素规限了这样的努力成为悲剧或闹剧，从"自铸伟辞"，无为而治，以柔克刚的圣雄甘地，到献身社会，忘却自我的德兰修女，甚至乎如鱼得水、励精图治的胡雪岩，甚至乎风云变幻等闲视之的包玉刚，都毫无例外，在生活轮回的原始轨道上，沦为神坛下蜷伏的奴婢，或者成为自立法则、自创王国的大师、巨匠。

最终，从圣坛下蜷伏的战战兢兢的求道者，步出桃花径，豁然开朗，信步迈上万众顶礼膜拜的圣坛。商圣李嘉诚幸运地成为后者。这一切，全赖悲惨世界所赐予的无穷动力法力定力毅力道力苦力张力。

五十年之后的今天，李嘉诚贵为世界华人首富，在外人眼中，这样的人一定周身名牌、餐必鲍翅，享尽天下荣华富贵。事实上，李嘉诚却是一位"食无大肉，衣无重彩"的圣雄甘地式的尊崇清规戒律，一丝不苟的节俭者，几乎没有什么特别的生活情趣的清教徒。通常的午餐，有碟青菜，一条小鱼，一杯清水，哪怕是一盘炒河粉，已经吃得有滋有味，心满意足。

为了教导儿子，一样番薯糖水，可以喝足一年不变，这就如同李嘉诚对儿子所说的那样，你手中的苹果，永远吃不出我口中的味道。他在接受一名外国记者访问时表示：

> 我的生活水平跟我在 1957 年事业已上轨道时相差不远，甚至更加简朴。无论是从前或现在，我都喜欢简单的生活，对于物质享受的要求不高，反而着重内心的平静，希望多做些有意义的事。

化外之高人超人，似曾相识。当然遥不可及。求知甚至成了李嘉诚生活和事业的最重要的部分，直到今天他仍坚持每天听英语新闻，每天睡觉前看书的良好习惯，周而复始，年复一年，日复一日。

> 实际上，人生最重要品质的养成和实践，在校园里已经开始，诚信、勤奋、上进、助人是我们人生路上不变的立足点。我个人的人生实践告诉我，如果一个人要对祖国、民族有所贡献，这些品质是必由之路，没有其他的选择。

这样一个人的成功毫无疑问是必然的。当然，不是看的书多就会成功。否则，也太天真了。

父亲因病去世，家境的贫穷使他过早地面对社会，面对人生，面对善良，面对丑恶。

人情似纸张张薄，世事如棋局局新。为了生存下去，李嘉诚与他母亲一起挨家挨铺地找工作，但却处处碰壁。日复一日，母子俩披星戴月，拖着满是血泡的双脚回到家中。在那兵荒马乱的年月，到处都是失业的人群，到处都是面黄肌瘦求助的人们。李家寡母孤儿，就更难找到工作了。母亲庄碧琴设法批发一些小日用品去卖，每天只能赚到几角钱，只能买几个鸡蛋和芋头，根本无法养活一家五口。不知过了多少个近乎绝望的日夜，就在全家为明日后日无米之炊惶惶不可入睡的时刻，舅舅庄静奄托人带话，同意外甥李嘉诚到他的公司上班。

当感到丝丝安慰的母亲庄碧琴含着难以名状的心情与苦涩的泪水，把这个迟来的意外的利好消息告诉李嘉诚的时候，李嘉诚却意外地异常冷静地毫不犹豫地非常决绝地拒绝了舅舅的这番姗姗来迟的好心好意。

刚刚泛起一丝希望的庄碧琴再次坠入云雾之中。其实，作为母亲，她何尝不明了儿子的内心深处！

～ 茶楼跑堂

知子者莫若其母，庄碧琴又何尝不是这样。虽然她理解并也支持儿子的断然决定。虽然她不情不愿，虽然她期期盼盼。但是她看到身心疲惫的儿子布满血丝的双眼，因为困惑困顿而无神无助的眼神，因为消瘦而颧骨凸出的脸庞，忍不住走上前去擦去挂在儿子双眼的泪花，与儿子约法三章，再坚持最后三天，如果三日内还找不到工作，就一定到舅舅公司上班。因为母亲确实已是等米下锅，因为儿子确实已是身心交瘁。

看到母亲的忧伤与愁苦，看到母亲的辛苦与困惑，看到母亲慈祥目光闪现出的渴望与无奈，尤其是看到弟妹食不果腹的绝望眼神，李嘉诚紧紧拉着母亲的手，用另外一只手抚摸着母亲皲裂的手背，轻拭母亲眼角的泪痕，不情不愿地用力默默点了点头。

有谁能知道，能体会到，这个点头包含着多少催人泪下的苦楚与不可名状的无奈。因为李嘉诚知道，如果三日内还不能找到工作，母亲将不知以何为炊，弟妹或要上街乞食。

　　第二天，比平日起得更早，李嘉诚拖着起满血泡的双脚，开始了找工的新一天。说也奇怪，这天，李嘉诚心情格外好，路上遇到不相识的人，也会主动开口问候。

　　突然放晴的天空，朗朗蓝天，炎炎烈日，虽然令人汗出如浆，但是，李嘉诚全然没有注意到，今天是阴天还是晴天。连续数日的阴天，突然晴空万里，莫非是个好兆头嘛。莫非真的是老天开眼？

　　皇天不负有心人。经过漫无目标的艰辛寻找，上环春茗茶楼终于愿意请李嘉诚。但是必须要有人担保。这也是当时的不成文的行规。庄碧琴亲自陪同李嘉诚见工，恳切地向老板说明情况。看到李嘉诚诚实的眼光与渴望的神态，通情达理的老板破例答应招请李嘉诚。

　　自此，李嘉诚进入这间茶楼做跑堂，他每天都是第一个赶到茶楼，他每天都把闹钟调快二十分钟，每天工作十五小时以上。这一习惯一直保持到今时今日。

　　2005年年底，超人李嘉诚在接受中央电视台专访时，透露了自己年轻时"双闹钟防撞板"的趣事。他表示，年纪轻的时候，要用两个闹钟才醒，若用一个闹钟就只会撞板。此话何解？他笑说：

　　　　你刚刚才被闹钟弄醒，你说好吧，我再睡多一分钟之后就起身了，
　　一按下去，你的一分钟可能变为两小时。所以，两个闹钟就不会撞板。

　　李嘉诚在西营盘春茗茶楼做了煲茶倒水的堂仔，也就是小说电影中常见的肩上搭条毛巾，提个大茶壶，在茶楼里穿来穿去，口中高呼，"来了，满上"，替客人斟茶倒水的店小二。这是商圣李嘉诚难得的第一份工作，第一份可以勉强养家糊口的工作。

　　香港人有喝早茶的习惯，天蒙蒙亮时，就有茶客陆续上门。伙计必须在五时左右赶到茶楼，为客人准备茶水茶点。上班的头一天，舅父送给李嘉诚一只小闹钟，让他掌握早起的时间。

　　礼轻情义重，其实在当时香港的现实环境，不能说庄静奄对姐姐一家人太过薄情。闯荡江湖的庄静奄，只是用一种完全不近人情的方式，鞭策激励外甥李嘉诚，让他感受到找一份工作的不容易与艰辛，希望他能经得起捶打

磨炼，珍惜任何一个机会，自立自强。当然，这是庄静奄在李嘉诚发达多年以后的解释。

李嘉诚当年可能会有过愤愤不平。但是随着自己事业如日中天，回过头来看这段历史，也不过是付诸一笑，偶尔也会心生感激。不管怎么说，舅舅庄静奄后来还是将自己的女儿许配给了李嘉诚。不过这是后话，暂且按下不表。

李嘉诚每天最早一个赶到茶楼。通常除了老板，李嘉诚也是最后一个离开茶楼的人。这一切都被细心的老板默默地看在眼里记在心里。

让我们看看当时做学徒的行规：黎明即起，侍奉掌柜，五壶四把（茶壶、酒壶、水烟壶、喷壶、夜壶与笤帚、掸子、毛巾、抹布），终日伴随。一丝不苟，谨小慎微。顾客上门，礼貌相待。不分童叟，不看衣服。察言观色，唯恐得罪。精于业务，体会精髓。算盘口诀，必须熟练。有客实践，无客默诵。学以致用，口无怨言。每岁终了，经得考验。最所担心，铺盖被卷。

茶楼的工作每天都在十五小时以上，再加上超时的跑堂，15 岁的李嘉诚刚开始累得连话都不想讲。辛苦了一个月，老板把第一份薪水递给李嘉诚那一刻，他想到了父亲，想到了他对父亲的承诺，想到了母亲期盼的眼光，想到了……

这是李嘉诚平生以来最激动的时刻，自己的劳动终于有了回报，终于可以理直气壮地说，我可以养活我的母亲弟妹了。在天之灵的父亲啊，你可以安息了。这区区三百元钱的重量远远超过了今天李嘉诚卖"橙"[①]赚千亿的分量。

这不是文学家的夸张，这不是史学家的臆想，这是当时的痛苦的现实的沉重的历史回荡。虽然得到的薪水很少很少。在当时的贫困情境下，茶楼付给他的工资，远远还不及今天李嘉诚春节期间发出的一封利是多。但这已经令到李嘉诚开心不已，因为这可以勉强让李嘉诚解决一家人的温饱。全家不再挨饿了。全家不再风餐露宿了。母亲不用愁眉苦脸了。弟弟妹妹可以勉强吃饱肚子了。李嘉诚可以告慰在天之灵的父亲李云经先生了。

这就是 15 岁的李嘉诚的最初的愿望。今天看来这个愿望是如此简单。

白天尤其是下午三四点，虽然茶客较少，但总会有几个老翁闲坐泡茶消磨时光。茶楼是个小小的社会缩影，三教九流，黑白黄绿，哪条道上的人都有。

---

① "橙"（Orange）为李嘉诚旗下公司，李嘉诚将其股份卖给德国曼内斯曼公司，获纯利 1100 亿港元，香港舆论称其为"世纪收购"。

他们或是贫穷，或是富有，或是豪放，或是沉稳，都在这里尽情发泄自己心中的忧闷、快乐、不满。偶尔的寂静很快就会被某个茶客的大声喧哗所打破，甚至是一个呼噜，一个响屁，一个喷嚏，都会令到茶楼再度喧闹起来。这一切对李嘉诚这个涉世未深的人来讲，都有一股特别的新鲜感与吸引力。

茶楼工作异常辛苦，而且必须站立，必须走动，更重要的是，必须眼观六路，耳听八方，灵活醒目。

今天的李嘉诚，似乎从未为这段历史而自卑，而是充满了自豪。没有昨天的店小二，又何以造就今日之商圣李嘉诚。李嘉诚是地位最卑下的堂仔，大伙计休息时，他还要端茶侍候。晚上是茶客最多的时候，茶楼打烊时，已是夜深人静了。

李嘉诚后来回忆起这段日子，说自己是"披星戴月上班去，万家灯火回家来"。这对于一个才十四五岁的少年来说，实在是太不容易了。李嘉诚后来对儿子谈起他少年的这段经历时，感慨地说："我那时，最大的希望，就是好好地睡上三天三夜。"

如此而已。一个多么平常而又多么奢侈不可得的普普通通的期求。尽管这样想，但他不敢有丝毫怠慢。正是因为找工作的备加艰辛，才使李嘉诚更加珍惜这份来之不易的工作。他真诚敬业，勤勉有加，很快便赢得了老板的赏识，成为加薪最快的堂倌。

∽ 生活的启示

每天下班，他已经累得筋疲力尽。回到家里，李嘉诚仍然坚持自修至深夜才睡，从不懈息，从未间断。每每这时，李嘉诚的母亲就会悄悄端上一碗儿子最爱吃的潮州白粥。这时，李嘉诚总会心疼地叮嘱母亲早睡不要等他，不要为他太过操劳操心。然后，他就闪亮着大大的眼睛，语带好奇地告诉母亲他每天工作、学习的收获，听到的趣闻逸事，让为他担忧的母亲放下心头的重负。让母亲紧锁的眉头，能够放松一下，偶尔开怀笑一下。

有时兴致所到，还对母亲讲述他未来的志向。在这个时候，母子俩往往偎依在一起，憧憬着他们美好的将来。此时的母亲，更多的是一种发自内心的满足与骄傲，欣慰与自豪，这也是一种作为母亲对爱儿的期待。母亲多少年未见的欣慰眼神又不经不觉间流露了出来。李嘉诚更是躬执勤勉，行黄香之礼。为母扇凉其枕，身暖其席。亲尝汤药，嘘寒问暖。

李嘉诚终于熬过了最艰辛的一年。老板不断给他加工钱，他开始能够像其他堂倌一样，轮流午休或早归。他从心里感激茶楼老板，是老板实现了他养家糊口，供养弟妹上学的愿望，并给予了他极好的锻炼机会。也因此，知恩图报的李嘉诚把自己全部的精力都投入到工作中。

一个有信用的人，比起一个没有信用、懒散、乱花钱、不求上进的人，自必有更多机会。

这是李嘉诚给年轻人的忠告，同时也是他人生的座右铭。

对学问一向执着追求的他，虽然居于薄扶林道七十三号，与香港大学近在咫尺，然而他想继续求学的梦想已是遥不可及。有多少个夜晚，望着天上的星星，看着香港大学灿烂的灯火，李嘉诚酸楚的心，发出一丝丝无限的惆怅，一丝丝难言的遗憾。也许正是身处这样一个特殊的环境，激发了李嘉诚求学的欲望与动力。李嘉诚六十年后在北京大学的一次演讲中，发自内心地鼓励莘莘学子。

每一次我踏进大学校园，都很羡慕你们有超卓的师资和良好的学习环境。因为回想我童年至少年时代是在战乱中成长，当时社会动荡，家庭贫困，无法完成学业，当日如果我有像你们一样的机会，我的一生又会如何呢？

但是我相信在世上要成就每一样真正有价值或者可以值得骄傲的事情，都必须具有正确的人生观，付出时间、努力、坚毅的意志和锲而不舍的奋斗精神，并且抱持自律、克己、积极学习的态度。

我们要知道一个人没有付出努力、徒具成功的虚名而浮露的傲气，相对一个真正付出努力而赢取成功的人，其所蕴含的自尊自信而表现的傲骨，两者实在有天渊之别。

　　直到今时今日，李嘉诚仍然坚持每早五时四十五分起床，听六点新闻报道，跟着打高尔夫球，然后返回办公室，展开一天忙碌的工作。

　　"苦难是人生的老师。"法国作家巴尔扎克的这一道白，或许是对少年李嘉诚的一种实实在在的精神安慰。走过人生第七十个年头，李嘉诚简明扼要地说出成功之道。

　　　　因为我勤奋，我节俭，有毅力。我肯求知，建立良好的人际关系。

　　三言两语，勾画出他怎样闯过昔日的一道道难关。虽然是轻描淡写，但是个中的酸甜苦辣，只有李嘉诚自己心知肚明，感悟至深。

　　有多少次，李嘉诚感叹着"为亲负米"的故事。"子路，孔子弟子。家贫，常食藜藿之食，为亲负米百里之外。亲殁，南游于楚。从车百乘。积粟万钟，累茵而坐，列鼎而食。乃叹曰：虽食藜藿之食，为亲负米，不可得也。"而又有多少多少次，李嘉诚叹息着没有机会"为亲负米"。感叹着人生无常。感叹着自己的不可得也。

　　每次面对逆境，李嘉诚都会这样问："自己有足够能力应付吗？"同时，李嘉诚也毫无二致地回答："在我李嘉诚面前，永远没有过不去的桥。"这绝不是一个成功者的豪言壮语，而是拼搏数十年的真实写照。李嘉诚说一个人只有面对和忍受逆境的痛苦，个人成功的机遇才能表现出来。在具有相差不多的智商和情商的情况下，逆境对一个人的人格完善和事业成功起着决定的作用。因此，一个不甘于平庸的人，在没有刻骨铭心的困苦的经历时，就应该从认识了解李嘉诚开始，通过对李嘉诚生活的体验，来尝试走李嘉诚走过的路。

　　在每个人的命运旅途中都会遭逢种种的痛苦与逆境。而人生的意义正是因为历经了这些痛苦与磨炼，才能够感受其丰富的内涵，感受其实实在在的意义，感受其无穷无尽的真谛。因为痛苦不是随意寻找期待的，是源于生活的逼迫，是源于人生的不经意的折坠，是源于内心的种种迷惑疑惑，是源于现实的不得不面对的选择。贫不足羞，可羞是贫而无志。

　　佛陀教导人们要以一颗平静、清明、智慧的心面对逆境与困难，面对逆境要能够泰然处之，积极寻求化解之道。

但是对于小小的李嘉诚来说，茶楼工作的价值远不止是一个普通得再也不能普通的"饭碗"，他深知自己不可能长期做一个小小的堂倌，也不可以满足于仅仅能养活一家老小，他必须把茶馆的工作当作一个学习社会、体验人生、积累经验的绝好课堂。

∾ 学徒生涯

李嘉诚喜欢听茶客谈古论今，散布小道消息。这绝不是闲言碎语。他从这里了解了社会和世界的许多事情。这些事情大部分都是在家中、课堂上闻所未闻的。李嘉诚的思维不再单纯得如一张白纸，而是慢慢刻上了深深的社会烙印。这是长期在社会修炼的痕迹，不是有意雕饰的烙印。一点一滴，日积月累。漫不经心，尽在其中。

尽管如此，父亲的遗训刻骨铭心，他在缤纷变幻的世界中，从来没有迷失自我，哪怕是刹那间的道德迷茫或犹豫迟疑。渐渐地，他发现茶楼的客人各具特色，又各有喜好。

于是在干好自己手头工作的同时，他开始暗暗观察起每个客人来。一次，听得入迷的李嘉诚，不小心将茶水洒在了一个客人的身上，而前不久同事刚刚经历同样事情而被逼下跪，后被逐出茶楼的情景，刹那间又浮现在李嘉诚眼前。

李嘉诚惶恐不安，手足无措，愣在了那里。醒目的老板立即趋前道歉。这时，这位仁慈宽厚的茶客出人意料地说，没关系，是我自己不小心碰到他，不关他的事。一场暴风骤雨就这样瞬间无声化解。心生感激的李嘉诚迄今都对这件事难以忘怀。他曾经讲过，如果有缘能见到他，我一定会让他安度晚年，以报答他的宽宏大量。

小小茶楼，真个是人情世故皆文章。李嘉诚首先根据各位茶客的特征，揣测他们的籍贯、年龄、职业、财富、性格等，然后找机会验证。接着他又揣摩顾客的消费心理，看他们喜欢坐什么台，喝什么茶，吃什么茶点。刚开始，他一点也猜不透茶客的情况。甚至不时搞错，甲桌的茶点送到了乙桌。但他没有气馁，继续观察，潜心揣摩，不断总结规律。终于他发现自己，在面对形形色色的消费者时，也能猜个八九不离十了。他高兴极了，觉得观察人太有趣了。但是，他并没有丝毫的满足。

后来，李嘉诚对一些常客的消费需要和消费习惯了如指掌。如谁爱吃虾饺、谁爱吃烧麦、谁爱吃粉果、谁爱吃肠粉加辣椒、谁爱喝铁观音、谁爱喝普洱、什么时候上什么茶点，李嘉诚心中都一清二楚。甚至一个陌生人来到店里，李嘉诚也能凭客人的言谈举止把他的身份、地位、喜好和性情猜个八九不离十。

就凭这些真功夫，李嘉诚若在街头摆摊看手相面相，相信也能挣个好价钱。李嘉诚投其所好，又真诚待人，顾客感到特别受尊重，高兴之余，一些稍稍有钱的茶客自然乐得掏腰包打赏。当然，那时的打赏只不过是今天连在香港行乞的乞丐在路边看到都不愿意捡拾的一毫两毫。

李嘉诚更为用心地训练起了察言观色、见机行事的本事。他因此很快成了一个十分出色的堂倌，并迅速了解了各种人情世故。后来，他这种本领派上了大用场，成为他了解客户的真实需要、驾驭客户心理的绝招。可以说，若无这项本领，他绝不可能有后来的辉煌。

茶楼工作的一年多时间，成为商圣李嘉诚人生的起点基点。这是李嘉诚人生的真正的第一桶分量十足的黄金。

1944年，李嘉诚到他舅舅开设的中南钟表公司工作，从学徒开始做起，扫地、烧水、倒水、跑腿等杂事他样样都做。至于为什么辞工为舅舅打工，李嘉诚从未解释其中的原因。当然，考虑当时的实际情况，不外乎以下几个方面。

其一，舅舅对李嘉诚一年来的顽强斗志非常满意，并愿意给出较茶楼更高的工钱。

其二，李嘉诚绝对不满足于做一个端茶递水的店小二。他已经看到，店小二是一个永无尽头的苦差。他想到舅舅的钟表公司学一门技术，靠技术吃饭。

其三，当李嘉诚已经能够独立承担李家四口的生活重负后，庄家已没有理由嫌弃自己的姐姐一家人，两家关系反而更加熟络，走动更频。

其四，情窦初开的李嘉诚渴望能够有更多机会接近表妹庄月明，为舅舅打工，就会有更多机会走进舅舅家门，看到自己朝思暮想的表妹。

李嘉诚利用空隙时间，跟师傅学艺，不到半年时间，他就学会了各种型号的钟表的装配及修理。舅舅公司的任何型号的钟表，李嘉诚都能够把它熟练拆卸并迅速装配起来。李嘉诚的聪明伶俐再次令舅舅刮目相看，也令到公司员工赞叹不已。更加使李嘉诚认识到了自己的天赋。而这些员工，却并不知道李嘉诚就是大老板庄静庵的亲外甥。小小李嘉诚的城府之深，由此可见一斑。

那时，他的一个目标，就是利用工余时间自学中学课程。令人惊奇的是，虽然工作繁重且时间长，但他丝毫没有放弃学习。他用到旧书店购买旧教材的方法自学，掌握了基本的知识，包括英语这样的交流工具。

李嘉诚到旧书市场买回自己需要的课本，抓紧每一分每一秒，掌握其精髓，然后，再将这本旧书卖给旧书市场，买回另一旧书，就这样往复循环，周而复始，用最小的代价，最大限度地掌握最多的知识。但是微薄的收入，以及维持全家生活，保证弟妹读书的负担，使他只能购买一些有限的旧教材。回忆这段历史时，李嘉诚说：

> 先父去世时，我不到十五岁，面对严酷的现实，我不得不去工作，忍痛中止学业。那时我太想读书了，可家里那么的穷，我只能买旧书自学。我的小智慧是环境逼出来的，我花一点点钱，就可买来半新的旧教材，学完了又卖给旧书店，再买新的旧教材。
>
> 就这样，我既学到知识，又省了钱，一举两得。

就这样，书本，一本一本从他的手中走向旧书店，书中的知识，却点点滴滴地走进了李嘉诚的脑海中。

伟人或许都有相同的经历，正如托尔斯泰所说，幸运的人，都有相同的幸运，不幸的人，各有各的不幸。

命运对任何人都是公平的，你付出多少，你想要什么，命运便会给你提供得到它的条件，只不过，这些条件都是隐晦的，甚至是刻薄的，需要你去识别，需要你去极不情愿地领受，需要你用心地品味个中滋味，更需要你不失时机地去把握，去追求。李嘉诚是从学徒开始他的商旅生涯的。

转眼之间，已是1945年8月，日军投降之后，当时的香港百废待举，经历战争磨难的香港人，渴望一种安宁祥和的新生活。随着港英政府管治的逐步健全，香港的社会生活逐步走上轨道，经济复苏似乎成为各行各业共同的梦想。

这时候，庄静庵指派李嘉诚到高开街的一家钟表店做店员。这时的李嘉诚已经不是初来乍到的毛头小伙子，而是一个对钟表业有相当认识的熟练技工。甚至，他对高开街钟表店的业务，包括产品的摆放等，都有自己的独到见解。

而店里上下，就算不知道他是老板外甥，也没有人敢小瞧这位后生仔。

两年后，李嘉诚跳槽到一家五金制造厂和塑胶裤带制造公司当推销员。

后人依然不解，李嘉诚为什么又离开了自己舅舅的钟表店。那时的李嘉诚虽然年纪小小，已经是社会阅历深深。惯于思考，勤于思考的李嘉诚明白，就算是自己的舅舅，也没有可能给自己带来一切。

虽然当初进入舅舅的钟表店，除了想一技傍身外，还带有丁点私心杂念，那就是接近自己朝思暮想的表妹庄月明。但是，现实像一座大山一样横卧在他们两人面前，不但舅舅舅母不同意他们两人的来往，就连李嘉诚的母亲也不同意这门亲事。

更为难堪的是，舅舅在看出李嘉诚对自己的千金小姐的"狼子野心"后，横眉冷对，大有将外甥李嘉诚拒之门外之势。况且，当李嘉诚完全把握钟表业的内里乾坤之时，在看到这个行业的现实困促与未来掣肘时，已对在这个行业发展失去了兴趣。在这种情况下，李嘉诚只有三十六计，走为上策。

中国的传统素有知天命之说，李嘉诚在苦凄的挣扎中，在艰难的生活中，在马不停蹄的事业中恒久不懈地意识到这一点。他知道了人不仅属于自己，不仅属于一个家庭，甚至不仅属于一个家族。李嘉诚对自己的发迹感触犹深，他就是这样说的："创业时要百分之百靠双手勤劳换来……之后，机会的比例也渐渐提高，现在运气已差不多要占三至四成了。"

在一个有才气有灵性的上帝的宠儿百倍地虔诚地付出后，命运之神再也没有放弃他，也永远不会放弃他。就好像刚刚领受了神谕圣旨一样，像清教徒为上帝处心积虑地积累财富一样，像在炎炎烈日下，负重行走在绵绵沙漠中的骆驼一样，李嘉诚意识到了自己的义不容辞不可回避的历史使命：生命中尽可能的对财富的积极索取与对人性的积极发挥，还有，对社会的毫不吝啬地回报奉献。

李嘉诚没有丢失千载难逢的机会。既然有这样的机会，就不放弃，就紧紧抓住，就成为最出色的，在各个方面的尝试成为最好最成功最杰出的典范。

商场驰骋，商道纵横，商路茫茫，商海莽莽，成就千年商圣所应该具有的千年功业。亿万的财富进出、投资、吞并……呼风唤雨，没有硝烟的看不见战线的战争，没有疆域的王国，甚至看不见的你争我夺。静静的顿河，有谁知道，这里的黎明静悄悄，到头来却是处处战争与和平，当然，未必人人知道，钢铁是怎样炼成的，只能怅然若失地追问，怎么办？

李嘉诚呼风唤雨，乐此不疲，得心应手，随心所欲，指点江山，激扬文字。无论被美国《财富》周刊评为千禧年企业家，还是被《亚洲周刊》评为亚洲2000年第一号最有权力人物，都说明人们或远或近看到了圣迹的显灵，看到了圣迹的如影随形，感受到了圣迹的巨大的存在。

让我们在这里一同回味李嘉诚与青年学生的一次谈话，来进一步见识此时的李嘉诚。

问：在外国，有所谓的"天才"，即使年纪轻轻也可领导一队人马，成为领袖；但在中国人的社会如香港，则较论资排辈，年轻人很难赶上资历较深的同事，作为领袖的你，有何意见？

答：也未必如你所说。在四十年代，我年纪很小便出来工作，十七岁时为一批发商的营业员，年纪小但待遇很好，连花红一并计算，薪金比MD还高出两至三倍：十八岁做经理，十九岁为总经理，二十二岁创业。

所以，只要自身条件优越，有充足的准备，在今日的知识型社会里，年轻人更容易突围而出，创造自己的事业。

问：李先生你那么成功，会否对下属构成压力？你那么有知识，下属是否有机会发表意见及发挥自己的才能？你是否容易接纳及采用下属的意见？

答：下属们有很多发挥的机会。如在本公司服务多年的行政人员，有的已工作了了很多年如长达三十年，什么国籍也有；无论是什么国籍，只要在工作上有表现，对公司忠诚及有归属感，经过一段时间的努力及考验，亦可成为公司的核心分子。

我很有信心，这批员工在他们退休之前，仍会留守在本公司继续做出贡献。原因是员工们很积极，很主动地发挥自己的才干。我们的业务遍及五十五个国家，香港及海外员工的数目达二十万，公司的成功，全赖这批员工的努力。

事实上，在每次开会前，我会多接触及了解有关事务。况且在开会前，我会仔细研究他们的建议，加上各部门同事各有自己的知识及专长，故当下属提出有用的建议时，很快便能获得我的接纳，例如，在一次行政会议上，我在两分钟内便批准了同事所提出的建议，我还打趣地说："全世界没有一个行政人员能那么快取得总裁的批准。"

问：若你的员工想自创一番事业，你会鼓励他向外做个人发展，抑或留守在集团内继续做出贡献？作为老板的你，对这位员工有何建议？

答：以往，中国人做生意时常会有这个想法。对员工太好，他自己有积蓄，便会向外闯，开拓个人事业。若有这个想法，就只适合经营家庭式的小型企业；要经营大企业，必须知道大企业本身要有很完善的组织，一位员工的离开，自有其他人补上。

例如，本公司曾有员工被邀请往其他公司任高职，但当中也有不少人回流，原因是公司待遇好，大家合作愉快，最重要是双方建立了深厚的感情。

本人认为，最重要是员工能以公司为荣，及觉得在工作上有前途。

问：李先生做生意的手法及宗旨，比较稳健、保守；但现在有些业务是需要以较进取的手法进行，并需承受风险。若有些业务需承受风险，即与你的宗旨违背，你如何做出取舍？若你的工作伙伴很进取，喜欢冒险，在合作上会否出现问题？

答：我本身是一个很进取的人，从本人从事行业之多便可看得到。不过，本人着重的是在进取中不忘稳健，原因是有不少人把积蓄投资于我们公司，我们要对他们负责任，故在策略上讲求稳健，但并非不进攻，相反在进攻时我们要考虑风险及公司的承担。事实上，我们现在有很多进取的业务正在进行中，只是未向外宣布。

船要行得快，但所面对的风浪一定要挨得住，亦非少许风浪，便停泊起来。

本人在五十五个国家都有业务，可见本人的进取心。

在过去一年，我奉行的原则是保持现金储备多于负债，可以起到平衡作用。

问：中国人的公司较注重感情，美国公司较着重科学化的管理，你在管理的过程中，两者之间如何取得平衡？

答：美国科学化的管理有其优点，可以应付快速的经济转变，但没有感情，在业绩不好时进行大规模裁员，我们做不出，因会令员工没有安全感，及导致很多人突然失业。我们糅合两者的优点，以外国人的管理方式，加上中国人的管理哲学，以保存员工的干劲及热诚，我相信可以无往而不利。

问：大家都知道要成为领袖所必须具备的条件包括要有眼光、理想、动力及奋斗精神，但又怎样才能做得比他人好？李先生会否有很大的压力，又怎样去纾缓自己的压力呢？

答：要成为领袖，你提到的基本的素质一定要有，小企业每样事情都要亲身处理，所谓"力不到、不为财"。至于中型至大型企业，则一定要有组织。而最难做到的就是要建立一个良好的信誉、建立主要行政人员对公司的信任，令他们知道在公司会有更好的前途及工资。同时，也要令同事明白他们工资与花红越来越多时，也要清楚知道他们的生产能力要同时配合，这样公司才能够维持，只做一个好好先生是没有用的，如果只会乱花钱，公司迟早一定会出现问题。

最难做到的是要赚钱之余，又要令公司内外对你有信心，所以要清楚无论从事什么行业，都要比竞争者做好一点，就如奥运赛跑一样，只要快十分之一秒就会赢。

就以我来说，我年轻打工时一般人每天工作八至九小时，而我则工作十六小时，除了对公司有好处外，我个人得益更大，这就可以比人赢少许，对于香港今日竞争这样剧烈的社会来说，这更加重要。

　　我没有什么压力。起初未够二十岁时便要负担家庭，一心想向上，每到晚上便想着明天的事情，但第二天一早醒来，便发现所想的事是行不通的。因此我知道一个人的工作能力是有限的，不及两三个人一起做事般事半功倍，但我会尽力去做，这样压力便减少。

　　直至我做生意时，我采取稳健中大力发展，也在发展之余取得稳健的平衡。一个大企业是不可以有错，所以最紧要的是学习，要视竞争者为聪明人，只要肯努力一点，就可以赢多一点。

问：作为一个领袖要取得员工的信任，但假如李先生做出了错误决定时，会以什么形式跟员工交代？以目前李先生管理全球这么多业务，开会前又要做好准备，时间上怎样分配？

　　答：首先每一个人都会有错，错了便应勇于承认，把错的代价作为教训。事实上，做出错误决定的不是我一个人，因为每一决定都经由有关人员研究，要有数字的支持，而我对数字是很留意的，所以数字一定要准确。每次一开会就入正题，没有多余说话。

　　到目前为止，我似乎没有大的错误，每次做决定前也做好准备，例如，Orange①这历史上最大的交易，我事前不认识对方，亦从未见面，只听过他的名字，那次对方只有数小时逗留在香港洽谈，因我事先已熟悉 Cellular telephone（移动电话）的前途及做好准备，向对方清楚表达，所以很快便可做决定。我虽然是做最后决策的人，但事前一定听取很多方面的意见，当做决定及执行时必定很快。

问：李先生及两个儿子均很成功，是如何去教育自己的孩子的？

　　答：我昨天刚与一欧洲著名家族吃午饭，他们已有五代的成功历史，十分有修养、有礼貌。中国有句老话"富不过三代"，但今天的教育、组织不同，令事业可以继续，相信这句话以后将会修正，正如这个欧洲家族今天的事业比过去任何一代都好。

---

①　Orange 指原本和记黄埔集团旗下的一家英国电讯业务公司，后高价卖出。

问：但会否令孩子以为父母不疼爱他们？李先生在儿子成长的过程中，又花了多少时间在他们身上？

答：在儿子入大学前，我每周日均拒绝所有应酬，带他们到一艘绝不豪华的小游艇去，好处是跟他们说道理，他们也无处可逃。

是否疼爱不是靠金钱或物质去衡量。儿子在外地念书时，我给他们开了两个户口，一个他们绝不能动用，但已准备足够他们完成课程的费用。至于使用另一个户口的金钱，他们必须写信给我报告，我会在二十四小时内回复。后来因为他们功课太多，才接受他们要求改用电话说明，这才是有用的疼爱，我个人认为太多物质反而有害。

问：近年香港政治、经济环境变化很大，我们的出路如何？香港人要怎样才可维持竞争力？

答：这是我与所有香港人也关心的问题。率直地说，面对今天的竞争，香港人需要抛开昔日自满的心理。如何令我们在将来与外国及国内的技术及经营方式接轨十分重要，我对香港还是充满信心。

香港的优点很多，我们的银行体制、对外通信、海陆空运均不俗，很有前途，但今天还是要抱着急起直追，追求卓越的精神。

问：那么香港人应维持怎样的素质呢？

答：人才最重要，不论是服务业、旅游业以至贸易中心等。人才包括移民及刚才提及香港需要的技术人才，这里的技术也不一定是高技术，只要是我们缺乏的，例如某种地方菜式的厨师，也要去吸纳。

当然要有一定的制度，正如当年移民潮时期加拿大的计分制，但我们的家庭团聚名额订出后便不应改变。相信特区政府已看到香港面对的竞争，幸好我们由于昔日剩余的储备充足，人们的储蓄也多，在短期内可做支持。

问：潮州人多做小生意，依赖节俭、勤劳，与海派风格不一样？作为华人资本家领袖，如何对外竞争？

答：几年前我去汕大开校董会，市领导安排在饭后会见大群记者，被问及："潮州人以你为荣，你又会否以身为潮州人为荣呢？"这个问题不可犹豫作答，我在两秒内便回应道，我以身为中国人为荣。

在我心中，同事中有不同民族，会说潮州话也不会有特别好处。潮州人有其长处，也有其短处。潮州人战前多从事米铺、木材、煤炭、苦力、拉车等工作。但近几十年潮州家庭亦着重第二代教育，但必须记着身为中国人，事业有成当然应该对家乡有贡献，但更要远大思想，不止中国，甚至放眼世界。

在事业上谁有贡献、有归属感，便可成为公司核心人物，自然形成大群亲信，不分国籍。在我两个儿子加入公司前，我的机构内并无聘用亲属，我认为亲信亦不等于亲人。

但我并非不爱家乡，我放了不少心血在家乡，没有任何一个生意比汕头大学更占用我的时间，最初十年我每次到汕大均工作直至凌晨二三时。

问：成功领袖的模式应如何？你有何不足之处及成功必备的特点呢？

答：我不算十分成功，我也有短处，但人没有十全十美，要尽力去追求完善。作为一个领袖，第一，最重要是"责己以严，待人以宽"，第二，要令他人肯为自己办事并有归属感。

机构大必须依靠组织，在二三十人的企业，领袖走在最前端便最成功。规模扩大至几百人，领袖还是要去参与工作，但不一定是走在前面的第一人。再大便要靠组织，否则，便迟早会撞板，这些例子很多，百多年的银行也一朝崩溃。

还有必须紧跟时代、超越时代，有创业家精神。这对你们攻读MBA重要，工作亦然。要有创造性，勇于挑战，但亦须集中在从事的行业，正如清代曾国藩的家书记载他的朋友说，去挖十口井，不如集中挖一个确定有水源的才最重要，熟悉本行差别很大。

问：下属最欣赏及最怕你的是什么地方？

　　答：最怕我问数据，在他们开会时没有好好准备，说不出数据，又或是数据不对。有一次，一位在香港知名度颇高的同事跟他一位日本朋友告诉我一些数据，但我说不对，同事跟日本朋友商量后坚持没错，并说可以与我打赌。

　　作为上司，与他们打赌金钱并不适合，终于以高尔夫球棍为赌注。后来经我解释错处后，翌日我便收到一套新的高尔夫球棍。

　　但我最终没有接纳，因日本朋友始终是客人。我对工作很看重，不喜欢马虎，但人不可能没有错，所以，如之前所讲"责己以严，待人以宽"，但有些错是自己蓄意去犯错，例如贪污、在公司谋私利，便绝对不能容忍。

"我十八岁已经做经理，十九岁做总经理，负责办公室的工作和工厂的工作。虽然打工，我一天都做十多个小时，有的时候做到晚上，做得非常非常疲倦，公寓晚上十一点就没有电梯了，我常常爬楼梯到十楼住所，有时候疲倦得不得了，就闭着眼睛爬。我说，我一定有一个办法，可以令到我自己爬楼梯的时候舒服一点，就一边爬，一边数楼梯，数够了楼梯级数，就睁开眼睛。"

第三章

打工的少年

◀ 年轻的李嘉诚，眉宇间充满了
自信与智慧。

▲ 上世纪五十年代，塑胶水桶代替镀锌铁桶，在香港很快流行开来。（香港贸易发展局图片）

只有把自己当作对手，不断挑战自我，装备自我，提升自我，超越自我，才能成就大事大业大气大家。古往今来，无数人都有过与李嘉诚类似的痛苦艰辛之不寻常经历，甚至都有过与李嘉诚相同的转瞬即逝的幸运与机会，但是能够成就大业的人却寥若晨星。一旦困难过去，或者暂时的困境过去，就忘却了刚刚过去的困顿，只求一时一世的安逸了。

与众不同的是李嘉诚在痛苦的经历过后，不断地给自己施加压力，向自己提出挑战，甚至向生命与命运的极限挑战，未曾让自己有贪图安逸之非分之想。如果说艰苦的环境激发了李嘉诚的斗志和潜能，那么这种不断的自我挑战，则使他得到了永远向上的动力。也由此得到了最好的经商锻炼，极大地增强了他那超常的智慧与决断。

∽ 推销白铁桶

来往茶楼的客人里，最让李嘉诚羡慕的是商家。他发奋向上的欲望越来越强烈，发誓也要做一个能赚钱的实业家。可是，像他这样没有后台、没有本钱的人，该怎样才能投身实业呢？

李嘉诚十七岁那年，大胆地迈出了新的一步。他找到一份为五金厂当推销员的工作。不想长期寄人篱下的李嘉诚，两年后毅然决然地离开舅舅的钟表铺，转做五金厂的行街仔，也就是今天的街头推销员。

这时的李嘉诚已经完全不用为家中五口的一日三餐担忧，尤其是当他完全掌握钟表装配技能后，原来对这一行业的神秘感荡然无存。他倒是发现，继续在这一行业发展，虽然还有机会，但是面对着自己的舅舅，自己的许多想法思考，都受到了压制。更重要的是，为舅舅打工，必然处处受到掣肘，恐无出人头地之日。

庄静奄先生虽然算得上是一位开明的老行尊，但是，正因为这一老行尊的地位，使得他不能完全接受刚刚入行两年的外甥李嘉诚的种种建议意见。

道不同，不相为谋，李嘉诚只好另谋高就。尽管这样，去意甚坚的李嘉诚还是坐下来与舅舅做了一次促膝谈心。李嘉诚分析到，目前，香港钟表业竞争激烈，而潜在的对手日本正步步进逼，只有在过去代理瑞士表的良好口碑的基础上，拓展自己的品牌，在高端产品饱和的情况下，推出中低价的普通大众型号，才能占领市场，保住中南钟表公司的江湖地位。

不知庄静奄是否听进接纳了李嘉诚的忠告与否，可以肯定的是，担心自己的千金执迷不悟，行差踏错喜欢上自己的穷表哥李嘉诚，防微杜渐，庄静奄未曾挽留李嘉诚。总之，李嘉诚早已萌生的离去的意志丝毫没有动摇。

打工出身的舅舅，冷静下来或许理解外甥的苦心。他也希望自己的外甥李嘉诚能够早日出人头地。因为他知道，他越来越难管的宝贝千金庄月明，已经死心塌地地喜欢上了这个大眼睛、大脑门的穷表哥。而且诚心诚意，非诚不嫁，誓死不渝。虽然庄静奄从内心并不愿意接受这一现实。但是女大不由父，唯一的愿望就是希望自己的外甥李嘉诚能够早日发达，能够娶得起自己的千金。

李嘉诚转到五金厂，开始了人生的新一页。李嘉诚在这间工厂的主要任务是负责推销白铁桶。当时，推销的目标集中于卖日杂货的店铺，李嘉诚一人行就感到千军万马争过独木桥的挤逼与竞争。于是，李嘉诚在了解掌握市场动向的基础上，决定采取避实击虚的直销方法去直接进攻用户。

也许是他曾经在酒楼待过的缘故，他首先看准酒楼旅店是白铁桶的进货大户，就集中精力对这些堡垒逐一攻坚。当时，受市场习惯左右，推销员多数推销到零售商，到酒楼旅店推销的并不多见。酒店旅店从零售商拿到的商品价格自然贵过作为厂家批发代理的李嘉诚。

初生牛犊不怕虎，精明的李嘉诚，发现利于直销的五个条件：

一是直销价格比酒楼旅店直接到市场去买要便宜两成。

二是送货上门节省了客户的时间和精力，客户随时想要随时可以送货，而街边的店铺则可能要等到有人手时，或集中一些需求时才送货。

三是工厂有了最新款式尺寸的货品，可以第一时间让用家看到用到。

四是随时可以根据用户及市场的需求调整产品结构。

五是直接面对客户，彼此的要求都很清楚，直截了当。

因此，李嘉诚这一选择自然而然获得成功。

有一次，李嘉诚在一家旅店，一下子就销出一百多个铁桶，销售业绩十分惊人。这一百只铁桶所获取的佣金，已是远远超过了他在酒楼打工一个月的收入。

李嘉诚对家庭散户又做了调查与跟踪分析研究。他发现当时高级住宅区的家庭大多使用铝桶而不是白铁桶。也许铝桶价格贵过铁桶，由此便成了一种身份与等级的象征。在40年代末期，在战后动荡的香港，世情确实如此。于是李嘉诚就掉转矛头把目标瞄准中下层居民区。

但即使是中下层居民区，一户家庭，通常也只使用一两个铁桶，潜力远非酒楼旅店可比。然而，家庭散户又有一个酒楼旅店不能比拟的优势，积少成多，加起来的数量也会很庞大的。更重要的是，散户其实是李嘉诚最好的助销员，通常一家用过之后，都会向邻里夸耀，一传十，十传百，迅速推广。结果是，你用我用，家家户户都用。

如何占领这一分散而又不可忽视的庞大市场？李嘉诚开始时一筹莫展，他苦苦思索着。李嘉诚将进攻目标锁定在老太太身上，专门找这些东溜西窜，说东道西的老太太卖桶。李嘉诚是这样盘算的：只要卖出去一个铁桶，就等于卖掉了一批。因为老太太都不上班，喜欢串门唠叨，自然而然就成了他的义务推销员。闲时喜欢打牌的大姑大婶，于是一传十，十传百，令五金厂生意兴隆。

其实，这里有一个不便明说的原因，那就是这班老太太，通常都肩负着教子养孙的重任，看到身体单薄的李嘉诚小小的年纪，走街穿巷，勤力异常，非常欣赏，非常敬佩。加上李嘉诚浓眉大眼，文质彬彬，斯文有礼，能说会道，谈吐不俗，越发让这班底层的太太欢喜不已，善心大发，不忍回拒。歪打正着。这一招又大获成功。

李嘉诚深有感触地说："要别人买你的东西，不想被推掉就必须在事前想到应付的办法。"

李嘉诚认为，推销的实质是推销自我，只有将自己成功地推销给别人，别人才能由人及物，喜欢并购买你的产品。所以一个出色的推销员首先是一个出色的自我介绍者，能够根据不同人的好恶，成功地将自己推销给站在你面前的人，甚至是隔着一道门只听到声音而见不到人影的对象，做到这一点，你的推销生涯就算成功了。

红顶商人胡雪岩曾与左宗棠对曰：吾成功于天下，秘诀有二：一是不争面子是佣人，光争面子是粗人，能人并不一定要到处争面子；二是该丢脸时就大胆丢脸，今日没脸是为了明日有脸。

一次，他的同事们向一家旅馆推销铁桶失败后，公推李嘉诚出马。李嘉诚不愿放弃这一难得的自我挑战机会，慨然应允。此时的李嘉诚，所看中的绝不单是其中可能带来的佣金，而是一个挑战高难度的绝好机会。

为什么前面的人屡屡碰壁？问题究竟出在什么地方？

李嘉诚仔细分析了这家客户的实情。李嘉诚并没有急于去见那位老板，而是想方设法找机会与旅馆的一个职员套近乎。没多久，他与那位职员拉上了关系，很快便和他成了无话不谈的莫逆之交。通过这位职员，他得知了一些有关这家旅馆老板的趣闻逸事。

其中有一个细节引起了李嘉诚的特别注意。原来，这位老板中年得子，因此特别痛惜宠爱他的宝贝儿子。现在旅馆开张在即，千头万绪，而他儿子却整天缠着要去赛马。他根本抽不出时间满足儿子这一愿望。而且，他也极不愿意儿子整日痴迷赌博，不务正业。

这位职员本是把这件事当作笑料提起的。然而，言者无意，听者有心。一个念头在李嘉诚的脑海中一闪而过。李嘉诚凭直觉，已经找到了问题的突破口。成功的希望就在眼前。

于是李嘉诚让这个职员牵线，自掏腰包带老板的儿子去快活谷马场看赛马。在跑马场上，老板的儿子兴高采烈，忘乎所以，回家后仍兴奋地向父母叽叽喳喳说个不停。并且无意中不时提起李嘉诚的名字。李嘉诚也因势利导，旁敲侧击，规劝这位公子哥儿。更重要的是，这位公子兴奋之余，居然被李嘉诚的渊博学识与敬业精神所折服。最主要的是，老板的儿子在敬业博学的李嘉诚的潜移默化的影响之下，收敛野性，痛改前非，开始帮手父亲，不再日日赌马。而这位忙得焦头烂额的老板，也自然知道了李嘉诚，并从内心感谢李嘉诚。

　　李嘉诚的曲线救国，迂回进取之手法，虽然让旅馆老板觉得过于圆滑世故，但他还是很感动，尤其是他知道李嘉诚不过是十几岁的毛头小伙子时，更加感动佩服。精明的老板也在算计，如果自己的儿子能有这样一个天天向上奋发图强的好伙伴，岂不是免费请了一个最好的家庭教师？

　　自然，在李嘉诚的攻势下，余下的事情就不须再做赘述。最终，李嘉诚手中的三百八十个铁桶就像直通火车的车轮一样滚到了这个老板的店内。

　　世事洞明皆学问，人情练达即文章。一件小小的事情，都足以显示出李嘉诚与众不同的超人的商人素质。而另一件事则表现了李嘉诚永不服输的个性。

　　有一次，李嘉诚去酒店推销铁桶，遭到老板毫不客气的拒绝。这位不近情理的老板，几乎是将李嘉诚驱逐门外。李嘉诚非常沮丧地走出那家酒店。离开酒店不远，刚刚还十分恼火的李嘉诚站住了，他慢慢地冷静下来。李嘉诚是个不轻易认输的人，眉头一皱，计上心来，他又施施然折回酒店。一见老板，未待老板怒目发作，李嘉诚抢先诚恳地说："我这一次不是来推销铁桶的。您在商界德高望重，作为晚辈，我恳求得到您的指点，我是个初出茅庐的新手，您比我有更丰富的社会经验，我只是想请教，在我进贵店推销时，我的举止、言辞、态度等有什么不妥当的地方，请您指点迷津。我会感激不尽的。"李嘉诚在讲完这一开场白的同时，还真诚地行了一个九十度的鞠躬礼。

　　李嘉诚虚心而坦诚的求教精神和真诚敬业的态度感动了老板，很少有如此锲而不舍又诚心诚意的后生仔，老板立即改变拒人千里之外的冷冰冰的态度，向李嘉诚提出宝贵的批评建议。老板也不忍心为难这位真诚的年仅十多岁的少年。坦诚说道，我们是著名的酒店，已经长期使用某一商家的产品，我们没有任何理由突然拒绝以前的老客户，转用你们的产品。

　　李嘉诚说道：其实理由只有一个，除了价格外，他们的产品都是用角料加工，接口很多，自然会影响使用寿命。此外，我们的产品价格仅是他们的六成，你这样精明的前辈，自然应该知道该选用哪种产品。

　　初始不信，待李嘉诚逐一指出店内产品的缺陷后，心服口服的老板当即决定改用李嘉诚推销的产品。李嘉诚这一招可谓是一石二鸟，一箭双雕，以自己的真诚，既学到前辈的经验，又做成了生意。

　　李嘉诚认为："你要相信世界上每一个人都精明，要令人信服并喜欢和你交往，那才最重要。""勤奋是个人成功的要素，所谓一分耕耘，一分收获，一个人所获得的报酬和成果，与他所付出的努力有极大关系。运气只是一个小因素，个人的努力才是创造事业的最基本条件。"

在风风雨雨的行街走巷生涯中，曾有一个颇有天赋的奇人，在人海茫茫中意外发现了伟岸奇貌的李嘉诚，千方百计拉着李嘉诚的手说李嘉诚天庭饱满，目光炯炯，日后非贵即富，必会光宗耀祖，君临天下。勤奋异常的李嘉诚对自己的努力从不怀疑，对这位江湖术士的言语也毫不动摇。因为，李嘉诚深信，苍天不负有心人。

有一日，工厂老板亟须发信，偏偏他的书记请病假，老板就问："这里面哪个人会写信、字写得比较好一点的？"骤然间，四五个职员都指向李嘉诚："叫他写，他每天都念书写字。"

老板望向这乳臭未干，未满十七岁的孩子，疑惑地问："你真的懂吗？"他说："我可以试试。你想说什么，你讲我来写。"当场他立即动手，写了好几封信。

信发出后，老板的朋友赞不绝口，纷纷问他："你这位先生是什么时候请的？比原本的要好。"这件事，让老板对李嘉诚刮目相看，很快把他从做杂役的小工，调至做货仓管理员，管理货物进出。"所以说，知识改变命运。"李嘉诚回忆这段往事，"如果没有一点文学底子，写信慢，也未必通顺，后来也得不到那个职务。这个职务让我懂得货品的进出、价格、懂得管理货品。"

其后，李嘉诚从货仓管理员，转为走街的推销员，因为业绩突出，18 岁晋升为总经理，管理两百名工人及二十名写字楼职员，薪水则从港币五十元增至超出家中所需许多。

∽ 跳槽

熟背诸葛亮《出师表》的李嘉诚，对"志当存高远"之句感悟尤深。五金厂的如鱼得水，并没有捆绑着李嘉诚的勃勃雄心，只能够令他意识到，他可以做得更好，他一定能够表现得更好。

可能大家都不知道我少小离开潮汕的时候，无论用当时或现在的标准来衡量亦是一贫如洗，但到今天，常常环绕脑海中最繁重、最费

力的工作仍不会耗尽我勤奋的心；最困难、最费神的事亦不会影响我
求知之志向和解决困难的决心。

我深信，成功之路是从自己做起，我们潮汕人以传统节俭、积极
进取和不屈不挠的毅力走上正确的去向，一定会为地方、为省、为国
家创造幸福、富裕和繁荣。

说来也巧，尽管李嘉诚在推销镀锌铁桶时似乎是如鱼得水，但是一次偶然
的相遇，却让李嘉诚初尝败绩。不过，正是这一意外滑铁卢，却幸运地改变了
商圣李嘉诚的一生。

那是一个炎热的夏日，李嘉诚与万和塑胶裤带公司总经理王东山在酒店不
期而遇。这个时候，轻便耐用，价廉物美，不怕碰撞的塑胶桶还是个新鲜玩意儿。
正因为它的特性，甫一面世，就广受欢迎。最重要的是，价格低廉，经久耐用。
这对战后百废待举，民生疲困的香港来说，自然而然成了畅销不衰的新产品。
尤其是 50 年代香港频频缺水的困楚，更是不可或缺。

也正因为如此，李嘉诚不可避免地尝到了一次闭门羹。这一次，对方轻而
易举地获得订单。这一失败，引发了善于动脑筋的李嘉诚的深思，也让李嘉诚
看到了镀锌铁桶的穷途末路，看到了塑胶制品的蒸蒸日上，无限风光，看到了
自己新的希望的田野。

也正因为这次相遇，让塑胶老板王东山见识到了李嘉诚的推销才能。爱才
的老板立即鼓动李嘉诚到自己的工厂帮手。重情重义的李嘉诚确实左右为难。
因为李嘉诚到五金厂打工时间不长，而且老板李嘉茂与自己份属同乡，亦很器
重他，给的待遇也不低。

于是，王东山便替李嘉诚分析到，铁桶生意已是夕阳工业，塑胶产品越来
越受到市民的欢迎，你总不能坐以待毙，等到工厂倒闭的时候再想转工吧。李
嘉诚心想也是，如果继续推销铁桶，虽然暂时看来生计不成问题。但是，既然
有更好的机会尝试，为什么不去试试呢。

真个是不安分的李嘉诚。

那一晚，李嘉诚辗转反侧，彻夜难眠。他分析了失败的原因：塑胶制品易成型、
质量轻、成本低、价格低、色彩丰富、美观适用，不怕碰撞，是木质和金属制
品的替代物，发展潜力巨大。没有什么可犹豫的了。也无须再犹豫了。李嘉诚

跳出五金厂后，仍十分感激五金厂老板的知遇之恩。

他郑重其事地向五金厂的老板李嘉茂提出了自己的忠告。他认为：办工厂重要的是审时度势，随市应变，根据市场需求不断调整产品种类结构。五金厂要取得发展，有两条路可选择：一是转行做前景看好的行业，比如铁锁；二是调整产品门类，绝对不可单打一生产铁桶。

但是墨守成规的李嘉茂在李嘉诚走后，并没有听从李嘉诚的建议，仍然我行我素，坚持生产铁桶。结果，不久后，危机果然降临，不善应变的五金厂很快便奄奄一息，濒临倒闭了。在这个时候，老板才想起了小老弟李嘉诚的谆谆告诫。

一年后，这家五金厂转产系列锁，一度奄奄一息的五金厂，意外地焕发出勃勃生机。

后来，老板遇到李嘉诚，赞不绝口地说道："阿诚，你在我厂，我就看出你是个不寻常的后生仔。你将来准会干出大事业。"

李嘉诚毅然决定加盟塑胶公司，进入这个新兴的前景诱人的塑胶行业。

李嘉诚从小受儒家思想的熏陶，又深受西方文化的浸润，香港这种多元的文化生态，牢牢地镌刻在他的内心深处。

李嘉诚是一个对生活充满感激之心的人，他感恩的对象甚至包括他遇到的每一个客户。

香港是接受新事物最快的地方。因此，在日常生活中也是个日新月异的地方。香港虽然没有传统的优势工业，它与世界有广泛的联系，融会东西，贯通南北，能够迅速地引进适宜在本地发展的产业。最初的塑胶厂屈指可数，但很快如雨后春笋般开枝蔓叶。

因此李嘉诚以他超前的眼光，看好了塑胶发展的广阔前景，再加上十分赏识他的塑胶公司老板真诚力邀，他决定跳槽。

> 我的人生历程与一般人不同。我没有童年，十岁便逢战乱要四处奔走。年轻时为口奔驰，之后又为了事业不停工作，一直到今天。

短短几句话便道出了李嘉诚的无奈。苏辙在《论管仲》说："古之立大事者，不惟有超世之才，亦必有坚忍不拔之志。"

李嘉诚小小年纪就掌握了推销的秘诀，他对推销工作已经有了独特的见解。他认为掌握产品特性，摸清市场动向，建立销售渠道，广交各界朋友，才能做好推销生意。面对任何客户，李嘉诚都能够沉着自如，应对如流。李嘉诚推销商品不是靠高谈阔论，而是注重市场和居民中使用这种产品的情况，并且身体力行，以身示范。

李嘉诚把香港划了很多个区域，每个区域的居民生活情况和消费水平和市场行情，都记在一个小本上，他对哪种产品该到哪个区域销售，销量应该是多少，什么时候需要什么货品，一清二楚。只要产品一出厂，便知该送到什么地方去。同时，也知道该地方还需要什么产品。因此，李嘉诚经过一年的努力，他的销售额远远地超过了同事们，得到老板的赞赏，也得到了超出同事很多的报酬。

李嘉诚做事不做则已，要做就认真负责地做到最好；不是完成自己的本分工作就算数，而是在本分工作内干出非凡的业绩的同时，还利用推销行业的特点，捕捉搜集大量的资讯，不断充实自己的头脑，直到对本行业了然于胸。学在一人之下，用在万人之上。

> 在大学里寻求学问的可贵不是荣华富贵的保证，而是能够学以致用，做出对人类，对社会有益的建设，和培养一种锲而不舍追求真理的精神。今日能够默默耕耘，务实勤恳工作，明天便有丰硕的成果，使世人受惠沾益。

他注重在推销过程中搜集市场讯息，并从报刊资料和四面八方的朋友那儿了解塑胶制品在国际市场的产销状况。

李嘉诚能够尽职尽责地将这些准确的讯息数据迅速地反馈给老板，使老板及时调整产品种类结构，该生产什么产品，该减少什么产品的批量，从而使得自己的推销更为顺畅。

他协助老板以销促产，使塑胶公司生机盎然，生意红红火火。李嘉诚自己对"打工"的看法是："对自己的分内工作，我绝对全情投入。从不把它视为赚钱糊口，向老板交差了事，而是将之当作自己的事业。"李嘉诚不断地给自己施加压力，有了压力，才会有张力冲力，才会有奋发拼搏。

～ 让产品说话

塑胶工厂所在的坚尼地城在香港岛的西北角，而客户，多在港岛中区和隔海的九龙半岛。身材清瘦的李嘉诚，每天背着坚尼地城厂的产品样本，搭公交车乘渡轮，往港岛及九龙四围兜售，马不停蹄地走街串巷。别人做八小时，他就做十六小时。

为了省去车钱，他甚至头顶烈日，一步一步地行走在港岛崎岖不平的斜坡侧路上。

他的推销手法，就是让产品说话。

生活就是这样，香港的社会现实就是这样，李嘉诚没有丝毫的怨言，没有丝毫的灰心，没有丝毫的气馁。而是迈着轻快的步伐，怀着坚定的信念，带着满腔的热诚，伴随着无限的希望，一步，一步地，脚踏实地向前走去。李嘉诚在任何时候，都会感谢过去生活对他的磨砺。

他不属那种身强体壮的人，更像一个文弱书生，背着大包四处奔波，实在勉为其难。幸好他做过一年茶楼跑堂，拎过大茶壶，一天十多个小时来回跑，练就了腿功和毅力。他在茶楼养成了观察人的嗜好，现在做推销正好派上用场。

他在与客户交往之时，不忘察言观色，判断成交的可能性有多大，自己还该努力做什么，做什么努力。或者，在一次又一次的被拒之门外时，静心反思，扪心自问，在哪些方面还有不足，应该怎样改进提高？

在塑胶厂当推销员的时候，李嘉诚推销工厂的新型产品——塑胶洒水器，走了几家都无人问津。许多人都不知道这新鲜玩意儿的用途。还以为是小孩的玩具呢。

这一天上班前，李嘉诚来到一家批发行，清洁工正在打扫卫生，李嘉诚灵机一动，自告奋勇拿洒水器帮清洁工洒水。

李嘉诚期望遇到提前上班的职员，眼见为实，这样洽谈起来更有说服力。无巧不成书。果真就有职员早到，还是负责日用器具的部门经理。自然而然，李嘉诚很顺利地达到了目的。经理爽快答应，愿意经销这种塑胶洒水器。

李嘉诚的机灵醒目，随处可见。天自来高，地自来厚，海自来深。日月自来就能放射光芒，熠熠生辉；星辰自来就是运转乾坤，闪闪发光；草木生来就有区别。如果顺从自然存在的规律，自然就能够得道。

让产品自己说话，这比一个推销员对产品的用途优点夸夸其谈，要可信得多。有趣的是李嘉诚这一招是从一个哑巴推销员身上得到的灵感与启发。

有一天李嘉诚正在街上推销，忽然看见街边黑压压的人群在围观着什么。他凑过去一看，原来人群当中坐着一个哑巴，手中拿着一把菜刀，向一堆铜钱劈去。手起刀落，铜钱被劈成两半。

"好快的刀啊！"人们不禁啧啧称赞，又纷纷掏出钱来向哑巴买刀。由此，李嘉诚联想到要证明一件产品的好坏，最有力的推销办法是让产品自己说话。

要做好一名推销员，一要勤勉，二要动脑。也就是说，不光嘴到，而且也要心到眼到手到。李嘉诚对此有切身的体会。正是这两点，使他后来居上，销售额不仅在所有推销员中遥遥领先，而且是第二名的七倍！

由于李嘉诚做出的成绩在职工中非常出色，老板非常欣赏他的才华。因此，在李嘉诚刚满 17 岁那年就被提拔为业务经理，统管产品销售。时隔不久，又晋升为总经理，全盘负责工厂日常事务。

李嘉诚正是拥有诚实的品格，通过自己的勤奋与不懈努力，为老板，为自己赢得客户的信任。

在琢磨李嘉诚独一无二的坚毅性格与高尚品质时，应该琢磨他成长中伴随他的诸种变动中的确定性因素，任何潜在的不确定的诸种因素。而且还应该把这种种因素，还原甚或放大成每个人易于感知，易于领悟，易于理解，易于把握，易于效法的真实图景与虚幻景象并存的历史蒙太奇。当然应该是看得见摸得着的实实在在的客观存在。虽然有时是抽象的，需要一点点简单的思维与逻辑推演，但更多的时候，他是具体的，具体到令你不知从何处揣度。商圣李嘉诚的心路历程也许对许多人来讲，都是一个谜，一个难解之谜。

但是，如果我们把李嘉诚还原到香港社会历史发展变动的大背景中，放在世界历史变动的洪流中，放在中华民族五千年的动荡不定的历史洪流中，不难发现，李嘉诚是中国人，亦是香港人，更是潮州人。

多少年后，李嘉诚对自己奋斗的六十年感慨不已。

我已经工作了六十年，虽然事业上略具规模，但我也是经历过很多艰辛的事情，更知道战争、失学和贫病的滋味，了解在逆境中求发展的困难。命运的定律并非永远友善及如人所愿，每人际遇不尽相同，各有成就及失落，但我们不能因困难而削弱意志，因逆境而感到沮丧。命运不是定数，我们要力争知识，我是深信知识可以改变命运的人。

李嘉诚虽然失去了很多，但保留了永远的自我真我。

李嘉诚成为儒商的基本前提是潮商文化的熏陶：潮州人有两个特色，一个是浓厚的家族观念，另一个是对权威的遵从。

李嘉诚是长子，父亲不幸病逝，令到李嘉诚被逼辍学，走向社会，挣钱养家。心理学大师弗洛伊德说过，至亲的死亡，在潜意识里会造成一种严重的失落与哀伤，为了克服这种精神失落与哀伤，人们会潜意识地向这亲人认同，争取获得亲人及社会的认同，并努力去挑战，去改造这种失落与哀伤。李父在病榻上的临终之言和托付之词，以及期待盼望的凄凄之目光，不断在李嘉诚脑海中翻滚冲撞，激励起他驰骋商场的斗志和决心。

李云经先生是一位博览群书而受人推崇的老师校长，李嘉诚潜意识里对父亲的认同感，让他勤读古书，成为一代儒商，成为一代天骄，成为五千年华夏文明史上名副其实的商圣。唯有如此，才能在沉默和崇拜外获得难得的平静的心态。

当少年李嘉诚要独力支撑全家人生计时，他会怎样揣摩这个世界呢？生活的艰难对他的内心和做人产生了怎么样的影响呢？因为事后的追述总会让人感叹造化的神奇与命运的支配，感受到社会历史的发展轨迹，感受到香港特殊环境的酝酿发酵，感受到潮汕文化的厚重精妙。

犹如西方哲学对西方历史的解释，"剧本早已写好，只是等待历史的展开。"汤因比的历史哲学，似乎并不能完全解释东方的历史，东方的人性。池田大作的社会历史发展观，亦无法阐释李嘉诚的昨天今天明天。唯读李嘉诚的人生轨迹，仿佛如斯之难如斯之惑。

唯一不同的是李嘉诚必须亲自构思，亲自编写，亲自将剧本演绎在世人面前。并且，还要不断演绎剧本里没有的崭新内容。

∽ 让生意跑来找你

在推销中，李嘉诚十分注意自我包装。这种包装不单是包括衣着打扮，更重要的是在言谈举止中体现出来的内在的专业修养，体现出作为该产品拥有者对产品性能的认同与体验。体现出李嘉诚独特的社会认知，体现出李嘉诚对顾客的独特的亲和力，体现出李嘉诚固有的自信心，体现出李嘉诚特殊的人格魅力。他为自己定下的标准是要具有绅士风度，态度诚恳，彬彬有礼，谦和包容。他对自己的行为也有一个简单而又全面的衡量标准，那就是在任何时候，任何情况下，要给任何人都留下好印象。最好是过目不忘。

李嘉诚还注意有意识地结交朋友，他经常在拜访一个客户时，先不谈生意，而是建立一种亲近与友谊。就像我们今天见到的两国元首会面，从来都不是开门见山，直奔主题，而是谈天说地，迂回曲折。

不知不觉，引入正题。欲拒还迎，欲罢不能。他觉得，只要友谊长存，朋友常在，关系常有，生意自然不会从你身旁错过。甚至，生意会主动找上门来。

"一个篱笆三个桩，一个好汉三个帮。"李嘉诚广博的学识、诚恳的态度，塑造了他那种独特的魅力。他的那种真诚的眼神，令到你几乎无法回绝。因此，无论什么时候，李嘉诚的周围总会有一帮朋友，心甘情愿，真心诚意地为他鞍前马后，执鞭坠镫。这绝对不是财富的魅力。当然，你也可以看作财富的吸引力。有了朋友的帮助，李嘉诚在推销这一行，更是如鱼得水。

李嘉诚曾深有感触地说："人要去求生意，就比较难，让生意跑来找你，你就容易做。"小小年纪的李嘉诚之所以能有今天如此大的作为，是因为他有着一股常人所没有的永不服输的执拗劲儿。

日本著名企业家松下幸之助的成功告诉人们，失败不仅是一次挫折，也是一次机会，是一次难得的机会。它使你发现自身的欠缺不足，只要不轻言放弃，不灰心丧气，积极补上这一课，闯过这一关，光明就在眼前，成功的希望就在前头了。

生活便是这样现实，也是这样有趣：如果你只接受最好的，最后你所得到的未必是最好的，甚至有可能是最差的。若你只愿接受你自己喜欢的，那么最后的选择常常未必是你最心意的，因为你不可能在任何时候任何情况下，能有绝对把握决定自己的任何事情。

李嘉诚心高气傲，不想输于他人。他给自己定下目标：三个月，干得和别的推销员一样出色，半年后，超过他们。就这样，李嘉诚只花了一年时间，业绩便超越其他六位同事，成为全厂营业额最高的推销员。他当时的销售成绩，是第二名的七倍。老板以营业额计算，派发年终花红，李嘉诚排在第一位，花红高出第二位七倍。

李嘉诚的业绩是第二名的七倍，这让他的老板头痛不已，因为依照销售成绩来算，他没想到李嘉诚的业绩如此突出，分红收入将领得比总经理还高。

李嘉诚得知后，竟然主动跟老板说："同一个公司每个人都妒忌我，你给我分红跟第二名一样就行了，这样大家都开心，就解决了问题。"一个不到20岁的年轻人，尤其是一个肩负养家糊口重担的人，没人教他，就领悟到职场大忌：别遭人妒忌、勿得罪人。他这样行事风格，始终如一。他的"不得罪学"，最奇特的是，连能力比他低者，甚至仇人，他都不得罪。

每每回想起当年的艰辛，李嘉诚感触良多。

> 小时候我的志愿想做医生，也曾想过当大学教授而不是要做一个企业家，你们也许不知道，我曾想过多少多少次，如果像你们一样有机会上大学，我的一生又会如何呢？所以我很羡慕你们，因为我的梦想就是你们的现实。

李嘉诚后来面对一群汕头大学的学生，发出如此意外的感慨。但是只要回顾李嘉诚的身世与早年环境，这一感慨一点儿也不意外。李嘉诚打工时间没有几年，而且他打工的薪水也不是很高。他每赚一笔钱，除了日常必用的部分外，全部交给母亲，以维持全家人的生活，并没有太多的积蓄。据他的同事、朋友回忆，李嘉诚从未奢侈过一回。他外出从来都是吃大排档。他的衣着，没有一件称得上是高档的。

不过李嘉诚从不认为他的积蓄，是他自己省出来的，他总是对他人说："我之所以能拿出一笔钱创业，是母亲勤俭节约的结果。我每赚一笔钱，除日常必用的那部分，全部交给母亲，是母亲精打细算才维持了全家的生活。我能够顺利创业，首先得感谢母亲，其次要感谢那些帮助过我的人。"

一个成就伟业的人，时时刻刻，分分秒秒，铭记不忘的，永远是慈母的恩德与慈父的胸怀。这就是李嘉诚的坦坦胸襟与堂堂胸怀。一个永远铭记不忘慈母的恩德与慈父的胸怀的人，又怎么不能够成为大智大德，成就伟业的人呢。

> 当我最初打工的时候，我有很大的压力。打工的时候，尤其是最初一两年，要求知，又要交学费，自己俭到不得了，还要供弟妹读中小学以至大学，颇为辛苦。开始做生意的最初几年，只有极少的资金，的确要面对很多问题，很多艰辛。
>
> 但慢慢地，你想通了，以这样的勤力，肯去求知，肯常常去想创新的意念，悭俭自己，对人慷慨。交朋友，有义气、又肯帮人。
>
> 自己做得到的，尽力去做。如果从这条路走，迟早一定有某一程度的成就，应该生活无忧。当生意更上一层楼的时候，绝不贪心，更不会贪得无厌。

时至今日，社会环境已与多年前李嘉诚奋斗时有很多不同，有人为了成功可以不择手段，甚至父子反目，兄弟成仇，夫妻陌路。

李嘉诚却说："绝不同意为了成功而不择手段，即使侥幸略有所得，亦必不能长久，如俗语说刻薄成家，理无久享。"

对于像李嘉诚这样的成功者而言，勤奋无疑是基本而必要的。其实勤奋对任何成功者而言，又何尝不是天条法则。然而世上刻苦努力的人成千上万，取得巨大成功的却始终是少数。

对于梦想成功的人，李嘉诚娓娓道来：

> 除勤奋外，要节俭（只对自己，不是对人吝啬）；此外还要建立良好的信誉和诚恳的人际关系：具判断能力亦是事业成功的重要条件，凡事要充分了解及详细研究，掌握准确资料，自然能做出适当的判断。
>
> 求知是最重要的一环节，有些人到某一地步便满足，不再求知，停滞不前，今天我仍继续学习，尽量看最新兴科技、财经、政治等有关的报道，每天晚上还坚持看英文电视，温习英语。

　　说来，李嘉诚的快速擢升还有一段插曲：他在厂里当销售员时，再忙也要到夜校进修。他曾经业余进修并在会考合格后，打算去读大学。

> 　　诚实、正直并不是每天都要去宣传的一项价值观，而是一项与生俱来必须要做到的素质。如果没有诚实正直的话，就什么价值观都没有，没有办法进行竞争。

　　凡是跟李嘉诚同过事的人都对他的能力有着极深的印象，几乎没有人认为他会甘于平庸，寄人篱下，做一个小小的打工者小小的推销员，甚至后来就算位居总经理之高位，人人都觉得是大材小用，迟早会鸟过别枝，凤攀高头，扶摇直上。

　　为什么？其实不为什么。普通的人可能一下说不出究竟为什么。但是对李嘉诚有所了解的人都知道，此时此刻的李嘉诚，不过是龙游浅底。就像汉高祖刘邦当年亭长为乐，就像明太祖朱元璋会乞食维生一样。

　　俗话说"学道容易悟道难，不下功夫总是闲。"李嘉诚在刚刚步入商场时表现出一种学生求学的心态，除了像苦学功课一样地努力工作外，李嘉诚将他坚信的做人准则放到工作中，放到处理与他合作的老板和工友的关系中。以诚待人，这个少年对环境的老实老成姿态，延续成为他的做人方式，造就他一生的光辉，成就他一世的荣耀。

　　高山流水，竟由天择。大河奔流，水到渠成。李嘉诚因此在商场上获得了很高的信誉。有人可以怀疑李嘉诚的投资决策，但无人能够怀疑李嘉诚的人格品格。

∽ 我就要做那海浪，把世界踏在脚下

　　从塑胶企业开始，他掌握了自己的命运。

　　在塑胶行业，李嘉诚领风气之先，并且很早就预感应对其衰落。父亲李云经先生的"盈亏有定"的教诲，在人生实证中一定给他留下了印象，留下了一生受用无穷的动力。

　　年轻时我表面谦虚，但其实内心很骄傲。为什么骄傲呢？因为同事们去玩的时候，我去求学问；看见他们每天保持原状，而自己的学问日渐提高。当我做生意时，我便警惕自己，如果有骄傲之心，总有一天会碰壁，所以我把公司命名长江——长江不择细流——不嫌弃细河流或是细的泉水，把它们都吸引过来，否则怎能汇成长江？

　　率直率性率真的李嘉诚，连心底里所想的都亮了出来，他不说谁又会知道，谦虚真诚的外表，原来藏有一颗与众不同的桀骜不驯的不可一世骄傲无敌孤芳自赏的心。

　　六十年的历史沿革，恰如其分地印证了这一现实。六十年的拼搏磨砺，不折不扣地显现了这一特质。

　　李嘉诚真的谨守着这个宗旨待人处世，这对他日后发展事业，奠下了很好的基础。他涉足地产业，每有举措，似乎逆流而行，但他取得了成功。

　　20世纪60年代他虽然因为投资关系一度入籍新加坡，但总的来说，在弹丸之地的香港，阴晴不定，时来风雨，人心飘忽，李嘉诚显示出了难得的定力。

　　李嘉诚曾讲过这样一个活生生的事例。一个人经常出差往来在广深铁路线上，经常买不到对号入座的车票。可是无论是风里来还是雨里去，无论是快车还是慢车，无论是首班车还是末班车，无论车上多挤，他总能找到座位。这个人的办法其实很简单，就是耐心地一节车厢一节车厢找过去，而不是听人讲前面很拥挤就不过去。

　　这个办法听上去似乎并不高明，但却很管用很实用。因为在自己的推销生涯中，李嘉诚从来都不会放弃任何一个机会，一个潜在的客户。每次，他都做好了从第一节车厢走到最后一节车厢的准备，可是每次他都用不着走到最后就会发现空位。李嘉诚说，这是因为像他这样锲而不舍找座位的乘客实在不多。

　　是不是如果像李嘉诚这样锲而不舍，就一定能够成为李嘉诚，没人能够回答这个问题，因为这是一个近乎天真幼稚的问题。与生活中一些安于现状不思进取害怕失败的人，永远只能滞留在没有成功的起点上一样，这些不愿主动找座位的乘客大多只能在上车时最初的落脚之处一直站到下车。正是这种永不放弃的毅力与精神，让李嘉诚找到了一个又一个可以稍稍落脚的客户。

　　李嘉诚从来都没有自己的闲暇时间，青年时代没有，壮年时代也没有。如今老年时代有没有，也可能有，也可能无。到了后来，当长江实业一切运转已上轨道之时，唯一能够放松自己的选择就是面对大海，而且也是在忙碌一天，驱车返回深水湾府邸之时，远眺波涛汹涌的或是风平浪静的大海。

每当感到自己很累很辛苦的时候，孤独的李嘉诚便走到海边，俯首望着汹涌澎湃的大海，聆听惊涛骇浪的巨响，凝神遐想，任凭风吹浪打，默默无语，胜似闲庭信步。在风中，在雨中，在人潮中，在彷徨迷茫中，考虑着自己未来的每一步。此时的李嘉诚仿如百年前的狂傲的拿破仑："我最爱海浪，因为它蕴藏着无比的威力，可以吞掉无数细小的沙粒，可以用柔软的唇吻碎坚硬的岩石。我就要做那海浪，把世界踏在脚下。"

打工期间的李嘉诚深信，能从老板那里学到许多制造塑胶的技术和经营经验。

由于李嘉诚推销有术，别人做不成的生意他能做成，他所在的那家塑胶厂的效益也就越来越好。生产同类产品的厂家，发现竞争胜负的关键竟在这个未足 20 岁的小小的推销员身上，便想花大代价把李嘉诚挖过去。

李嘉诚的老板得到消息，唯恐李嘉诚真的成了别人手中的赚钱工具，于是抢先下手，把李嘉诚提拔为总经理，并破例给了李嘉诚百分之二十的红股。

李嘉诚通过报刊了解国外市场的变化，通过茶馆和娱乐场所掌握本地的行情，心中有数，指挥调度有方，他手下的推销员都能根据他的指导顺利完成任务。

而李嘉诚也因此熟悉了塑胶行业生产经营的全过程，并且开阔了视野，增加了交往，提高了管理能力。正如他自己所说，"吃透了这一方风雨。"

他在塑胶公司的工作期间积累了相当的经验后，他又有了新的打算。他如实地告诉老板他的想法，这是他一直以来的愿望：他打算自己也办一间塑胶厂。就这样，虽有愧疚之情，知遇之恩，李嘉诚还是义无反顾地选择离开塑胶公司。他不得不走这一步。他不能不走这一步。他必须要走这一步。

这是他人生中一次重大转折，他没有丝毫的犹豫，没有丝毫的彷徨，没有丝毫的困惑。当然，没有丝毫的轻松。从此，他迈上充满艰辛与希望的创业之路。

李嘉诚深信再有学识再成功的人，也要抵御命运的"寒风"，他说："虽然我在事业方面一直比较顺利，但和大家一样，无论我喜欢或不喜欢，我也有达不到的梦想、做不到的事、说不出的话，有愤怒、有不满、伤心的时候，我亦会流下眼泪。"但他从未愿透露何时因何事在何地流过热泪。

他又说:"有什么说话讲不出来,知名度低,人可以闹人,但是我一般不会闹人。"原来知名度为李嘉诚带来不少鲜为人知的"痛苦"。当然,这绝对不是人人有幸可以领悟体验的"痛苦"。他并由衷地表示:"世人都想有一本成功的秘籍,有些人穷一生精力去找寻这本无字天书,但成功的人,一生都在不断编制自己的无字天书。"

面对经济不景气,他表明"没有即时的灵丹妙药,没有人可以保证所面对的问题会持续多久,只有聪明睿智的人洞悉今天不是昨天,知道要承担无可逆转的改变"。李嘉诚认为不应活在痛苦之中,天天斤斤计较眼前的得失,应积极面对问题,构成丰盛厚实人生的重要环节,并凭借毅力及坚定的意志,战胜生活的苦涩与社会的浮躁,为转危为机做好准备。

∾ 我一生最好的经商锻炼,是做推销员

走南闯北的推销生涯,不仅初步形成了李嘉诚的商业头脑,商业嗅觉,商业网络,也丰富了他的商业阅历商业细胞,而且也使李嘉诚结识了很多好朋友,教会了他各种各样的社会知识。同时,在推销过程中,也使他学会了宽厚待人、诚实处世的做人哲学,为他日后事业的发展,打下了坚实的基础。

> 虽然追求成功、财富、享受及名誉,没有什么不对,但经验告诉我们,在世上要成就每一样真正有价值或者可以值得骄傲的事情,都必须具有正确的人生观,付出时间、努力、坚毅的意志和锲而不舍的奋斗精神,并且抱持自律、克己、积极学习的态度,一个人没有付出努力,徒具成功的虚名而浮露的自满,相对一个真正付出努力而赢取成功的人,其所蕴含的自尊而表现的信心,两者实有天渊之别。

李嘉诚在一次演讲中,对美国的伟人本杰明·富兰克林推崇备至。来自另一个世界的本杰明·富兰克林在他墓碑上只简单刻上"富兰克林,印刷工人"。这位哲学家、政治家、外交家、作家、科学家、商家、发明家和音乐家,闻名于世,

像他这样在诸多方面都展现卓越才能的人可谓世所罕见。但是，令人奇怪的，树碑立传的四个字，仅仅是许多人不屑一顾的"印刷工人"。

富兰克林是一个很积极的人，通过出版，他不断吸收学习，通过科研来满足他对自然的好奇。做好事、做好人是驱动富兰克林终生的核心思想，他极希望自己做的每一件事，均有益于社会，或有用于社会，身体力行为后人谋取幸福。

他名成利就后不忘帮助年轻人找到自己增值的方法，在他"给一个年轻商人的忠告"文章内他很实际的名句，"Time is money, credit is money"，将时间和诚信作为钱能生钱（Money begets money）的推断，更是家喻户晓。在"财富之路"（The Way to Wealth）一文内，富兰克林清楚简单地说明，勤奋、谨慎、俭朴、稳健是致富之核心态度。勤奋为他带来财富，俭朴让他保存发展光大产业。

富兰克林十三个人生信条中的节制、缄默、秩序、决心、节俭、勤勉、真诚、正义、中庸、清洁、平静、贞节、谦逊几乎全可作为年轻人的座右铭，成为当代美国乃至欧洲文明社会通行的最基本信条。当然，也应该是我们亚洲人通行的天条。

1790 年，这位为教育、科学，为公务献出了自己一生的印刷工人，平静地与世长辞。他获得了很高的荣誉，美国人民称他为"伟大的公民"，历代世人都给予他很高的评价。人类历史丰碑上永远会铭刻着自视为"印刷工人"富兰克林的名字。富兰克林这几个字虽然没有烫金，依然闪闪发光。

李嘉诚深有感触地说，范蠡和富兰克林，两个不同的人，不同时代，不同文化背景，放在一起说好像风牛马不相及，然而他们的故事值得大家深思。范蠡执意改变自己迁就约定俗成的庸俗社会，而富兰克林全力推动社会的变迁，让人们去适应他所提倡的新社会新观念。他们在人生某个阶段都扮演过相同的角色，但他们设定人生的坐标理想完全不同。

范蠡仅仅想过他自己的"躲进小楼成一统"的日子，富兰克林利用他的智慧、能力和奉献精神建立未来的大一统社会。就如他们从前所得，虽然一样毫不吝啬馈赠别人，但方法成果却有天渊之别：范蠡赠施邻居，构建大同社会，富兰克林用于建造社会能力，推动人们更有远见、能力和冲劲，创造唯我社会。

有能力的人可以为社会服务，有奉献心的人才可以带动社会进步。总之，有能力的人改造社会，无能力的人被社会改造。

　　在香港每天工作超过十小时、每星期工作七天的人大概也有十万人，为什么他们勤奋地工作了数十年还没有出人头地呢？有人因此专门探讨过李嘉诚的幸运，说李嘉诚今天的成就多蒙幸运之神眷顾的意思。

　　从李嘉诚的经验，究竟幸运与智慧对一个人的成就孰轻孰重呢？

　　李嘉诚对此的回答是：

　　　　在二十岁前，事业上的成果百分百靠双手勤劳换来；二十岁至三十岁之间，事业已有些小基础，那十年的成功，10%靠运气好，90%仍是由勤劳得来；之后，机会的比例也渐渐提高；到现在，运气已差不多要占三至四成了。

　　　　忧患不一定带来智慧，但会扩大人的体验，令我们审慎克诞。考验式的经历，也让我们超越既定观念与偏见的束缚。

　　"在我的字典里没有难字。"这是拿破仑留给世人的一句豪言壮语，在中外历代名人中，烁然如闪烁耀眼光芒的钻石，亮照全世界有志成为成功者的青年心灵。在李嘉诚的字典里，又何曾有难字。

　　　　人的志向是由儿时的梦想到以后成长中的实际情况，也是一个纵向发展的过程，这其中就涉及两个环境：其一是你自己的理想所造成的；其二是现实生活所给你的。这两个环境就是你无法抗拒的。他们相互斗争的过程，也是磨炼你意志的过程。

　　向这个成功的企业家问成功之道，他严肃地开出条件——要勤力、要节俭、有毅力、肯求知、要待人以诚、建立良好信誉。他说这其实是老生常谈，只要肯跟着去做，任何人都可达到不同程度的成功，甚至比他做得更好，听起来好像很简单，但说易行难。

　　现在的年轻人有谁可以每天工作十六小时之后，还要坚持学习？有谁愿意没有酬劳，但是仍然肯下班之后走到工厂去查看客户所订的货物是否如期生产？这些都是李嘉诚曾经走过的路，正是他成功的基石。简单来讲，这些都是他的经验之谈。

六十年后的今天，他仍自学不辍，回家仍必做两项功课，一项是晚饭后，看电视学英文，大声朗诵，一项是睡前的阅读。

　　我们都知道这新纪元蕴藏无穷和不稳定的变数。今天我们在不同程度上都能分享科技及资讯革命所带来的成果，令效率更高、生命更丰盛；但我们亦面对天然环境及社会结构遭受惊人的破坏。

　　在这前所未有的资讯社会，教育区分出哪些人可拥有或懂得如何应用知识，哪些人被视为更有价值或不受重视。我们都痛恨世界上现存的不正义和不公平现象，但我们可带来改变的能力却有局限。

　　然而我深信忠诚、正直、公正无私及同情心是重要和不可替代的价值观，如果有人对你说这些人生观已不合时宜及不适用，这不令我感到惊奇，对于某些人来说，为了追求商业上的成就，或要牺牲以上的价值观，当然现实中的商业社会是需要不断更新求变，但我深信在获取更多盈利及更高效率所带来的巨大压力下，也不应牺牲了我们维护公平及减除疾苦的决心。若果我们选择只为追求金钱及权力，而牺牲人类高尚情操的话，则一切进步及财富的创造都变得没有意义。

　　李嘉诚认为，对于有可能争取到的顾客，要坚持到底，不达目的誓不罢休。对于那些根本没可能做成生意的客户，则应当机立断，决不磨蹭，决不耗费半点心机。问题的关键是，哪些是可以争取到的客户，哪些又是没有希望的？

　　李嘉诚说，如果你被客户请到办公桌的对面椅子上，说明客户有诚意与你进行纯商务式的谈话，你的谈话必须措辞谨慎、简洁而实在。如果你被请到办公室的沙发上落座，则表示这位客户有兴致与你慢慢谈。如果客户请你喝茶，就表示他对你产生了兴趣。

　　如果在谈话过程中有电话打来，他安排秘书或别人代接，就说明客户对你推销的产品有购买意向。相反，客户对每个电话都接，并且对进来请示汇报工作的下属没完没了地下指示或做决定，那就是说，他希望你尽快离开。如果毫无希望，你最好立即告辞。因为在你无端耗掉的这段时间里，也许你早就在别处做成了另一桩生意。

　　李嘉诚深有感触地说："我一生最好的经商锻炼，是做推销员，使我学会了不少东西，明白了不少事理，这是我今天用十亿元也买不来的。"

曾经有人请教李嘉诚当年推销的秘诀，李嘉诚没有直接回答这个问题，而是主动提到了在日本有推销之神声誉的原一平。这位推销之神在一次演讲会上，遇到与李嘉诚上面遇到的同一个问题，这位原一平先生当场脱掉自己的鞋袜，请这位问话人摸摸自己的脚底。当摸到原一平厚厚的脚茧时，这位问话人不禁惊讶万分：这么厚的老茧啊。原一平接过话头说：因为我走的路比别人多，跑得比别人勤快，所以脚茧特别厚。

李嘉诚二十岁刚出头，就升到了打工族的最高位置，确实令人羡慕。也正是坐在这个位置上，居高临下，让李嘉诚有机会纵览塑胶生产经营的完整过程。过去作为销售经理，他必须像其他人一样，走街串巷，亲自卖力推销。而且，最多不过是对销售环节很熟悉。作为总经理，他已经不可能再如从前，但是，他有机会接触整个生产程序。

心机甚重的李嘉诚又开始了偷师学艺。他仔细地了解把握每道生产程序及相互衔接。不过，这次是正大光明地学习，为了工作学习。或者说，为自己的将来学习。于心亦安，于情亦合，于理亦得，于法亦通。

到了这一步，李嘉诚似乎应该心满意足了，然而在他的人生字典中没有满足二字。正干得顺风顺水的李嘉诚，再一次跳槽，以自己的聪明才智，开始一种全新的生活，全新的人生，全新的事业，全新的旅程，全新的拼搏。只不过这一次李嘉诚不是到另一家企业去打工，而是到自己的工厂给自己打工。

精明的商家可以将商业意识渗透到生活的每一件事中去，甚至是一举手一投足。充满商业细胞的人，赚钱可以是无处不在无时不在。

1949 年中国政权转变，李嘉诚服务的公司最大业务对象是来自中国内地的顾客，生意一下子跌至零数，他的老板决定将这间工厂结束。

长期阅读《当代塑料》，早已让他掌握趋势，看到塑胶时代即将到来。超越香港本地的视野，他估计第二次世界大战后，世界迈向新一轮的经济复苏以及人口成长，势必将使塑胶制品的市场需求一步步扩大。所以当老板结束工厂业务时，李嘉诚认为机不可失，决定自行创业。1950 年，李嘉诚将积蓄连同亲友借款共港币 5 万元，开创自己的新事业。

　　李嘉诚要开创自己的事业——他要办一间塑胶工厂，自己当老板。哪怕开始只是一个很小很小的山寨厂的小老板。

　　松下幸之助曾经说过："高明的枪手，他的开枪动作往往比出枪还快。"此时此刻的李嘉诚，踌躇满志，一步一个脚印，步步迈向神坛，步步走近商圣。商圣李嘉诚一步步走下神坛，向世人靠近。世人越来越清晰，又似乎越来越模糊。

"做生意主要有三种方式：一是创新，二是改进，三是跟风。创新吃的是一招鲜，虽然不易，一旦使出来，却费力少而收获大；改进是在别人的基础上做得更好，虽不易造成毁掉，后劲却很足；跟风是跟在别人后面亦步亦趋，这样做起来较容易，风险也较小，但跟吃人的残羹冷饭差不多，收获亦有限。"

第四章

长江塑胶厂

▲ 李嘉诚及旗下集团多年来均大力支持公益事业。

▲ 生产塑胶花，完成了李嘉诚的资本原始积累的同时，也给众多市民
提供赚取赖以为生的一日三餐。（香港贸易发展局图片）

1950 年 5 月 1 日，22 岁的李嘉诚终于辞去塑胶厂总经理一职，尝试创业，在港岛筲箕湾创立了长江塑胶厂。

创业初始的李嘉诚资金十分有限，多年来的积蓄仅有七千港元，实不足以设厂。他向舅舅庄静庵、叔父李奕及堂弟李澍霖借了四万三千多元，再加上自己的积蓄，总共凑足五万余港元资本，开设长江塑胶厂，专门生产塑胶玩具及家庭用品。

面对捉襟见肘的资金困绌，李嘉诚从港岛跑到九龙，从九龙找到港岛，寻找自己心目中能付得起租金的厂房。资金有了，厂名有了，厂房在哪里呢？李嘉诚最头痛的问题似乎并不易解决。当时，数十万内地人涌到香港，使香港的楼价一下子水涨船高，房租高得吓死人，李嘉诚手头的资金实在太紧张，他只能找最廉价的厂房，暂且建起厂来再说。李嘉诚从港岛到九龙，跑了一个多月，才在港岛东北角筲箕湾租借了一间破烂不堪的厂房。

今日的筲箕湾已是香港主要的人口聚集地，平日这里车水马龙，热闹非凡。但是，五十年前的筲箕湾，却是香港的乱葬岗，这里环境虽然清幽，但是，由于位置偏僻，交通十分不便，仅有的几幢工厂大厦，在海风的吹蚀中，变得斑驳陆离，破旧不堪。也因此，租金相对来讲较为便宜。但就是这样的地方，也让李嘉诚费了一番周折。李嘉诚当然也明白办工厂应该选在交通便利的地方，但苦于囊中羞涩，资金紧绌，不得已而为之。几经讨价还价，李嘉诚以月租 360

元的价格租下了这间千余尺的厂房。这是李嘉诚在人生道路上迈出的具有决定性意义的一步。

1950 年 5 月 1 日，没有鲜花、鞭炮、来宾祝贺，长江塑胶厂在简陋工厂里开张了，还差三个月才满 22 岁的李嘉诚，自信满满豪情万丈地对着二十几名员工演讲，宣告正式开张：

> 我们公司虽小，但我懂得这一行，人家懂的，我们懂更多，我们懂的，人家未必懂。一路一路，我们一定会扩大，会一路变好，你们的收入，也会一路变好！

欧洲偷师

饱读四书五经的李嘉诚取荀子《劝学篇》中"不积小流，无以成江海"之意，将厂名定为"长江"。

> 长江不择细流，故能浩荡万里。长江之源头，仅涓涓细流，东流而去，容纳无数支流，形成汪洋之势，日后的长江塑胶厂，发展势头也会像长江一样，由小到大。
>
> 长江是中国的母亲河，是中华民族的骄傲，未来的长江集团，具有宽阔的胸襟，一个有志于事业的人，理当扬帆万里，破浪前进，去创建宏图伟业。

李嘉诚本性好胜，日本统治香港时，街上行人少，干诺道、德辅道、皇后大道中，行人稀稀拉拉而不是熙熙攘攘。十二三岁的他，只要看到行人就想超越，养成后来走路比人快的习惯，"这是我好胜习惯使然。"他坦言。

其后数年，他艰苦自学，虽然表面看起来，他是削瘦、安静、孤独、不与人同餐也不与人同游的古怪少年，但他观察别人，心里知道，自己一天比一天进步，知识已经超越同龄者，这也让他隐隐感到骄傲。但他提醒自己，骄傲必带来失败，因此他以"长江"为名，告诫自己，要如长江汇聚百川，才能细水长流。

除了长江塑胶厂这个招牌是新的外，一切都是旧的。不过李嘉诚的头脑日日都是新的。

连机器设备都是花最低价钱买来的二手货，甚至三手货、四手货。奇怪的是，这些破破烂烂的设备，在李嘉诚手里捣鼓捣鼓，就轰隆隆地运转起来，开始了新的生命赞歌，成了李嘉诚手中的印钞机。李嘉诚对自己的这点小聪明甚为得意甚为开心。多少年之后，已是世界级富豪的李嘉诚，谈起当年的创业，仍然充满了自豪。

辛苦之余，看着这些将要为他生金蛋的锈迹斑斑的铁疙瘩，嘴角露出丝丝笑意。多年从事推销工作的经验，使李嘉诚对市场动向和产品资讯了如指掌。他确信，塑胶产品具有价廉、耐用的特点，比木材和金属产品有更大的发展潜力。因此，他选择了开发前景广阔的塑胶产业，并以生产塑胶玩具和家庭日用品为突破口，创造自己的产品，发展自己的企业。

在创办与发展自己企业的过程中，李嘉诚尝尽了成功与失败的酸甜苦辣。他善于总结经验教训，使自己在危难中闯过难关，立于不败之地，在稳步稳健中扎扎实实求发展。

前长实老臣盛颂声，于十年后的 1961 年加入长江塑胶厂成为股东之一。塑胶厂其后搬往西环士美菲路 12 号 A 豪西大厦（麦当劳现址）及西祥街 20 号。其后，又搬到皇后大道西 501 号（明辉药行现址）。

白手起家的李嘉诚，除了有幸运之神眷顾外，还有动得勤，转得快，把得准，算得精的脑筋与眼光。在种类繁多的塑胶产品中，塑胶玩具在国际市场上已经趋于饱和状态，似乎已经没有足够的盈利生存空间。那意味着他必须重新选择一种能救活企业、在国际市场中具有竞争力的产品，从而实现他塑胶厂的转轨与进一步发展。

原来，西祥街厂生产的塑胶水桶与洒水壶利润很少，但附近的香港人造花厂，香港第一个搞塑胶花的唐鼎康却货如轮转，年年闷声发大财。于是，李嘉诚的女子第五纵队就神不知鬼不觉地出现在隔壁的人造花厂，偷师学艺，从而仿造生产。于是一个虽然不是始于李嘉诚，但必然是因为李嘉诚的塑胶花时代，揭开了战后香港经济复苏的序幕。

像任何身处逆境的人一样，李嘉诚经过一连串痛定思痛的磨难后，开始冷静分析国际经济形势变化，分析市场走向。战后的和平时代，人们对战火的厌恶，对和平的追求，对生活的向往，都给李嘉诚的成功创造了得天独厚的条件。一种对美好的和平生活的向往，化为对花朵的挚爱。应该说，正是李嘉诚抓住了这一历史瞬间的机缘巧合，才奠定了成就商圣李嘉诚历史地位的坚实基石。

1957 年年初的一天，李嘉诚阅读新一期的英文《当代塑料》，偶然看到一小段消息，说意大利一家公司利用塑胶原料制造塑胶花，全面倾销欧美市场。

这给了李嘉诚很大的启发与灵感。李嘉诚马上联想到和平时期过着平静生活的人们，在物质生活有了一定保障之后，必定在精神生活上有更高的要求。

如果种植花卉等植物，不但每天要浇水、除草，而且花期短，这与当时抓紧时间工作的人们的紧张的生活节奏很不协调。如果生产大量塑胶花，则可以达到既价廉物美又美观大方的目的，能很好地美化人们的生活。况且战后百废待兴，昔日破旧的酒楼酒店公司绝对无意以破旧的面目示人，都想旧貌换新颜，无奈资金有限，不能大兴土木，亦因此，需要花饰装扮，这类价廉物美的装饰品有着极大的市场潜力，而香港有大量廉价勤快的劳工正好用来从事塑胶花生产。他预测塑胶花也会在经过战火洗礼的香港大行其道。想到这时，李嘉诚兴奋地预测着：一个塑胶花的黄金时代即将来临，一个能够给自己带来黄金的塑胶花时代，就在自己面前。

1957 年春天，李嘉诚揣着强烈的希冀和求知欲，登上飞往意大利的班机去考察。他在一间小客栈订下客房，就迫不可待地按图索骥，去寻访那家在世界上开风气之先的塑胶公司的地址。李嘉诚此行的目的，就是摆明车马偷师学艺。

经过两天的奔波，李嘉诚疲惫不堪地来到这公司门口，看到这家公司的金字招牌，原本喜悦的李嘉诚，突然冷静过来。这样贸然上门，暴露来意，打草惊蛇，必然会令人防范，拒之门外，自己想要得到任何讯息，恐怕都没有那么容易了。

作为厂商，他知道厂家对新产品技术的保守与戒备。正常的途径，也许应该通过合法渠道，名正言顺购买技术专利。然而，对于刚刚起步的长江塑胶厂这样的小本生意，如何付得起这笔昂贵的专利费，真要讨价还价，恐怕卖了长江塑胶厂，也只能买回一枝花的专利；另外，厂家在如此牟取厚利的畅销时刻，绝不会轻易出卖可以赚取丰厚利润的独家秘技，它往往要等到充分占领市场，遍地开花，盆满钵满之后，直到准备淘汰这项技术时才有可能考虑出让。

情急生智，不肯善罢甘休的李嘉诚，想到一个绝妙的好办法。细心的李嘉诚看到这家公司正在招聘工人，他去报了名，由于他是没有居留权的亚裔，李嘉诚只能被派往车间做打杂的低薪工人，负责清扫各角落的边毛角料。

好在欧洲人看亚洲人，就如同亚洲人看欧洲人一样，很难分辨得清楚，不然，刚刚还出现在该公司产品展览室的经销商李嘉诚，现在又以工人身份到处走动，肯定会被看出破绽。

李嘉诚只有旅游签证，按规定，持有这种签证的人是不能够打工的，这位大老板给小老板李嘉诚的工薪仅及同类工人的一半，他知道这位亚裔黑工，为了谋生不敢控告他。好在李嘉诚醉翁之意不在酒，为着自己的"钱途"，绝对不会为着几个钱斤斤计较。

20世纪50年代的欧洲，经过战火蹂躏，劳动力奇缺，这种黑工遍地都是。那时，也没有像现在这样严格的移民法管制。可以说，这种举动虽然不合法，但却是合理的，不过要考虑李嘉诚打工的动机，恐怕连合理的成分也不能成立。好在这是50年代，欧洲社会也只是刚刚恢复元气，在美国马歇尔复兴计划的大力援助下，渐渐复苏，普通的人们也只是安于温饱，自顾不暇，哪里还有多余的精力去扫别人瓦上霜？

李嘉诚负责清除废品废料，使得他能够推着小车在厂区各个工段来回走动，双眼却恨不得像摄像机一样把生产流程，生产工序全部记录下来。从来都没有人怀疑过李嘉诚惊人的记忆力。

老板虽然对李嘉诚左顾右盼，东张西望，慢条斯理的动作非常不满，但是想到自己给人家的工钱也是少得可怜，不便发作，也就作罢。在工友的眼中，只是十分敬佩这位清洁工，因为他到每个环节，每个角落，都收拾得十分认真，十分仔细，还不时探过头与正在操作的工友打个招呼，有时甚至还十分谦虚地多嘴多舌，问长问短。说起来，有时还真的嫌他多事嫌他烦。谁能想到这是一个名副其实的商业探子，又谁能想到这就是五十年后的世界十大富豪之一，商圣李嘉诚。

李嘉诚收工后，急忙赶回旅店，仔细回忆白天工厂的任何一个环节，一个细节，一个特征，甚至一句话，把观察到的一切一点不落地详细记录下来。整个生产流程都熟悉了，可是，属于保密的技术环节还是不得而知。这可是一件大事情，否则岂不白费心机。

假日，早已同工友混熟的李嘉诚邀请数位新结识的朋友，到城里的中国餐馆吃饭喝酒吃中国菜，这些朋友都是某一工序的技术工人。李嘉诚佯称他打算到其他的厂应聘技术工人，向他们请教有关技术，恳切希望这班工友能够给他碗饭吃。酒过三巡，这些热情的工友，便争强好胜地表现自己，炫耀自己，将他们所掌握的一切技术细节，毫无保留地统统告诉了李嘉诚。李嘉诚亦不厌其烦地刨根问底。

李嘉诚悟性极高，大致知道了塑胶花制作配色的技术要诀。当这班狐朋酒友还在等待着李嘉诚这个学徒请喝酒的时刻，大喜过望的李嘉诚早已不辞而别，满载而归。

∾ 长江塑胶花开遍香港

随机到达的还有几大箱塑胶花样品和资料。临行前，塑胶花已在香港市场有售，李嘉诚跑了好多家花店，了解销售情况与市场需求。他意外发现绣球花最畅销，立即买下好些绣球花做样品。

从意大利回到长江塑胶厂后，李嘉诚不动声色地把几个部门的负责人和技术骨干们召集到他的办公室，把带来的塑胶花样品一一展示给大家看，随后满怀信心地向大家宣布，长江厂今后将以塑胶花为主攻方向，一定要使其成为本厂的主打产品，使长江厂更上一层楼。

众人看了这些千姿百态、形象逼真的塑胶花，无不拍案叫绝。振奋之余，个个面面相觑，这塑胶花，究竟应该怎么个弄法？又有哪些人喜欢购买这些神奇的塑胶花？但是，李嘉诚并没有因为塑胶花是一个新兴产品，并且被普遍看好而按原来的老路子进行生产。

选定设计人员之后，李嘉诚便把样品交给他们研制，要求他们尽快开发出塑胶花新产品。考察领略欧洲市场的李嘉诚强调，新产品必须考虑八个方面：

一是配方调色；二是成型组合；三是款式品种，四是系列搭配，五是成本价格，六是消费者喜好，七是市场推销，八是季节变换。总之一句话，一定要别出心裁，与众不同。

> 做生意主要有三种方式：一是创新，二是改进，三是跟风。创新吃的是一招鲜，虽然不易，一旦使出来，却费力少而收获大；改进是在别人的基础上做得更好，虽不易造成毁掉，后劲却很足；跟风是跟在别人后面亦步亦趋，这样做起来较容易，风险也较小，但跟吃人的残羹冷饭差不多，收获亦有限。

这里，我们无须责怪李嘉诚当时的侵权作风，因为，当时并没有知识产权法，甚至也没有这样的概念。

当时只觉得新鲜的李嘉诚，回到香港后才发现他带回来的样品，无论从品种，还是从花色方面看都太意大利化了，不完全适合香港人的口味。比如，欧洲大行其道的郁金香，在香港很少有人认识。因此，李嘉诚要求设计者顺应香港和国际大众消费者的口味和喜好，设计出一套全新的款式来，不必拘泥于植物花卉的原有形状和色泽。

新的产品必须能够达到耳目一新的感觉。绝不能出现似曾相识的感觉。最好，能让消费者一见钟情，爱不释手。说易行难，毕竟这是新生事物，需要用心琢磨摸索。

按理说物以稀为贵，卖高价似乎在情理之中。但是李嘉诚明察秋毫，他认为塑胶花工艺并不复杂，因此长江厂的塑胶花一面市，其他塑胶厂势必会在极短时间内跟着模仿上市。这也是典型的香港商业社会的羊群效应。就如同自己在欧洲偷师一样，稍稍有心的人做起来并不困难，难就难在如何创新。

倒不如在人无我有、独家推出的极短的第一时间，以适中的价位迅速抢占香港的所有塑胶花市场，重塑长江塑胶厂的招牌，乘势将长江塑胶推向世界，让长江塑胶花开遍全球。让全世界知道香港长江塑胶花。这样，即使效颦者蜂拥，长江厂也早已站稳了脚跟，长江厂的塑胶花也深深植入了消费者心中。更重要的是，塑胶花就是长江塑胶厂的活广告，它会将长江塑胶厂的名字带到全球每个角落，让长江塑胶家喻户晓。

当李嘉诚的塑胶花出现在销售代理面前时，令这班人目瞪口呆，惊讶不已。这些人的第一个反应是李嘉诚要抢他们的饭碗，重走老行当，替别人代理销售欧洲塑胶花。当李嘉诚沾沾自喜地告诉他们，这是自己工厂的杰作，现在请他们帮忙推销时，这班人将信将疑，因为他们都知道李嘉诚的老底，就凭那几台老掉牙的机器，怎么能够生产出如此巧夺天工的迷人花朵？当他们知道自己的判断是错的，并知道这确实为长江产品时，个个欢呼雀跃。当他们知道这一枝枝含苞欲放的花朵仅仅是几毫子价钱时，个个怦然心动，争先恐后。

李嘉诚走"物美价廉"的销售路线，大部分经销商都非常爽快地按李嘉诚的报价签订供销合约。有的为了买断权益，主动提出预付 50% 订金。更有公司派人厮守长江塑胶厂，苦候订货。

李嘉诚凭着自己的一招鲜，迅速令长江产品蹿红业界。长江塑胶产品迅速走向世界。长江塑胶厂高峰时曾请一百多个工人，赶工时分三班制。

坚持以事在人为做人生格言的李嘉诚，从不信邪。李嘉诚还徐徐道来了一个故事：1955 年，首次开始扩展业务，成立一家中型工厂，接了几个月的订单，买了新机器。原有的厂房已经不能满足扩大生产规模的需要。

李嘉诚去租面积二万英尺左右的厂房，当时，租用那家厂房的工厂正处于倒闭边缘。原厂的一位好心的职工看到如斯年轻的老板，顿生敬意，拉住李嘉诚悄悄地说："李先生，我非常少见一个年轻人这么努力、有礼貌、有魄力。在这士美菲路做生意，从来没有一个是赚了钱离开的，每一家都是满怀希望而来，带着失望而回。我的老板来时也是满怀信心，但现在差不多要倒闭了。隔壁两家也是好景不长，不久一定会倒闭。你年纪轻轻，损失些订金算了，不要在这里冒险了。"

对于这位伙计的古道热肠，李嘉诚表示很感激。他对这位伙计说："这是不可能的，订单我接了，机器也订了，如果现在不安装设备生产，我将失信于人，我绝不愿意这样做。而且，凡事在人，一切都是事在人为。"

李嘉诚搬进去后精心经营，结果生意很好，开工一个月就已赚到了全年的经营费用，不到一年，隔壁的两家工厂果然都倒闭了，超人把这两家厂也都租了下来，直到在其他地方买了地皮盖了新厂房才搬出去。

李嘉诚后来说，等他搬离了士美菲路的时候，好多人都抢着要租那几间厂房。

说来也是奇怪，其他人在那里就是做不好。看来是不是应该信点风水？

李嘉诚说："风水这个东西，你要信也可以，但是最终还是事在人为，重要的是自我充实，做好自己的工作，相信很多本来认为不可能的事情可以转变为可能，眼光放大放远，发展中不忘稳健，这是我做人的哲学，也是我经营的哲学。"

李嘉诚选择塑胶业作为发展方向，是基于以下的慎重考虑。首先，他在塑胶公司积累了充分的全盘经营塑胶厂的经验，这完全可以作为创业的本钱。其次，塑胶业在当时世界上尚属新兴产业，发展前景十分广阔。塑胶制品加工容易，投资少、见效快，适宜小业主经营。

塑胶原料从欧美日进口，产品既可在本地市场消化，又可扩展到海外，销售渠道比较广。这在当时的香港，在缺乏技术人才的年代，确实是一项很有潜力的赚钱行业。再次，多年的塑胶推销工作，使得李嘉诚拥有相当多的客户，这是他能迈向成功的坚实基础。

一日之计在于晨，一年之计在于春，一家之计在于和，一生之计在于勤。创业的头几年，李嘉诚熬过了无数辛劳的日日夜夜。他身兼数职，管理厂务，督导生产，对外联络，力促销售，每天都要工作十七八小时。即使如此，他仍不忘坚持自修。然而，他毕竟年轻，毕竟是血肉之躯。一天下来全身酸痛，深夜或是午夜临睡前连洗把脸的力气都没有了。他最初的时间是这样安排的：每天大清早就要外出推销或安排采购原料。当时的香港，远没有今天这样先进，由于交通不便，等他赶到办事的地方，别人正好上班。

他从不打的，距离远就乘电车，其次是选择公共巴士，路途近就步行。李嘉诚的性情，是那种温和沉稳、不急不躁的人。但是，李嘉诚走起路来却疾风劲草，健步如飞。

在商场上，你要别人信服，就必须付出双倍使别人信服的努力。

力争上游，虽然辛苦，但也充满了机会。我们做任何事情，都应该有一番雄心壮志，立下远大的目标，用热忱激发自己干事业的动力。

今天的香港人，偶尔在电视上，看到年近八旬的李老翁，迈开步子，大步流星地疾走的模样,不明就里的许多人,还以为是李嘉诚为躲避传媒狗仔队而夺路狂奔呢。

中午时,李嘉诚急匆匆地赶回筲箕湾,先检查工人上午的工作与产品,然后跟工人一道吃简单的工作餐。没有餐桌,大家都是蹲在地上,或七零八落找地方坐。

李嘉诚也不过是这群人中的一个,如果有人突然来找,不大声叫李老板,还真的分辨不出哪位是工厂的主人。当然,这样的日子并没有过太久,当长江厂刚一盈利时,李嘉诚就拿出钱来,尽量改善饮食质量和就餐条件,以稳定员工队伍。

美国汽车大王亨利·福特曾说过这样一句话:“如果你想永远做个雇员,那么下班的汽笛吹响时,你就可以暂时忘掉手中的工作;如果你想继续前进,去开创一番事业,那么,汽笛仅仅是你开始思考的讯号。”

今天,我们不能不产生这样一个疑问,当年的李嘉诚是否也有过类似的想法?类似的豪情?答案一定是肯定的。也许,那时的李嘉诚,只不过没用这样动听的语句向人表达自己的青云之志罢了。

香港《星岛经济纵横》1988年第四期在报道李嘉诚时这样写道:“李嘉诚发迹的过程,其实是一个典型青年奋斗成功的励志式故事,一个年轻小伙子,赤手空拳,凭着一股干劲,勤俭好学,刻苦耐劳,创立出自己的事业王国。他常言,追求理想是驱使人不断努力的最主要因素。”

“有才而性缓,定属大才。有智而气和,斯为大智。气忌盛、心忌满、才忌露。”这是佛家禅宗相传的处世格言,其意思就是:智者应不露才情,而且要沉得住气。

∽ 危机

起初,李嘉诚只知不停地接订单及出货,主要精力都放在了控制原材料成本与市场销售方面,根本无暇质量控制,致使产品质量难以保证。结果不是延误了交货时间,就是引起退货并要赔偿,工厂收入顿时急跌入前所未有的困境。

雪上加霜,原料商纷纷上门要求结账还钱,银行又不断催还贷款,长江被逼到几乎破产的边缘。这使李嘉诚明白自己实在是操之过急，低估了经营企业的风险。这段时间，痛苦不堪的李嘉诚每天睁着布满血丝的双眼，忙着应付不断上门催还贷款的银行职员，应付不断上门威逼他还原料费的原料商，应付不断上门连打带闹要求索赔的客户，以及拖家带口上门哭哭闹闹、寻死觅活要求按时发放工资的工人们。

充满必胜信心的李嘉诚做梦也没有想到，在他独自创业的最初几年里初尝成功的喜悦后，随之而来的却是灭顶之灾。1955年的这段沉浮岁月，直到今日，李嘉诚回想起来都有心有余悸的感觉。这是李嘉诚创业史上最悲壮的一页，它沉痛地记录了李嘉诚摸爬滚打于风雨交加暴雨泥泞之中的艰难历程，它用惨重的挫折惨痛的教训残酷的现实反映折射出李嘉诚成功之路的坎坷不平和最为痛心疾首的一段际遇，一个教训，一个苦果。

冷静下来的李嘉诚，陷入深深的沉思。出现这样的局面，显然不单是市场问题，而是产品本身的质量问题。说白了，就是一个管理问题。其中最主要的原因在于：

其一，过分的冒进扩张，盲目追求数量忽视了质量。

其二，长江塑胶厂的管理显然不够完善，在出现大量劣质次品的情况下，居然仍让这些产品流入市场。

其三，长江塑胶长期只顾生产，缺乏产品的追踪与讯息反馈，以致问题如此严重才揭发出来，致使工厂十分被动。

其四，作为工厂老板，不能完全将生产质量等经营环节交给下属，因为到头来，损失最大的必然是自己。

其五，人无千日好，花无百日红，再畅销的产品，都会有市场饱和的时刻，抛开产品质量问题不说，这次事件，显然提醒自己，塑胶制品生产在香港已进入饱和状态。通常在这种情况之下，用户才会采取非常手法挑剔产品质量。

面对逆境，李嘉诚对工友强调："我们长江要生存，就得要竞争；要竞争，就必须有好的质量。只有保证质量，才能保证信誉，才能保证长江的发展壮大。"

针对这些问题，李嘉诚采取断然措施，大刀阔斧地整顿生产与管理两个环节。

其一，壮士断臂，收缩生产规模，裁减部分非熟手工人。

其二，加强工人培训，没有达到熟练操作者，一律不准上机操作，限期未能提高达标者，请即走人。

其三，建立严格完善的质量监控程序，将产品产出率，产品合格率与薪酬直接挂钩，利用经济手段确保产品质量。

其四，实行严格的产品出厂检验制度，确保长江塑胶厂的每件产品，都是合格产品。

其五，建立产品市场跟踪与信息反馈体系，要求下属定期收集产品信息及行业信息，确保长江塑胶制品最好最新最廉最多。

其六，由本人直接控制产品质量，任何有关产品质量问题，都必须向他汇报，取得授权才可以进行。

其七，立即将库存质量问题产品，不计成本，全部倾销出去，部分不能出去的产品回炉再造。

李嘉诚每当回想起这一阶段的艰辛，都有切肤之痛。

> 商海自有其沉浮，每个人都应该学会忍受生活中属于自己的那份悲伤，只有这样，你才能体会到什么叫作成功，什么叫作真正的幸福，做生意也同样如此。

徐悲鸿说过这样一句话："人不可有傲气，但不可无傲骨。"于是，傲气与傲骨论就成为不少人的座右铭。有人凭着它踏上成功路，有人却因为应用不当而备受挫折。

其实，傲气与傲骨是需要细加分别的，把傲气错以为傲骨，把傲骨理解为傲气，都是导致失败的原因。傲骨是立世之本，傲气是立世之术。傲骨为根，傲气为叶。

> 我常常跟儿子说：你要建立没有傲心但有傲骨的团队，在肩负经济组织其特定及有限责任的同时，也要努力不懈，携手服务贡献于社会，这不能只是我对你一个希望，而是你对我的一个承诺。

2005 年 7 月 20 日，李嘉诚到汕头大学出席汕大毕业礼。他借此机会谈管理艺术，之后便谈到了傲气与傲骨对一个人的重要性来。他举的例子不但生动活泼，而且发人深省，令有幸参加大会的汕大学生个个受益匪浅。

李嘉诚在回应学生提出何谓傲气的时候，举了自己亲身经历过的一个例子做说明：有一间大公司的老板，答应过与他交易一宗生意，后来这个老板反口不认。

李嘉诚往见他，并且问："你既然答应了人家的事情，为什么又突然反悔呢？这样是不对的。如果我是你，一定会睡不着觉。"但是对方却傲气地说："我不会像你一样，我会像婴儿一样睡得很舒服。"

三天之后，那个人来找李嘉诚，并且愿意多付50%的价格来完成原来谈不拢的交易。于是李嘉诚问他："你当初不是说做不成这单生意，一样可以像婴儿一样睡得很舒服吗？"

对方老老实实地回答："那天之后，我还没有睡过一个好觉。"原因就是那个人过于傲气所致。

李嘉诚又说，傲气常常令一个人认为自己很了不起，它就像一个杯子装满了水，再也装不下其他东西，而那些装不下的东西，有时比水的价值不知高出多少倍。

要成为出色的管理人员，首先必须知道自己所处的位置，才能避免抱持傲气。在某些场合需要有傲骨，表现自己坚持的原则。

李嘉诚又说了一段往事，那也是他亲身经历的：他刚投身塑胶花行业时，必须经常到洋行去洽谈生意。

有一次他与一个占他工厂生产额九成以上的大客户开会谈合约的事。客户傲气十足，处处以居高临下的姿势对待李嘉诚。起初他忍让，认为与人家谈合约难免要受一些气。后来对方说："如果你们没有我们公司的支援，你们会怎么样？"李嘉诚顿然拍案而起，说："请你马上离开。"

他这一拍案，把桌子上的水杯震翻了。事后他认为这是必要的做法，经商之道固然以利字为先，但若无原则地听任他人宰割操纵，连半点傲骨都没有，到头来吃亏失败的必定是自己。

李嘉诚为了原则的拍案而起，震慑住了这位客户，更震动了这位客户的良心，非但没把生意拍走，反而令到这位客户更加敬重李嘉诚，更加强了双方的合作。当然，奉劝各位，这桌子不是随便就可以拍的，除非你底气十足。

"做生意一定要同打球一样，若第一杆打得不好的话，在打第二杆时，更要保持镇定及有计划。"李嘉诚未有拜师的高尔夫球技，虽然比不上名家大师，但也能每日挥杆绿茵。并且将球技运用到生意场上。当然，这已经是后话。

在塑胶厂濒临倒闭的那些日子里，李嘉诚回到家里，强作欢颜，担心母亲为他的事寝食不安。

知儿者，莫过其母。细心的母亲还是发现李嘉诚不曾舒展的眉头。母亲不懂经营，但懂得为人处世的基本道理。看到眉头紧锁的爱儿，慈祥的母亲庄碧琴循循善诱地婉转地开解他。她用佛家掌故来喻示儿子：很早以前，潮州府有一座开元寺。老方丈云寂和尚知道自己在世的日子不多了，就将两袋谷种交给自己最得意的两个高徒———一寂、二寂，要他们去播种插秧，到谷熟的收获季节再来见他，看谁收的谷子多，就证明谁的本领大，谁就可继承衣钵，做庙里住持。

谷熟时，一寂挑了一担沉沉的谷子来见师父。

而二寂却两手空空，面有愧色，无地自容。

云寂问二寂，二寂惭愧道来，他没有管好田地，种谷没发芽，有负师父重托。

云寂便把袈裟和瓦钵交给二寂，指定他为未来的住持。

一寂不服。师父平静地说道：我给的谷种都是煮过的。

李嘉诚悟出母亲话中的内涵———诚实是为人处世立命之本，是战胜一切困难险阻的不二法门。只有诚实，才能在这个竞争激烈的社会取得一席之地。

只有诚实，才能赢得诚实人的尊重与信任。这也是潮商多年来信奉的法则。

李嘉诚出道伊始，既没有金钱，也没有学历，更没有什么特殊的人事背景，但却能够在生意场上顺利打开局面，并且人气越来越旺，事业步步高升，在很大程度上，凭借的就是做人处世的真功夫。他重信诺、重诚意、讲义气、宽厚待人。他遇事从不斤斤计较、拖泥带水。

除了平等互利的商业关系外，他还十分重视与客户保持真挚友善的个人情谊，从而使双方获得深切的了解和紧密的合作，促进了事业的发展。

会做人、善处世，为李嘉诚在商界赢得了良好的口碑，赢得了同行、同业、同仁对他的尊重和爱戴。甚至他的商业竞争对手，也常常是不得不由衷地敬佩他。而这些，恰恰是生意人赖以生存发展的最宝贵的社会资源。

一个人一旦失信于人一次，别人下次再也不愿意和他交往或发生贸易往来了。别人宁愿去找信用可靠的人，也不愿再找他，因为他不慎守信用可能会生出许多麻烦来。

重信诺、重诚意、讲义气、宽厚待人；平和、勤奋、坚忍，这一切，李嘉诚把中国文化中的立身之道处世之理发挥演绎得淋漓尽致。

人有善愿，天必佑之。善人有愿，必佑于天。人有慧根，神定襄之。慧而根之，襄而助之。他的成功经验，最适合中国人学习和借鉴；他白手起家的历史，最适合普通人，尤其是那些幻想有朝一日发达的不安现状的人揣摩和模仿。

有人说，传统文化与商业文化大相径庭，水火不相容。作为商界巨擘的李嘉诚，却能将这两者很好地结合成一体。他不仅创造了大量的金钱和财富，而且还身体力行地树立和实践了一套具有深厚内涵并且能够无远弗届，影响到香港，影响到中国，甚或影响到世界，影响到你我他，进而影响到当代与历史的经商哲学与为人处世。他把儒家的情义与西方的进取精神极为精妙地几乎是天衣无缝地结合在一起，外圆内方，刚柔相济。

在物欲横流变幻莫测的商业社会，他体现出一个中国人应有的传统道德，给人们留下了宝贵的思想财富，保持了一个恒久不变的真我自我唯我忘我超我甚至无我。

李嘉诚非常看中企业的信誉。他多次强调："一生之中最重要的是守信，我现在就算再多有十倍的资金也不足以应付那么多生意，这些都是守信的结果。对人要守信用，对朋友要讲义气。今日而言，也许很多人未必相信，但我觉得义字，实在是终身用得着的。"

在普通人眼中，他是一个近乎难得的谦谦君子。然而，当你真的面对他的时候，大有玉树临风，仰望于心，肃然起敬的感觉。

1995 年 12 月 1 日，国际潮团联谊会在港开幕，仪式完毕后，李嘉诚立即被记者包围住，有记者提到"潮州人孤寒与否"的问题。

李嘉诚说："潮州人只是刻苦，而非孤寒。"他强调："我绝对不孤寒，尤其对公司、社会贡献方面和作为中国人应做的事上，绝不会吝啬金钱。"

长江塑胶厂的危机绝非一时一事。如何才能挽救绝境中的长江塑胶厂？李嘉诚靠的还是"信义"二字——与客户有信，与员工有情，与社会有义。

如果取得别人的信任，你就必须做出承诺，一经承诺之后便要负责到底，即使中途有困难，也要坚守信诺。

做生意的风格

拿破仑曾说："不会从失败中寻找教训的人，他们的成功之路是遥远的。"

面对长江塑胶厂的困境，李嘉诚没有丝毫的气馁与动摇。他召集员工大会，坦言企业在经营管理上的失误，向留在厂里的所有员工由衷道歉，希望所有的员工和衷共济，携手一致，克服困难。同时，李嘉诚还保证，一旦工厂可以度过这段非常时期，能够摆脱目前的困境，欢迎被辞退的工人随时回来上班。

之后，李嘉诚往来于多间银行、原料供应商及客户之间，负荆请罪，坦承塑胶厂存在的问题与解决的办法，并信誓旦旦地表示，一定会偿还所有贷款原料款，请求他们放宽还款期限，同时拼尽全力，为货品找寻客户，用蚀本价将次货出售，筹钱来购买塑胶原料和添置生产机器。

1955年，高筑的债台终于拆掉，长江塑胶厂的危机渐渐解除，业务渐入佳境，没多久还在新蒲岗开设了分厂。这一年年终，长江塑胶厂的所有员工，都获加薪。并且每个人都额外获得一个装着花红的大红包。

长江塑胶厂终于起死回生，再度走上正常运转轨道，长江塑胶的产品因为质量稳定，价格低廉，再度成为市场的抢手货，并开始速销到欧美。

成功后的李嘉诚不断告诫香港人："不论是经商，还是做其他事情，投入是十分重要的。你对你的事业有兴趣，你的事业一定会做得好。"

不论过去，现在，还是将来，李嘉诚都将是其中的异类，半个世纪的历史，说长，弹指一挥间，说短，路漫漫何其修远。

李嘉诚所建立的绝不仅仅是一个千亿元的商业帝国，他所建立的更是一个具有博大精深的商业文化内涵的理想帝国，一个能够在看得见的将来和看不见的未来，持续不断地影响历史发展的理想帝国，一个挥发无穷魅力，引人浮想联翩的抽象思维的商业哲学范畴。

这是从孔子、孟子到董仲舒，再到王阳明、程颐，从范蠡到胡雪岩，都日日夜夜所期盼的理想国度。过去的中国历史不曾有过，若有也曾是势若流星，昙花一现，转瞬即逝。

唯有李嘉诚，才在不期然中，靠着自己的历史文化的沉淀，靠着自己对历史文化的演绎，靠着自己的拼搏奋斗，靠着自己的虚怀若谷，靠着自己的忧国忧民，靠着自己的反省反思，确立了一种无可比拟，不能替代的历史地位——商圣。

1972年，中东局势日益紧张，李嘉诚看中塑料原料有可能涨价，未雨绸缪，便预先大量入货。因为，在当时的航运条件下，如果没有足够的存货和充足的原料，在接了大量订单后，不单会丧失赚钱的机会，而且有可能赔进自己的信誉。凡事必须预为筹谋。事后再一次证明李嘉诚的独到商业眼光。

1973年，由中东战争引发的石油危机和部分人士的兴风作浪，香港塑胶原料一下子暴涨七八倍，塑胶制造业一片恐慌，不少厂家因未储备原料而面临破产的边缘。那些未曾料到原料涨价的厂商，叫苦不迭，手足无措。

长江塑胶厂虽未受到大的影响，但是，身为潮联塑胶业商会主席的李嘉诚，自觉有责任有义务维持行业稳定。于是，由李嘉诚牵头，数百家塑胶厂入股组建了联合塑胶原料公司，直接从国外进口塑胶原料，按成本价分配给厂家，迫使塑胶原料进口商不得不降价销售囤积的原料。

李嘉诚并没有囤积居奇，乘机加价，而是慷慨解囊，将自己积存的原料按原价批发给同行。这样，一场由中东战争引发的塑胶原料危机就在李嘉诚的运筹下，轻易化解了。在这次救市义举中，李嘉诚从长江塑胶厂的仓库中，拿出12.43万磅的塑胶原料，以低于市价一半的价钱，救援面临停产的会员厂家，并把自己在联合塑胶原料公司20万磅硬胶原胶，以原价转让给急需的厂家。仅此两项以市价合计，李嘉诚就少赚了100万元，相当于长江厂年利润的三分之一。

李嘉诚在这次危机患难关头的义举，被香港塑胶同行誉为救世主。

不可否认，甚至不可思议的是，即便到今天，中国人经营企业给人的第一感觉往往是：不可信、不敢信、不能信、不尽信、不足信、不全信。

树立诚信，依然是当今社会面临的最大的社会问题、经济问题、企业问题，也是所有的专家学者政府官员在大会小会上都要拿出来论证表白的流行话题。但是，诚信缺乏并非自古有之。相反，中国传统文化中关于诚实守信的论述可谓汗牛充栋，有关诚信的典故更是俯拾即是。

客观地说，中国有源远流长的深厚积淀的诚信文化传统。唯一遗憾的是，不但没有发扬光大，而且渐渐消耗贻尽。甚至乎被人为地弃之沟渠。

很久以来，国人把游走各地做生意的商人称为行商，行商有两条铁打的规矩：一是诚信，一是不欺。中国商人把诚信与不欺视为天道，认为这是商者最重要的品行。

的确，李嘉诚曾经做过多少善行义举，他非但不孤寒，而且是世上少有的仗义疏财的大慈善家，然而这位大慈善家自己过的，却是一种极为俭朴的寻常生活。这一点足以令人感慨万千，钦佩之至。

北角的长江大厦是李嘉诚拥有的第一幢工业大厦，是他赢得"塑胶花大王"的老根据地。他在地产与股市两行玩得顺风顺水后，人们都以为他早就放弃了塑胶业。

一次，香江才女林燕妮准备开办广告公司，四处寻找办公地点，跑到长江大厦看楼时，发现李嘉诚竟然还在生产塑胶花，不禁暗暗惊讶，着实大感不解。众所周知，这时的塑胶花早就过了黄金时代，根本已成明日黄花，利润低微，尽管如此，长江实业仍在维持小额的塑胶花生产。对此，林燕妮思之再三，终于明白了李嘉诚的用心，"不外是顾念着老员工，给他们一点生计，给他们一个饭碗。"

有人问李嘉诚为什么还背着老员工这个包袱。李嘉诚说："他们是企业的功臣，理应得到这样的待遇，现在他们老了，作为晚辈，我该负起照顾他们的义务。"

那人赞叹道："李先生的精神确实难能可贵，在当今香港，不少老板待员工老了便一脚踢开，你却不同。这批员工，过去靠你的塑胶厂生活，现在厂没有了，你仍把他们包下来。"

李嘉诚说："一个大企业就像一个大家庭，每一个员工都是家庭的一分子，员工是替公司赚钱的，是对公司有贡献的人，我一向这样想：虽然老板受到的压力较大，但是做老板所赚的，已经多过员工很多，所以我事事总不忘提醒自己，要多为员工考虑，让他们得到应得的利益。"

也许有人会用"冠冕堂皇"一词形容李嘉诚的这番话，并认为他这么说不过是在收买人心。但他为老员工着想安排生活出路，却是实实在在的事。也是商业味浓厚的香港社会独一无二的客观事实。不管他这么做是真心实意，还是收买人心，都对他的事业有事实上的好处，使别人真心实意地跟着他干，为他的生意带来了丰厚的报偿。

李嘉诚经常挂在嘴边的，是当时每天工作十六小时苦干的日子，而他对肯拼命的员工一如既往地非常关照。在这里，马克思的劳动创造价值，资本创造剩余价值的学说，似乎得到了最好的验证发挥。

据一位老西环人讲："那时在皇后大道西工厂有十几个工人与诚哥同甘共苦，后来诚哥做地产发达后，每人送了一层楼，唯独一个人没有份。"

原来不少伙计都很讲义气，自掏腰包为公司添置零碎杂物而没有向公司报销，但有一个非但没有这么做，反而利用各种借口诳公司钱。结果，后者没有楼分，而其他人中更有一人，特别获诚哥照顾，不但送一层两万多元的四百英尺楼，往后长实的地盘，如北角赛西湖大厦、薄扶林花园，以至黄埔花园等水电工程，都是判给他做。

在李嘉诚的塑胶厂刚刚摆脱危机，元气尚未完全恢复之际，一些同行业的竞争对手企图趁机再度搞垮木秀于林的长江塑胶厂。他们雇用狗仔队到长江塑胶厂，拍下长江塑胶厂破烂的厂房，简陋的设备，抓住某一产品的瑕疵，甚至恶意破坏某一产品，企图用揭短的方式使声誉日隆的长江厂信誉扫地。当李嘉诚听说记者来访，未及换装就穿着油腻的工作服走出来时，李嘉诚狼狈的模样一并进入了记者的镜头。

果然，没过多久，他们拍摄到的特写照片就在报纸上刊登出来了，画面上是长江厂破旧不堪的厂房与机器。这些画面与李嘉诚油腻的工人装相映成趣。

如此破旧的厂房与机器设备，怎么能够生产出品质过硬的产品？他们的目的很明确，就是想以此彻底打消顾客对长江厂产品的信心，铲除对他们构成极大威胁的商业竞争对手。

头脑冷静的李嘉诚，积极筹思对策。他决定将计就计，再次利用自己的坦诚做一次反宣传，以争取主动，变不利为有利。于是，李嘉诚拿着这份报纸，带上自己的产品，走访了香港上百家代销商。

李嘉诚很坦率地对他们说："不错，我们尚在创业阶段，厂房比较破旧。但请看看我们的产品，我相信质量可以证明一切。我欢迎你们到我们厂实地考察，满意了，再向我们订购。"

代销商们被李嘉诚这些诚恳的话语所感动，更被他的优质产品所折服，亦为其亲力亲为的作风所钦佩，他们也十分敬重李嘉诚有如此坦诚的胸怀气度，如此敏锐的商业头脑，并且有如此魄力敢于将自己的弱点示人，于是纷纷到长江厂参观订货。长江厂的生意反而空前红火。

精明的李嘉诚适时借助了这场恶意宣传，出其不意，以彼之矛，力攻其盾，为长江厂做了一次相当实惠的广告宣传，这一招颇似太极推手中的借力打力，反其道而用之，费力少而收效大，堪称高明。

博采众长，意即绝长续短。绝长继短、截长补短、取长补短，总之是取别人之所长以补自己所短的意思。

《吕氏春秋·用众》中又说："天下无粹白之狐，而有粹白之裘，取之众白也。"

一句话，从他人取长，以补己身之短。即使商纣与秦始皇这样非似人类的暴君身上都有某些可取之处，更何况贤者了。

"你必须以诚待人，别人才会以诚相报。"李嘉诚与塑胶同行如是说。

"因天下之爵以尊天下之士，此之谓至礼不让而天下治；因天下之禄以富天下之士，此之谓至赏不费而天下之士说；天下之士说，则天下之明誉兴，此之谓至乐无声而天下之民和。"[①]

怎样做到"三至"呢？第一，"尽知天下良士之名，既知其名，又知其数，既知其数，又知其所在。"第二，用爵位和俸禄使天下之士尊贵和富有。第三，做仁者、知者、明者，用仁者、知者、明者团结天下人。第四，征伐"道之所废者"，"诛其君，致其征，吊其民而不夺其财。"

李嘉诚常说自己是个悭吝之人，而他的部属们却说他"悭己不悭人"。李嘉诚真心实意地对待自己的员工，使长江厂具备了坚固的凝聚力。初创时期的长江厂条件异常艰苦，但是基本上没有工人跳槽。

李嘉诚创业初始，与一家做英国生意的进口商往来，进口商欺负他小，骗他说因为海关作业关系，每笔货款都要暂扣三成，从1950年到1957年，长达七年，一个铜板都没退给李嘉诚，压得刚创业的李嘉诚几乎周转不过来。

海关老早把钱退给这进口商，但他就留着自己用，一年加起来比李嘉诚原本运作的流动资金还大好几倍。真乃是可忍孰不可忍。后来，李嘉诚写了一封最后通牒的信：六个月后不再接受这样的订单。信发出后，结果全部的暂扣款

---

① 出自《孔子集语》。

全数退还。顿时间，涌出这笔庞大的钱，李嘉诚五味杂陈："我刚开始可以说如虎添翼。但是，也让我恨之入骨。"

故事的精彩结局还在后头，李嘉诚成名后的某一天收到一封信。有一人从英国写封信过来，他在英国的报纸上看到李嘉诚的名字，他问："究竟你是不是我从前认识的做塑胶花的 Mr.LI Ka-Shing？"这人说，他年岁已大，希望重游香港，问李嘉诚能否支付他机票与酒店的钱。

接到信后，李嘉诚说："好，你自投罗网。"以李嘉诚的个性，通常招待远道而来的客人多是搭头等舱。而且，一住进酒店，就送花送酒致意。这次，虽然答应，但是高规格对待都免了。他想再会一面，让他"恨之入骨"的人。

阔别多年，沧海桑田，一见面，李嘉诚原本的愤怒瞬间化为乌有。他看到对方，白发苍苍，老态龙钟，行动不便。

"我一见他马上扶他，一句话都不敢讲。马上打电话给我秘书，酒啊！水果啊！快点送过去。"李嘉诚本来是要骂他："可知道，那七年我受过苦哦？"一个当年逼得他几乎撑不下去的仇人，李嘉诚的回应让人不解。

李嘉诚问他：当你恩人和仇人没什么两样，还可以搭商务舱免费游香港？他的回答在文字上似乎看不出什么大道理，理解他但求无愧："你看到他好惨，我很好。他回去后一年就过世了。"上苍其实已经给了两个不同做生意风格的人公平回应。

经营工厂时，李嘉诚时常订阅欧美著名的塑胶工业杂志，从中了解世界市场和新产品技术。20 世纪 50 年代，香港普遍采用的塑胶模机多是注塑式，即将塑胶溶液注入模内。后来，他在一本杂志看到一部机器，可以把模内未成形的胶管注入压缩空气，靠空气的膨胀，制成胶瓶或玩具，不过价钱很贵，要两万多元。那时落后的香港还没有引进这种先进机器，软胶瓶也未出现。

李嘉诚认为生产胶瓶的前景很好，可惜经济能力有限，无法购买这部机器，于是决定借鉴杂志介绍的一鳞半爪内容，自行研制。

李嘉诚先利用工厂的老爷机制成一条条软而热的胶管，试制新机器的日日夜夜中，李嘉诚曾经连续三十六小时不眠不休。老天不负有心人。胶管制造出来，形状与自己心中所想、在杂志上所见差不多，然后便想着造模、购买压缩空气机。就在电光火石间，忽然看见身旁的可乐玻璃瓶，李嘉诚灵机一动，立即将可乐瓶颈锯断，将胶管放进可乐瓶里，然后利用机器的压缩空气口插入汽水的吸管并注入适量压缩空气，口含吸管，轻轻一吹，无须三秒，胶管沿着透明的可乐瓶身膨胀成型，制成品便出现。

李嘉诚自制的机器虽然简陋，但只需要杂志介绍那部机器十分之一的价钱，便能够成功制造出一模一样的产品。这件事给李嘉诚的启示是事在人为。这部机器制造出来的塑胶产品为工厂赚了不少钱，同时生产塑胶花的情况也是非常理想，利用这些简陋的发明，每一年较往年的资产增加最少十倍，用李嘉诚自己的话来说，那就是因为你懂得外面的世界，知道你自己的长处和短处。

"造这部机器，在最短时间，令我至少赚了几万元。"李嘉诚日后沾沾自喜地说。

依靠对推销轻车熟路的技巧，李嘉诚把生产出来的第一批产品很顺利地卖了出去。接着第二批、第三批、第四批……他手里捏着不停飞来的订单。他自己也没有想到投产后的企业会是如此的快速膨胀。

到现在，李嘉诚仍不停阅读书籍杂志。每有好文章，必定爱不释手，如饥似渴，孜孜不倦。经商之道，要居安思危，也要洞悉社会动态，也要紧贴市场潮流。

没有一样事情会无止境地好，同样道理，没有一个行业会一直好下去。

∞ 吃亏是福

在《孙子兵法》中一个重要的原则就是兵贵神速。在商场上，速度永远是致命的因素。如果你想脱颖而出，工作的速度就永远是一个重要的制胜武器。因为，当你前进的速度越快，你所获得的能量就越大，别人就越难以追赶到你。慢慢地，你就会越来越具有优势，最终从平凡的境遇中脱颖而出。

正如李嘉诚在接受记者采访的时候，这个世界上最富有的华人曾经说了这样一句话："今天在竞争激烈的世界中，你付出多一点，便可赢多一点。好像奥运会一样，如果跑短途赛，虽然是跑第一的那个赢了，但比第二、第三的只胜出少许；只要稍稍快便是赢。"

早在 20 世纪 60 年代，他替旗下的长江塑胶厂设计胶花，这个鲜为人知的秘密，由旅港英国设计教授田迈修（Matthew Turner）发现。二十年前，田迈修开始迷上"香港设计"，到处收集红 A 胶桶、双妹牌花露水、港产羊毛内衣，并仔细追查设计的来源和典故，堪称"香港设计考古学家"。

一次，翻查注册局旧档案期间，他发现一款 20 世纪 60 年代出品的塑胶玫瑰花饰物，原来是由今日的亿万富豪"李超人"李嘉诚所设计。

李嘉诚亦试过用英文闹鬼佬。"有个客仔的女婿，竟用英文侮辱中国人，我受不了这口气，用英文闹番（骂）他，就算我不做这单生意！结果要他的岳父来 say sorry（道歉）。我回头做他生意，不过收贵些。"

> 80 年代初中英会谈期间，不少公司都停留在业务本地化的阶段，
> 但我的考虑是公司要发展得大，就一定要向海外发展，说到海外发展，
> 就什么人都一样。因此我的公司里，什么（国籍）人都有。

天时不如地利，地利不如人和。他并没因自己带潮州口音，而避讲英语或避请洋人，由开会到接受访问，只要对方是洋人，他一概英语对答，无须翻译。但他总嫌自己看英文看得慢，遇有好文章，有时会中译后才看。在剑桥大学拿取荣誉博士学位时，他抱憾地说："若果是自己读回来的，我会开心好多！"原来，叱咤风云的李嘉诚，心中也有这样那样的遗憾。

还有一次，李嘉诚在生产车间，一位工友正在运送装嵌成型的塑胶花，可能是厂内道路的不平，在颠簸中，一枝绣球花跌了下来，这个工友随脚踢开，大模大样地向前走去。看到这一情节的李嘉诚，刚要发作的头脑，霎时间突然冷静下来，李嘉诚趋步向前，弯腰捡起了这枝花，默默地放进了货箱里。

李嘉诚的这一动作，让别的工友看在眼里，并且很快转告给了这位工友。那位工友忐忑不安，担心被骂被炒。但是，李嘉诚始终没有发作。由此，在长江塑胶厂，所有的工友，都把工厂的每一物，每一花，看作自己的，倍加珍惜。

不怒而威，李嘉诚用自己的行动而不仅仅是语言，感化着长江塑胶厂，令到塑胶厂的工人，视厂为家，以厂为家。每当产品赶工期之时，虽然下班的铃

声早已响起，但是，大部分工人都不曾停下手中的活计。当然，李嘉诚也从不亏待这班忠臣良士，必然会给足加班费。宁可人负我，切莫我负人。

> 我第一单大生意的 agent 就是洋人，有一次他在临落货时，突然告诉我，他没钱支付。我说："不要紧，让我先截单，货可以再卖过，最多蚀纸盒的钱。"后来，有个外国人每半年就落订单。原来，他就是先前那个人介绍来的。

在长江的客户中，有个美籍犹太人马素曾订了一批塑胶产品，打算运到美国销售，后来不知何故临时取消合同。李嘉诚并没有要求赔偿，他对马素说："日后若有其他生意，我们还可以建立更好的关系。"

马素深感这位宽厚的年轻的创业者，是个可信赖能做大事的人。于是，一有机会，就不断向美国的行家推销"长江"的产品。自此，美洲订单如雪片般飞来。李嘉诚由此进一步感悟"吃亏是福"的道理。

1957 年年底，李嘉诚为适应大规模生产塑胶花的需要，将长江塑胶厂改名为长江工业有限公司。此后，他积极扩充厂房，争取海外买家的合约。李嘉诚为了以优质产品占领香港市场，打开欧美销路，便高薪聘请最优秀的塑胶花技术人才，并亲自参加设计和组织生产推广销售。由于长江的塑胶花品种多样，价廉物美，受到香港和海外用户的欢迎，大批订单源源而来。李嘉诚的身家日渐丰厚。

李嘉诚极其看重自己产品的质量。在经历那次痛苦的退货风潮后，李嘉诚满怀信心地宣布："从今以后，长江的产品，没有次品。"

> 回想起来，其实我不喜欢做生意，我本来希望创业后尽快赚取足够应付我与家人往后十年的生活费，便回到学校念书。可惜事与愿违，因为一位客户的公司突然倒闭，我不但收不到应得的钱，也要赔上工厂过去所赚取的盈利和重返校园的愿望。
>
> 但我后来想通了，事业成功，一样可以把所赚到的金钱一部分捐出来帮助有需要的人，工作便变得更有意义，于是我决定发展自己的事业，在空余时间才自修。

今天的李嘉诚给人最鲜明的印象是足智多谋，老谋深算，经韬纬略，叱咤风云。在经营策略上他从不轻易去冒险，更不会有随便碰碰运气的举动。他的所有决策都来源于对全面、广泛的资料的占有和分析；他的决定，都是按照实际情况而做出的合理准确的反应，这也是他最为人称道的本领。

李嘉诚的长江塑胶厂的快速发展壮大，绝不是偶然的侥幸。李嘉诚的胆识和才华并不都是与生俱来的。除了他得天独厚的天分之外，更多的是来自他的勤奋和毫不懈怠的求知若渴，以及善于吸取自己与别人的经验教训和谦虚谨慎的作风。

李嘉诚虽然率领企业步出了深渊，但并非就此脱离了困境。这时，他的资金仍然十分短缺，生产设备仍旧很简陋。他无法更新设备，增加厂房，招聘技工，生产规模也无法像计划的那样扩大。

机会不会坐着等你，若奢望机会可轻易到手的话，是绝不可能发生的事情。

正当李嘉诚预感到资金问题会给他的企业带来新的危机的时候，有一位急需大量塑胶花的欧洲订货商慕名来到他的公司。根据这位订货商的要求，李嘉诚和设计师通宵达旦，连夜赶制出九款样品，期望能以别致新颖的样品打动这位远道而来的批发商。

若他慧眼识中，对自己的产品产生浓厚的兴趣，看看能否宽容一点，双方再寻找变通的合作方式，只要长江接下这单生意，就有大翻身的希望；就算不成，就送给他做留念，结交一个大客户，争取下一次合作，也不失为一件好事情。

第二天，在香港一家酒店的静谧而优雅的咖啡厅里，李嘉诚和订货商对坐着。有那么几秒钟，他们都没有说话，只是沉默地品尝着咖啡。偶尔充满善意与期望地对视一下。接着，李嘉诚从手提包里拿出九种按照订货商的要求设计出来的新颖别致的塑胶花，摆放在外商面前的台几上。

然后，李嘉诚诚恳地告诉外商："先生，这九款塑胶花是我和公司设计人员昨晚一夜没睡，按你的愿望设计出来的，有六款我想基本符合你的要求；而另外三款，因为我考虑到你的订货是为圣诞节准备的，因此，在你的要求的基础上，再揉进一些东方民族特色的传统风味，我认为或许会适合即将到来的圣诞节。相信你也会喜欢，所以全部拿来，供你鉴赏。"

精明的李嘉诚明白自己资金不足的劣势，但他绝不愿意失去这次薄利多销的机会。李嘉诚接着说："就我个人而言，我当然十分希望能够长期与您合作。长江目前虽没有取得足够的资金以及担保，但是我们却可以给你提供全香港最优惠的价格、最好的质量、最优秀的款式，并保证在交货期按时交货。"

信誉就是长江塑胶花长盛不衰的源泉。李嘉诚这番坦诚相见的话语深深地打动了外商。当然，李嘉诚通宵达旦流露出来的疲态，也让精明的外商了然于胸。九款样品，每三款一组：一组花朵，一组水果，一组草木。批发商全神贯注，目不转睛地足足看了十多分钟，尤对那串晶莹剔透的紫葡萄爱不释手。批发商闭目遐想，如果将这串以假乱真的葡萄放置在一樽红酒边，那岂不是一幅绝妙的画卷，又怎么不能够引起人们品尝红酒的强烈欲望。如果红酒商在出售红酒时，以一串葡萄相赠，又有谁能够忍心拒绝这令人垂涎欲滴的天工之巧。

李嘉诚看到批发商入神的眼光，绷紧的神经，稍稍放松，这证明订货商对样品颇为看好。

这位订货商以十分惊讶十分欣赏的目光注视着面前这位华人青年，钦佩他竟然能在一夜之间设计九种款式的塑胶花供他挑选。更重要的是，能够针对即将到来的圣诞节设计新颖别致的产品，能够针对红酒风行的欧洲的市场特色。

订货商高兴得情不自禁地握着李嘉诚的手连声说："了不起，年轻人，我同意跟你合作，你会干好的！"

李嘉诚的内心，太想做成这笔交易了。该批发商的销售网遍及西欧、北欧，那是欧洲最主要的市场。但是此时此刻，李嘉诚还未能根据外商的要求找到担保人，还能说什么呢？找谁担保呢？担保人不必借钱给被担保人，但必须承担一切风险。被担保人一旦无法履行合同，或者丧失偿还债务能力，风险就落到了担保人头上。所以俗话说宁做媒不做保，就是这个意思。不过根据塑胶花的市场前景，以及李嘉诚的信用和能力，风险微乎其微。

有篇文章曾这样记述李嘉诚寻找担保人时的尴尬："在香港这个认钱不认人的社会，金钱关系更胜于至亲挚友关系。求人如吞三尺剑，位卑财薄的李嘉诚，只有硬着头皮，去恳求一位身居某大公司董事长的至亲，这位大亨亲戚顾左右而言他，有意岔开话题，令李嘉诚碰了一鼻子灰，陷入穷途末路。"

这位至亲就是即将成为李嘉诚岳父的庄静庵先生，他亦是李嘉诚的舅舅。在香港这个非常势利的商业社会，做媒不做保，都担心造成意想不到的麻烦。就算是自己的至亲，又能怎么样？

《资本论》的作者马克思曾经写道："在坚硬的商品货币法则面前，温情脉脉的亲情面纱会变得薄如蝉翼。"

李嘉诚一贯抱持善意待人待事，在往后的岁月，他总是避谈富商担保这件事。倒是他的太太庄月明，对这件事耿耿于怀，不能原谅自己孤寒的葛朗台老爹。也许，他觉得事情已过去，不必再追忆往事，纠缠不清令到自己不快他人误解。也许，他认为经受磨难，对一个人成就大业有好处，经历过磨难，而且又从来没有依靠过任何人，这样的成功难道不足以自豪吗。不知当时的庄静庵舅舅除了金钱考虑外，还有没有其他方面的考虑？比如说，棒打鸳鸯散的心态。不过，这已经成为昨日闲话，不必多费口舌。

批发商的目光落在李嘉诚熬得通红的双眼上，猜想这个年轻人大概通宵未眠。他太满意这些样品了，同时更欣赏这年轻人的办事作风及效率，不到一天时间，就拿出九款别具一格的上乘佳作。

洋人的直率与喜形于色，令到忐忑不安的李嘉诚放下了悬在心口的沉甸甸的大石。洋人依稀记得，他当时只表露出想订购三种产品的意向，结果李嘉诚每一种产品都设计了三款样品。

"李先生，我非常欣赏你提供的这九款样品，这是我这次来香港所见到过的最好的塑胶花，坦率讲，我简直挑不出任何毛病。李先生，我们可以进一步谈谈具体的合作事宜了。"接下来，按照这位洋商事先提出的条件，李嘉诚应该拿出担保人亲笔签字的信誉担保书，这是当时的行规，也是这位洋商之前提出的明确要求。

李嘉诚只能直率地告诉批发商："非常感谢您对本公司样品及本人的厚爱，我和我的设计师，花费的精力和时间总算没有白费。我想你看到我的期望的眼神，一定知道我的内心的真诚想法，我非常希望能与先生做成这笔生意。可我又不得不坦诚地告诉您，到目前为止，我还未找到厂商为我担保，十分抱歉。"

批发商目不转睛地看着李嘉诚，未表示出吃惊和失望，亦未表现出丝毫的疑惑，依然保持着温文尔雅的表情。

善于察言观色的李嘉诚看出了这位洋商对自己的信任，当然，主要还是自己的产品吸引了这位商人。一种大有希望的念头一闪而过。继而，李嘉诚把握这天赐良机，打铁趁热，用自信而执着的口气说：

> 请相信我的信誉和能力，我是一个白手起家的小业主，在同行和关系企业中有着较好的信誉，我是靠自己的拼搏和同仁朋友的帮助，靠着我的信誉才发展到现在这规模的。您已考察过我的公司和工厂，相信您不会怀疑本公司有效的生产管理及严格的产品质量管理。
>
> 我坐在您面前，非常坦诚地讲述我的实际情况，就是希望能够有与您合作的机会，我将会非常珍惜这一机会。因此，我真诚地希望我们能够建立合作关系，并且是长期合作。

李嘉诚的诚恳执着，深深打动了这位务实的批发商，他毫不犹豫地说道："李先生，你奉行的原则，也是我长期所坚持的原则，我这次来香港，就是希望寻找诚实可靠稳定的长期合作伙伴。互利互惠，只要生意做成，我绝对会考虑对方的利益。李先生，我知道你最担心的是担保人。我坦诚地告诉你，你不必为此事担心，我已经为你找好了一个担保人。"

李嘉诚愣住了，哪里有买家为卖方找担保人的道理？批发商微笑道："这个担保人就是你。你的真诚和信用，你的通宵达旦的劳作与真诚的眼神，就是最好的担保。"说完这话，两人都不由自主地笑出声来。

没想到李嘉诚却态度诚恳地道出了自己的另一难处。他对外商说："先生，能受到如此信任，我不胜荣幸！可是，因为资金有限，一时无法完成您这么多的订货。所以，虽然我希望能与您签约，但我还是要指出敝公司的问题所在。不过，我将全力以赴，确保按期完成合同。"

李嘉诚这番实话实说使外商内心大受震动，他没想到，在"无商不奸，无奸不商"的说法广为东方社会所接受时，竟然还有这样一位"出污泥而不染"的诚实商人。于是外商决定即使冒再大的风险，他也要与这位具有罕见诚实品德的人合作一回，见识见识这位名字叫诚的年轻中国人的诚信。当然这位惯于江湖的洋商自然也是对自己的眼光深信不疑。李嘉诚值得他破一次例。他对李嘉诚说："从你的言行举止，从你的诚恳，看得出你是一位令人尊敬的可信赖之人。为此，我预付货款，以便为你扩大生产提供资金。"

余下的谈判已经纯粹变成了例行公事的商业操作过程，甚至在最关键的价格问题上，这位商人也没有与李嘉诚做讨价还价式的争执。在轻松和谐的气氛中，谈判顺利完成，很快签订了合同。按协定，批发商破例提前交付货款，基本解决了李嘉诚扩大再生产的资金问题。是这位批发商主动提出一次付清，可见他对李嘉诚信誉及产品质量的充分信任。

这次成功使长江工业公司从此站稳了脚跟，并在香港塑胶企业内有了相当的竞争能力，使得李嘉诚既扩大了生产规模，又拓宽了销路，更提高扩大了商业知名度，李嘉诚由此成为"塑胶花大王"。这也使李嘉诚清醒地认识到对一个即使是身处逆境，但决意抓住任何机会的人来说，不管遇到什么样的艰难险阻，只要有信心、决心、恒心、诚心和执着的坚持，机会的大门将永远为这些胸怀抱负，不安现状，希望有所作为的人而敞开。

∽ 拓展欧美市场

"一个企业的开始意味着一个良好信誉的开始，有了信誉，自然就会有财路，这是必须具备的商业道德。就像做人一样，忠诚、有义气，对于自己说出的每句话，做出的每一个承诺，一定要牢记在心里，并且一定要能够做到。"多少年之后，李嘉诚对这位雪中送炭的欧洲的批发商，心存感激，难以忘怀。

长江公司的塑胶花牢牢占领了欧洲市场，营业额及利润成倍增长。1958年，长江公司的营业额达一千多万港元，纯利一百多万港元。塑胶花为李嘉诚赚得平生的第一桶金，也赢得了"塑胶花大王"的美誉。

三十而立——李嘉诚是年刚好三十周岁。李嘉诚在行内已是响当当的掷地有声的领军人物。也正是在这一年，李嘉诚野心勃勃地涉足房地产。

长江工业有限公司下设地产部和塑胶部，他非常看好香港地产业的前景，但并未因此而放弃塑胶业。他的下一个目标，是进军北美。李嘉诚通过各种渠道，详尽了解美国等地的市场消费模式，主动出击，设计印制精美的产品广告画册，通过港府有关贸易发展机构和民间商会了解北美各贸易公司地址，然后分寄出去。有时还主动打电话过去查询联络。

功夫不负有心人，没多久，果然有了反馈。北美一家大型贸易公司，收到李嘉诚寄去的画册后，对长江公司的塑胶花彩照样品及报价颇为满意，决定派购货部经理前往香港，以便考察工厂，选择样品，洽谈入货。又一次希望来了，绝对不能错过。这家公司是北美最大的生活用品代理公司，销售网络遍布美国加拿大的每一个角落。当时正筹谋打入美国市场的李嘉诚，得知这一消息后，立即果断拍板，无论如何，都要接下这单生意。只要抓住了这个大客户，长江的产品就可以源源不断地进入美国市场，进入加拿大市场，这比做任何广告推销都更加有利有力。

> 不必再有丝毫犹豫，竞争既是搏命，更是斗智斗勇。倘若连这点勇气都没有，谈何在商场立足。

李嘉诚盘算着，只要长江成为这家公司在港的独家供应商，就等于长江新建一个扩大生产厂，长江的生产规模就可以扩大一倍。长江产品在占领欧洲市场后，就能占领北美市场。他自信产品质量全港一流，完全有能力接下这单生意。

当时，香港有数家实力雄厚的大型塑胶厂，单看工厂的外貌，就令人肃然起敬。根据过往经验，李嘉诚决定，一周之内，将长江塑胶厂之生产规模扩大到令客户满意的规模。破釜沉舟，背水一战。这其实是他有生以来所冒的最大一次险。

李嘉诚毫不犹豫地将全副身家押在了这一决策上。虽然李嘉诚一生信奉稳健发展，发展稳健。但是，这一次，他几乎别无选择，心无他求。

简直令人难以置信，一周之内，短短七天，要完成成倍扩大生产规模的难度与要求。首先要租用一个占地不少于一万平方英尺的标准厂房，然后将旧厂房赔款退租，将全部旧有生产设备与新购买设备安装调试完毕，并能够正常运作生产出新产品。

李嘉诚看中了西环士美菲路一幢五层高楼房的其中三层，并即时购入一百多部塑胶机。

为了达到自己的目标，李嘉诚没日没夜地苦苦奋斗了整整六个日夜，每天最多睡上三四个小时，而且多数时间还是睡在厂房里。一部又一部地调试新机器，直到其能够生产出满意的产品为止。

就在第七天，一切准备功夫做足之时，李嘉诚带着布满血丝的一双红眼，拖着疲惫的身躯，前往机场接载这位尊贵的洋财神。这位美国客人是个爽快实在的商人，看到李嘉诚的眼神与疲态，其实已经猜出来了几分。只是扮作漫不经心，由李嘉诚直接载往工厂。

这位美国商人十分仔细地以近乎挑剔的眼光看着长江塑胶厂的每一个环节，从生产到包装，从车间到写字楼。他一面一言不发地仔细参观，一面聆听李嘉诚的介绍，包括低于欧美市场价格一半的报价。然而，与前面的那位欧洲商人一样，这位美国佬似乎也是以貌取人，长江塑胶花的娟秀绚丽的容貌与老板李嘉诚诚恳的眼神，早已打动了这位山姆大叔的心。

原本初到生产车间就紧锁眉头的外商渐渐舒展开来，而且，不时还会满意地点点头。美国商人看完整个长江厂，依然一言不发，只是微微一笑，非常关切地说，李先生，你需要好好休息一晚。

看着外商充满善意的提点，李嘉诚心中已经有了七七八八，心想可以好好睡上一觉了。李嘉诚悬在心中的石头慢慢地放了下来。直到第二天接近中午十二点，李嘉诚终于接到了这个决定他生死的电话。

外商只是很关切地问他昨晚睡得怎么样，如果已经起身并且不打搅的话，能否共进午餐。李嘉诚当然求之不得。

这家美国日用代理公司终于成了长江的大客户。李嘉诚的塑胶花长驱直入，一直插遍了美国加拿大的千家万户。通过这家公司，李嘉诚每年接获的订单数以百万美元计。说来也巧，李嘉诚的这位美国贸易伙伴，也是加拿大帝国商业银行的固定客户，通过这层关系，李嘉诚又获得了该银行的高度信任，以至后来，李嘉诚更大举入股加拿大帝国商业银行，成为该行董事。直到 2004 年年底，李嘉诚出售该行股份，套现七十八亿元，并将该笔巨额收益一次性划入李嘉诚基金会，作为慈善基金。

在接下来的日子，李嘉诚领导长江工业公司迎来了香港塑胶花制造业最为辉煌的时期。欧美各国对塑胶花的需求量更大了，就连中、下等家庭也渐渐养成了插花的习惯。李嘉诚也充分利用这段鼎盛时期，不断创新。他以高薪招聘塑胶专业人才，研制出欧美用户最感兴趣的接近天然花的喷色塑胶花、热带新奇花卉，以及具有中国传统特色的特种花，不断扩大欧美市场。李嘉诚利用长江工业公司高品质的塑胶花产品，全方位地争取到了海外买家的长期合约，业务得以迅速增长，使长江成为香港塑胶花的奇葩。

美国知名玩具公司孩之宝（Hasbro）主席哈森费尔德曾经表示，当年的玩具业需要塑胶工厂提供注射模塑及旋转模塑的设备，孩之宝曾与李嘉诚合作生产玩偶及其他玩具。

哈森费尔德在 1969 年首次到访李嘉诚在北角英皇道 661 号的工厂，然后一直注视着李氏的商业王国演变。哈森费尔德回忆道，李嘉诚几乎把他当作自己的家人，教他如何使用注射模塑的机器，甚至带他到土地拍卖会，教他投地的窍门。他记得李嘉诚曾叫他"不要举手"。哈森费尔德说李嘉诚有自己深信不疑的一套，他从不喜欢负债，而在竞投的时候，他在数字上永远有一个底线。

哈森费尔德表示，他与李嘉诚做生意时，双方不需要合约，只需要握手，但绝不可以让李氏丢脸或妨碍他。李嘉诚也同意这个说法。他表示，自己是个有原则的人，但可惜很多人把"有原则"和"强硬"这两个概念混淆，尤其在"坚守原则"会令他们的诉求得不到回应时。

李嘉诚的发迹，诚是根本。李嘉诚的成功，诚是动力。李嘉诚的富贵，诚是基石。

李嘉诚的孤傲，诚是支点。李嘉诚的非凡，诚是自然。李嘉诚的资产，诚是核心。

庞大的塑胶花市场，为李嘉诚带来了数以千万港元计的利润，长江工业公司的塑胶花和李嘉诚本人也愈来愈受到塑胶界的注目。长江因此而成为世界上最大的塑胶花制造基地，而李嘉诚则被誉为"塑胶花大王"。

对于人的生命可达极境的不断迈进与勇于挑战是多数国人难以理解的。但李嘉诚实实在在地在多个领域里做出了超人的尝试与挑战。许多不可能的事情，在李嘉诚身上变为可能。

一次，李嘉诚亲自操作机器，试制新产品，不慎划破手指，十指连心，看着流血的手指，李嘉诚只是简单地包扎一下，又继续忘情地工作。多少年后，有人提起这件事，说李嘉诚的今天是用血汗换来的。李嘉诚笑着答道："大概不好这样说吧，那一切都是我所愿意做的事，只要你愿意做这件事，就不会在乎其他。"

李嘉诚意识到了自己的使命：生命尽可能的丰富丰硕丰盛丰厚丰裕。李嘉诚没有丢失千载难逢的机会。而是不失时机地实实在在地把握住了每个机会。李嘉诚如鱼得水乐此不疲。

他曾经一人担负全家人生计，现在就算打个哈欠，也足够震动香港、中国、东南亚，甚至欧美。当然，李嘉诚知道自己的分量，未曾随便打哈欠。在创业的时候，他每天打工十四五小时，还要坚持晚上到夜校读书。

1981年香港电台选举风云人物时采访了李嘉诚，曾问过他这样一个问题："李先生，你今天的成功，与运气有多大关系？"

李嘉诚当时的回答是，"我不能否认时势造英雄。"而今李嘉诚重新面对这个问题，他的答案是："那时我说得谦虚，今日我再坦白一点说。我创业初期，几乎百分之百不靠运气，是靠工作、靠辛苦、靠工作能力而赚钱。投入工作十分重要，你要对你的事业有兴趣；今日你对你的事业有兴趣，工作上一定做得好。"

李嘉诚曾感叹："人家求学，我是抢学。"这也许是一种发自内心的无奈，但更多的是一种不经意流露出来的自豪。这正如音乐大师贝多芬曾经发出的感慨："你之所以为你，是因为你父亲，我之所以为我，是因为我自己。"

有相当一些人认为自己生不逢时，李嘉诚是否相信命运？

> 从小时绝不相信命运，年幼时可说生不逢时，抗日战乱，避难香港，父亲病故，十五岁挑起家庭重担。
>
> 绝不同意为了成功而不择手段，即使侥幸略有所得，也必不能长久，正如俗语所说刻薄成家，理无久享。

商场如战场，人缘和朋友便显得尤为重要。善就如同在积累财富上创造了奇迹一样，李嘉诚的人缘之佳在险恶的商场同样创造了奇迹。几乎每一个有过一面之交的人，都会成为他的朋友。几乎每一个与他合作的商家，都痛痛快快地赚到了钱。

美国《财富》杂志介绍李嘉诚是"靠与友人合作投资和贸易生意发达。"

李嘉诚也曾说过："我做生意一直抱定一个信念，就是不投机取巧而是以诚待人。"

李嘉诚每一天的生命，总是比别人提前开始，而休息，却永远要比别人晚。

六十年了，六十年了，我工作了整整六十年了。

六十年间，李嘉诚从一无所有，发展到今日拥有五间上市公司，市值五千亿，他面对的顺与逆，见证了香港自战后以来创出的经济奇迹，而他个人的发展历程，也正是一部香港自战后以来的商业史、社会史、经济史。

香港专栏作家温钢城在《新报＜正视财富＞》中写道："李嘉诚先生对港人而言，就好比成功人士的标志，但普罗大众对他的成功经历，却又只限于人云亦云，真正愿意花上时间和金钱，钻研他成功秘诀的人，却少之又少。然而，笔者个人认为李嘉诚先生过去的遭遇，绝对是一个年轻小伙子白手兴家，艰苦奋斗的榜样。"

该作者归纳李嘉诚先生成功的特点是：

1. 工作勤奋，平均每天工作十五小时，即每周工作一百零五小时，实在匪夷所思。

2. 节俭节约，从前长江塑胶厂的部下，形容他是一个悭己不悭人的好老板。

3. 真诚待人，认识到凡事必须以真诚待人，才能换取朋友的信任。因此，赢尽朋友、股东及商业伙伴的信任。事实上，现时不少长实支持者是因为"李嘉诚"这个金漆招牌，而投资其股票。

4. 好学不倦，由于李嘉诚先生母语为潮州语，来港后孜孜不倦。就算在上班时仍不忘拿出卡纸，偷偷背读英语单字，不断进修。

在接单方面，李嘉诚亦有过人的一手。据业内人士表示，为争取更多订单，他有一次特意安排一班海外买家到石硖尾寮屋生活区参观，表示长江请的伙计，养活了不少低下阶层，李嘉诚预先安排工人，把大量的塑胶花拿回家，当海外买家来参观时，一家大小都在加工塑胶花，包括颤颤巍巍的长者与乳臭未干的毛孩。

那些十分重视人权的欧美买家，见到这么多人以此为生，就会多订李嘉诚的货，甚至不忍心与李嘉诚讨价还价，工人也会有钱赚。李嘉诚之精明由此可见一斑。

而从 30 岁那年起，李嘉诚就再没有仔细数过自己的财富。

1957、1958 年初次赚到很多钱，人生是否有钱便真的会快乐？那时候开始感到迷惘，觉得不一定。后来终于想通了，事业上应该多赚钱，有机会便用钱，这样一生赚钱才有意义。

在塑胶花厂步入正常运行并渐入佳境之时，他开始将部分资金投资华尔街上市公司股票，做引擎的、军火的、潜艇的，一点一点买进。

他从不按直觉投资，而是仔细研读他们的财报，研究他们的商业规则。《华尔街日报》是他的英文老师、商业教练、也是他的私人投资获利来源。"在阅读的过程中，我深深感受到知识改变命运。"李嘉诚强调。2006 年，他接受香港媒体访问时，提出"成功领袖必备条件"，特别强调领袖必须善用知识：

经济的竞争，是以知识为基础的战争；知识的创造与应用，是企业成败的关键。

1958 年初春，经营塑胶花已经为李嘉诚带来一笔可观的财富，但他看到塑胶花成行成市，预测到塑胶花市场空间有限，只有难得的几年黄金时间。

李嘉诚认为："任何一种行业，如果有一窝蜂的趋势，就会造成摧毁。没有道理单单一个行业会永远兴旺下去，到某个时候，市场自然会饱和。"尤其是，当塑胶花成行成市之时，价格必然跌下来，其利润自然少而又少。

这时，李嘉诚心里颇不平静，他在寻求新的发展。该从何处着手呢？李嘉诚苦苦思索着。

直到今天，李嘉诚一直保留这种习惯，只要一有瞬间的投资灵感，他就牢牢抓住，决不让它成为历史的遗憾。

20 世纪 50 年代末期的香港，经济处于突飞猛进的时期。由于当时特殊的历史条件和地理环境影响，弹丸之地的香港成了名副其实的"东方之珠"。特殊的社会环境使香港如同三四十年代的大上海一样，成为投资者的天堂、冒险家的乐园。地域狭小、人口众多的香港，一下子变成了寸土尺金的地方。

∽ 转战地产

也许，李嘉诚应该在这个行业一心一意闯下去，将这个美称继续发扬光大，争做世界塑胶业的泰斗。李嘉诚却不是这样想的，他心中的蓝图，岂是塑胶花所能包容，生产塑胶花，只是他赚钱的手段，是他基业的原始的资本积累。

据不完全统计，到 1958 年年末，香港生产塑胶产品的厂家超过 380 家，到 1960 年达 557 家，1972 年更达 3359 家。在塑胶行业就业的人数，1960 年占全部劳工的 8.4%，1972 年更达 13.2%。

五颜六色的塑胶花开遍了香港的大街小巷，到处都是塑胶机器的隆隆声。

塑胶花的成功，滋长并坚定了他建立伟业的雄心。当然，他也不是草率摈弃塑胶业。在其后十余年间，他在塑胶领域继续处领先地位，为开创新事业积累了数以千万元的资金。

李嘉诚不是好高骛远之人，秉持一贯的脚踏实地，向既定的目标发展。他也不会鲁莽行事，每一个重大举措，都要经过长时期的深思熟虑，周密调查。除非机不待人的非常时期。

涉足地产，孕育心中有数月之久，塑胶花诱人的利润为他的构想奠定了坚实的基础。

李嘉诚以独到的慧眼，洞察到地产的巨大潜质和广阔的前景。香港工业化进程出人意料地急速扩展，业主奇货可居，喜笑颜开，有恃无恐地趁势提租。许多业主只肯签三至六个月的短期租约，用户续租时，业主又狮子口大开，大幅加租。租户只能忍气吞声地面对现实，李嘉诚亦然。

1963 年，长江已晋身"塑胶花大王"，年营业额逾千万。有了事业基础的李嘉诚，频频出席社交场合，如在潮侨塑胶厂商会中，他就担当副理事一职。出外考察后，亦在商会刊物上发表海外见闻。

李嘉诚由塑胶花大王转做"地产大王"，原是时势与危机造就。1951 年至

1959 年间，由于大陆移民涌入，香港人口由 200 万剧增至 300 万，提供大量廉价劳工，同时，大量江浙资本蜂拥而来，但工厂兴建的速度赶不上需求，租金因而大幅度上升，开工厂的每每为找厂房而大伤脑筋。

长江塑胶花厂辗转由西环搬新蒲岗，终于 1961 年，向政府投得北角英皇道 661 号地皮，自建十二层高的长江大厦，除自用外，把剩余的单位出租，这亦是李嘉诚首次踏足地产业。

　　创业的过程，实际上就是恒心与毅力坚持不懈的发展过程，其中并没有什么秘密，但要真正做到中国古老的格言所说的勤与俭也不太容易。而且，从创业之初开始，还要不断学习，把握机会。

一次，李嘉诚在做题为"管理的艺术"的主题演讲后，与汕大长江商学院的学生进行了精彩的对话。

问：李先生的成功离不开杰出的人才，请介绍一下您的用人哲学。

　　答：用人最主要是看其忠诚可靠程度，与企业结合在一起的意向、期望及工作能力有多大。对于忠诚的员工，企业将会给其最大的发展机会。在我的企业里，管理人员的流动是最少最少的，员工对企业有最强的归属感，有很多工作了几十年的老员工，在退休的最后一天仍在企业。

问：真正的管理是如何管理好自己，才能让员工幸福，想请教李先生是如何管理自己和企业的员工的？

　　答：其实啊，管理好员工说起来也可以很简单。如果员工的品德是好的，就应该让他有个机会尽量发挥他的能力。做老板还应该明白一个道理，一只蚂蚁背负的重量很轻，但货物的重量是蚂蚁身体的几倍，这就显示出蚂蚁的能力；一头大象虽然背很多东西，但吃得也很多，从体重来讲，蚂蚁背的不比大象少。

中国有一句老话叫"知人善用"，我自己的公司管理也是这样，不然也就很难在外国五十多个国家发展。同时还要体现中国好的文化，对员工要有人情味。

我常常讲的"知识改变命运"，无论是我自己的经验得来的，还是你们今后到社会奋斗都是这样。而且，知识不仅仅是大学课堂里所学的，世界每天都在改变，而且还变得非常快。所以要学到更多新的知识，这也是各位同学应该努力的。

问：对于长江集团这么大的企业，在五十二个国家和地区发展，有二十万员工，李先生你是怎样处理微观和宏观、细节和大局的关系的？

答：你的问题并不容易回答。至于宏观和微观，在我个人的经历来看，决定一个大的事业的时候，一定要宏观，要看看这个业务在今天和未来的前景怎么样，竞争情况怎么样；每天做的时候，就一定要微观，看看做的时候有什么问题，事件有什么变化。

有些事情一早就决定好的，如果有些地方发生了变化，就要做微调，就如在三百六十五度调整一两度，这就是微观。从大处着眼，从小处着手。

问：你个人的管理之道，与中国的儒家之道、道家之道和佛家之道有什么关系？

答：其实，儒家孔子所说的"过犹不及"、道家的"知此不败"就是非常有道理，过度保守就不能跟人家竞争；任何企业、任何行业，要是过度扩张，也是不好的。什么时候应该止，什么时候应该开拓，就是"四两拨千斤"的道理。一个小企业即使资金不够，如果方法对头，也是可以跟大公司去比拼的。

问：您是怎样看待一个人傲心和傲骨的关系的?

　　答：一个人如果常常认为自己了不起的话，这是失败的重要因素。其实我个人的亲身体会和经验是，人不能有傲心，但一定要有傲骨。一个人一定要居安思危，不能骄傲。作为中国人一定要团结，不能有妒嫉之心，也不要轻易得"眼红症"。

"互相爱恋，情投意合还不够，互相了解，互相体谅，和谐相处才是最重要。亲情是与生俱来的，感情是要培养，但要讲缘分。"

第五章

坎坷爱情路

▲ 青年李嘉诚（香港保良局历
史博物馆图片）

▲ 李嘉诚出席佛教庄月明敬老院
揭幕仪式。

▲ 李嘉诚出席明爱庄月明中学新校舍开幕典礼。

　　李嘉诚一向身体硬朗，加之又是香港的头号巨富，因此，不乏主动示爱的美女名媛。但他总是极力回避。因为庄月明在他心中自始至终都占据着无可替代至高无上的位置。李嘉诚的承诺是一生一世。

　　多少年来，又有多少人，一直都想打探李嘉诚绯闻的蛛丝马迹。到头来，只有两个字：失望。李嘉诚在商海打拼搏击的盖世成就有目共睹。但很少人知道，李嘉诚的感情生活，其内心世界究竟是怎样的。

　　让历史再回溯到七十三年前的今天。1941 年，李云经与妻子庄碧琴商议，决定带上李嘉诚、李嘉昭、李嘉宣和李素娟四兄妹前往香港投奔妻弟庄静庵。

　　李嘉诚与庄月明是表亲。庄月明的父亲庄静庵是李嘉诚的亲舅舅，即李嘉诚的父亲李云经是庄月明的亲姑父。也就是说，李嘉诚的外公外婆是庄月明的爷爷奶奶。打个比方，李嘉诚与庄月明的这种亲戚关系就相当于《红楼梦》中的贾宝玉与薛宝钗的亲戚关系一样。按照今天内地的《婚姻法》，这对天造地设的鸳鸯显然是不合法的非法的近亲婚姻。

　　李嘉诚的舅舅庄静庵，是香港钟表业的老行家。今日有关香港钟表业的图文资料，莫不提及庄氏家族的中南钟表有限公司。当时的庄家已经算得上是香港华人社会的富裕人家了。庄家的长女名月明，比李嘉诚小四岁，聪明伶俐。父母视她为掌上明珠，对她呵护备至。

　　出身名门的小月明，打从第一眼见到额头宽宽，双眼明明，心思慎慎，表情沉沉的表哥李嘉诚，就被他身上所特有的书卷气与同龄人罕有的成熟质朴深深吸引。

当然，这时的少小男女，丝毫也没有意识到男女间的爱与情，人世间的贫与富，有的只是亲友间的手足之情。有的，只是缘于血缘、血浓于水的千丝万缕的亲情。对庄月明来说，李嘉诚吸引人的特质只是不同于富家弟子故弄玄虚的油嘴滑舌油头粉面的纯真质朴清雅。

如果一定说有，那也不过是琼瑶小说中的少男少女早期的山朦胧雨朦胧的那种朦朦胧胧的美妙情愫。也由此，这位富贵小女孩一点也不曾嫌弃穷表哥李嘉诚。而是，庆幸锁在深闺中的自己，有一个生活玩伴。

∽ 两小无猜

庄月明在教会办的英文书院念书。对初来乍到的小表哥，事事关心，嘘寒问暖，处处维护。对于犹如刘姥姥进城的小表哥，月明似乎成了无所不知的大姐姐。

李云经知道香港是一个金钱至上的商业社会，告诫李嘉诚兄妹，要在香港生存下去，就要学做香港人。而要与香港社会融为一体，第一步就是要过语言关，改掉潮汕口音，说好香港话。从此，庄月明就成了李嘉诚的粤语老师。表妹用心教，表哥认真学。不久，李嘉诚便能用粤语与香港人交流了。庄月明内心有说不出的高兴。一个天真活泼的小女孩，似乎觉得自己长大懂事了。

此时的庄月明不过是个未及 10 岁的黄毛丫头哩。过去的天真烂漫恍惚间被深沉的若有所思所取代。李嘉诚也发挥自己的长处，教庄月明学习古典诗词，当然，也包括那些难解拗口的之乎者也。这一对金童玉女，两小无猜、互相学习、互相帮助、互相关心的情景，是当时庄家最为动人费神的风景。

庄家的上上下下都看在眼里，记在心里。庄静庵坐不住了，沉不住气了，他不希望这样任其发展下去。那一段日子的每时每刻，都成了李嘉诚动荡童年中最温馨的回忆，艰苦岁月的极大压抑外的幼小心灵的慰藉。不过，李家在庄家居住的时间并不长，也就百多日，很快就择屋别居。

李嘉诚转入香港的中学念初中以后，又深为英语而苦恼，而月明在上学前就跟家庭教师学了一年英语，当李嘉诚转入香港的中学念初中时，她已在英文书院上了半年学了。因此，月明自然而然地成了表哥嘉诚的英语家庭教师。

于是，表哥教表妹古典诗词与文言文，表妹教表哥英语和粤语。毫无隔阂，亦无心机，朝夕相伴，耳鬓厮磨，温馨动人。这对有情人从童年时代起，心心相印，互相帮助，息息相通。

李嘉诚第一次见庄月明，那时庄月明还是 8 岁的天真小女孩，李嘉诚则是 12 岁的大男孩。她听李嘉诚讲的那些故事，常常提出一些天真的问题。

李嘉诚初入庄府，一见到这个天真活泼的明妹妹，便发自内心地喜欢她。他搜肠刮肚，将小孩爱听的故事，讲给他的庄月明妹妹听。好在李嘉诚的脑袋是个八宝箱，里面有无数的历代典故。

庄月明又特别喜欢她的诚哥哥讲故事，她总是觉得她的诚哥哥知道的故事很多很多，知道的事情很多很多。诚哥真有学问，真是个了不起的学问家，真是个满腹经纶的小学究。时不时，庄月明会顽皮地称呼李嘉诚为老先生。

一个如张如狂，一个如痴如醉。一个拘谨老成，一个天真烂漫。两个小朋友的感情大世界，就这样，一年一月，一日一夜，一分一秒，在时空的动荡变异中，在超凡脱俗的喧闹中，凝聚为一个和谐的节拍，演绎合奏成动人心弦的爱情之歌。

这不是文学小说，也不是电视剧本，而是真实的历史的疑幻疑真的精彩再现。

1941 年 12 月 8 日，太平洋战争爆发，圣诞节前夕，香港英军向日军投降。港币不断贬值，物价飞涨，李家生活雪上加霜，李云经又在这时不幸病倒了。

1943 年冬天，李云经病重，他把李嘉诚叫到床前，轻声告诫道："求人不如求己。吃得苦中苦，方为人上人。失意时莫灰心，得意时莫忘形。"15 岁的李嘉诚坚定地点了点头，李云经才放心地闭上了眼睛。父亲去世了，李嘉诚突然间自觉长大了许多。他明白，从此以后他要挑起全家的生活重担了。尽管舅舅口头上表示要资助李家，但倔强的李嘉诚仍然决定中止学业，打工挣钱，养家糊口。

尽管，嗜书如命的李嘉诚，面对困境，要做出如斯艰难的决定时，未曾丝毫的犹豫，但是，可以想象，其内心，该是何其痛苦。当然，谁都知道，这是没有选择的抉择。

求人不如求己。李嘉诚相信，只要自己肯努力，一定能出人头地。顺水推舟，舅舅表示支持他辍学打工，因为舅舅自己也是十多岁就离开父母到广州打天下的。不过，奇怪的是，舅舅居然没有让李嘉诚进他的公司。

李嘉诚明白，在这个世界上，从来就没有什么救世主。没有人可以帮助他，他必须赤手空拳闯出一条血路来。横在李嘉诚面前的，是一条暂时看不到尽头的独木桥。虽然，李嘉诚坚信前面必有自己的阳光大道。

庄月明走的却是完全不同的另一条阳光道。她以优异成绩从英华女子中学毕业后，进入香港大学，获得学士学位以后，又负笈东瀛，留学于日本明治大学。她的生活之路充满阳光和鲜花，充满欢声与笑语，充满了牛奶与面包，充满了心满与意足，充满了幻想与天真。但难得的是，她从来没有视表哥为外人，更甚至，她从来都把他当自己至亲的亲人，自己的家人，自己的朋友，自己生命中的一部分，甚或全部。

庄月明与李嘉诚两小无猜的纯真感情，还随着年龄的增长，不知何年何月，也不知何时何地，更不知何故何因，不知不觉间，转变为真挚纯美的爱情。就算她东渡扶桑，负笈日本，她一直也牵挂着在香港拼搏的表哥。

李嘉诚踏上谋生路后，不管是当茶楼的堂倌、还是当钟表公司的学徒，庄月明对李嘉诚都是一往情深。在日本读书的庄月明，为了不让父亲知道她的感情世界，通常都是写了一封又一封的信，积攒在那里，等到有相熟的人回国，再托人将这一封封情信在国内寄出。她在精神上对李嘉诚的殷殷慰藉和默默支持，鼓舞着李嘉诚度过一个又一个艰难的日夜，激励李嘉诚走过一个又一个陌生的街道，鞭策李嘉诚战胜了一个又一个的困难。

"山无陵，江水为竭，冬雷震震，夏雨雪，天地合，乃敢与君绝。"不论和风，不论细雨，不论花开，也不论叶落。冬去秋来，春回夏至。仿佛就在昨天，就在眼前，喋喋不休地倾诉她那质朴、热烈的情感，甚至是脆弱、自私的情感。

日月如梭，随着时间的推移，这种情感更为强烈。光阴似箭，随着空间的括扩，这种感情更为执着。出身富贵的表妹，在精神上给了李嘉诚不断向上的无限动力，她默默地关注着表哥的一切，为表哥事业的每一次小有成就而感到欣喜。

精明的李嘉诚在日常对舅舅的察言观色中，知道自己只有在事业上取得成功，才能够赢得表妹的爱，毋宁说，才能赢得舅舅的爱。也因此，这种爱才能有花有果。也只有自己的成功，才配得上出身富贵名门，羞花闭月的表妹。

∽ 爱情长跑

青少年时代的庄月明，可以说完全不知道忧愁为何物。"芭蕉不展丁香结，同向春风各自愁。"如果硬要说这时的庄月明也有忧心的话，那便是对表哥李嘉诚的无限牵挂与担忧。

虽然，他们很少见面，但是，每当看到瘦弱的表哥，想到他要拎起沉甸甸的大茶壶，背起一个又一个大铁桶走街串巷，拿着一件又一件的塑料制品投石问路，善良柔弱的心，一阵又一阵地难过。试曾想过做过，节省自己的零用钱，以减轻诚哥的负担与压力。但是，诚哥决绝地回拒，他绝对不领这份情这份意。月明不觉得尴尬，倒是觉得，表哥距离成功，应该很近很近了。

然而心急的庄月明依然觉得，这一时刻还是来得太晚太晚太慢太慢。可不是吗，几乎二十年的青春岁月与默默等待，怎一个愁字了得。只希望，老天开眼，让诚哥早日脱离苦海，早日找到自己的人生轨道，早日成功。很明显，随着年龄的增长，这种无时不在的魂牵梦绕，已经升华为实实在在的爱。她与表哥两小无猜的纯真友情，已经慢慢地转变为无人可以阻拦的炽热的爱了。

庄月明陶醉了，李嘉诚痴迷了。然而他们两人，都明白，都很理智，都很克制，都很清醒。甚至有时两人都很痛苦，都很迷茫，都很彷徨，怅然若失。在他们面前的路，还很遥远漫长。

不论是在香港大学，还是在东瀛的明治大学，青春勃发的庄月明一颗心总是深深地眷恋着她那在香港挣扎、拼搏的表哥李嘉诚。

两人长大了，一个继续在学校读书，一个在店里做学徒工，在月夜，在梦里，各自回味无穷。可以说，此生此世，刻骨铭心，永远忘记不了这些过去的甜蜜。后来节假日在庄府相聚，庄月明也要诚哥哥讲故事道趣闻给她听，哪怕是发生在诚哥身上微不足道的任何一件小事。

这时的李嘉诚，虽然年少，但是，几年的社会阅历与磨炼，已经锤炼出一个沉稳、开朗的小小男子汉。李嘉诚的脸上，已经没有过去的忧愁，更多的，是对社会变迁的感悟，对人生的深刻体会，对生活的冷暖风霜，对前途的执着追求，对未来的自信。当然细心的庄月明，不时发现，表哥的脸上，不时带着丝丝倦容与阵阵疲劳。

　　庄家上下，对这对小情人并不看好。庄月明的父母极力反对自己的千金下嫁穷外甥李嘉诚。甚至，为了棒打鸳鸯，斩断情丝，不惜在女儿港大毕业后又远送东洋留学。庄老板可谓用心良苦。

　　在当时尚十分传统的女子无才便是德的华人社会，庄月明的才学显然是多余了。在两人相恋的期间，他们或许想过，林黛玉是贾宝玉的表妹，贾宝玉是林黛玉的表哥，林黛玉、贾宝玉表妹表哥，相恋相爱，终因那是婚姻不能自主的社会，葬送了这对有情人。虽然香港是西方式的恋爱婚姻自由自主社会，浪漫恋情的这对表妹表哥，期待着揭红盖头的那一时那一刻那一分那一秒。仿佛，冥冥中，有神主宰，那一天也在慢慢向他们招手，向他们靠近。

　　在庄月明的内心深处，对于奋力拼搏，开创事业的诚哥，敬羡非常。李嘉诚的大千世界，就是庄月明的方寸星空。莫非，我们不能成为一个人吗？尽管李嘉诚为人相当含蓄，感情从不外露，但庄月明知晓李嘉诚是在尽其所能，超其所力，向她显示能力，展示活力，表现毅力。

　　当然，也在向她的爸爸展示实力。在向她显示顽强精神，而这正是，庄月明爱上李嘉诚的内在动力。庄家大小姐知道，诚哥在默默期待着自己。从此，庄月明默默地将自己的事业，同李嘉诚的事业联系在一起，为他每获得一步巨大成功，感到无限的高兴。

　　1950年，年仅22岁的李嘉诚创办长江塑胶厂。"长江"取意于"长江不择细流，故能浩荡万里"，足见李嘉诚的雄心壮志。庄月明更加欣赏表哥，并为他感到自豪，为他感到骄傲。

　　开工厂初期，曾经出过质量事故，李嘉诚再一次体会到世态炎凉。世情在变，危难之中不变的是，庄月明对表哥的一片赤诚之心。童年的困苦，爱情的力量，将历经磨难的李嘉诚锻造成坚毅的男子汉。

　　李嘉诚依然向前走，向前冲，向前搏。除了耐心等待，李嘉诚知道，他没有别的选择。

　　庄月明依然故我，固执己见。外面的世界好像全然与她无任何关系。除了大胆争取，耐心期待，还有少女少有的积极主动。还有那，断断续续的翩翩起舞的垂蔓，令人浮想，令人留恋，令人辗转。

　　当时尚在香港大学念书的庄月明，每周至少要来看一次表哥，功课紧张的时候，也总会给表哥打个电话。可以想象，忙碌一天疲惫不堪的李嘉诚，那时那刻的激动。庄月明的爽朗、乐观感染了危难中的李嘉诚，庄月明对李嘉诚的未来所表现出来的信心，成了李嘉诚战胜危机的最大动力。

1955 年，长江塑胶厂出现了转机，产销渐入佳境。李嘉诚把这一好消息告诉远在日本求学的庄月明，庄月明满心欢喜地给李嘉诚发回了一封祝贺电报，并引用了李嘉诚历经挫折和磨难之后为自己拟定的座右铭："稳健中寻求发展，发展中不忘稳健。"

李嘉诚的事业开始一步一个台阶走向一个又一个的新的辉煌；李嘉诚已经事业有成，他与庄月明的爱情也本该瓜熟蒂落，但好事多磨，若按世俗的眼光，他们并不门当户对。

庄月明出身富贵名门，受过高等教育，才貌双全。而李嘉诚出身寒微，唯读过初中，虽然事业初成，但将来怎样还是个大大的未知数。而庄静庵和李嘉诚母亲庄碧琴也表示反对。庄静庵的反对，或许可以理解，但母亲庄碧琴的执意反对，却让人们不可思议，如坠云雾。

无论如何，才貌双全的大家闺秀庄月明，铁了心，非她的诚哥不嫁。恋爱中的李嘉诚曾经不止一次动情地对庄月明说："不论将来我发达到什么程度，此生我都只爱你。"一诺千金，掷地有声。然而，女性毕竟是女性。夜深人静，庄月明又偷偷拿起了《孔雀东南飞》。她不理解自己的父亲，她更担心李嘉诚在来自各方面的压力面前会退缩动摇。

《孔雀东南飞》描写一个封建社会中常见的家庭悲剧。男主人公焦仲卿是庐江府小吏，与其妻刘兰芝感情甚笃。但焦仲卿的母亲却不喜欢儿媳，焦仲卿又常因公干不在家，在此期间婆媳矛盾殊为激烈。刘兰芝向丈夫诉苦，说自己忍受不了婆婆的苛刻，焦仲卿去劝说母亲，却反被母亲骂了一通，并逼他休妻再娶。

焦仲卿彷徨于母亲与妻子之间，不免进退维谷，于是他劝刘兰芝回娘家住一段时间，等他办完公事后再来接她。刘兰芝含泪而别，回到娘家。过了一段日子，县令和太守相继遣媒为子求婚，刘兰芝的哥哥逼迫她答应，刘兰芝在走投无路的情况下，暗暗下了死的决心。

婚期前一天，刘兰芝与闻讯赶来的焦仲卿抱头痛哭，约定黄泉下相见。在太守家迎亲之夕，刘兰芝与焦仲卿双双自杀，两家将他俩合葬在一起。这个悲剧，反映了中国封建社会中妇女只能听凭别人决定自己命运的不幸处境，作者从这种悲剧中发现了深刻的人生教训和社会意义，并用汉末时已臻于成熟的五言诗体做了完美的体现。

庄月明的双眼早已充满了悲凄的泪水。每当读到这些诗句，更是徒添伤悲。

∽ 步入婚姻

转眼到了 1963 年，李嘉诚已经 35 岁，庄月明也已经 31 岁，就算按今天的标准来看，也已经绝对是剩男剩女。他们对爱情的执着和真诚终于感动了固执的庄静庵夫妇和庄碧琴，同时神奇小李李嘉诚在商业上创造的奇迹，也越来越让庄静庵感到惊奇动心，他们终于同意两人结婚。

水到渠成，在一片祝福声中，李嘉诚牵着庄月明的手，幸福地踏上了红地毯。李嘉诚终于迎娶了他心爱的表妹，揭开了他心爱的表妹的红盖头，两人经过相恋相爱，既有浪漫，也有亲情，亲上加亲，有情人终成眷属。

郎才女貌，几乎像是中国旧文人梦寐以求的理想梦境。但这正显出了李嘉诚的真性情，显示出庄月明的诚挚意，她是多么爱嘉诚，他又是多么爱月明啊！这也实实在在展现出，李嘉诚作为现实生活中的真人凡人常人俗人的真性情。

李嘉诚为了使婚后的日子温馨美满，在结婚的前半年，便斥资 63 万港元买下了港岛南深水湾道 79 号的一幢三层花园洋房。这就是李嘉诚至今仍在居住的深水湾道 79 号三层宅邸风水宝地。在当时的香港，拥有独立花园洋房的华人富翁寥寥无几。

虽然当时李嘉诚事业渐入佳境，但是在各方面仍亟须大量投入资金的情况下，毅然一下子拿出 63 万港元共建爱巢，所以有人说，这是李嘉诚仅有的一次为卿而癫，为爱而狂的失去理智的举动。正像一位从 20 世纪 50 年代起就与李嘉诚交往的朋友所说的："这幢花园洋房，是诚哥送给表妹的最好礼物。"

庄月明同李嘉诚结婚后，即参与李嘉诚创办的长江实业公司，共同推动公司业务，进一步向前发展。李嘉诚对爱情有自己的真知灼见。

　　互相爱恋、情投意合还不够，互相了解、互相体谅、和谐相处才
是最重要。亲情是与生俱来的，感情是要培养，但亦要讲缘分。

庄月明加入长江工业公司后，她流利的英语和日语、谦和勤勉的作风，深得同事的尊敬。

1964 年 8 月和 1966 年 11 月 8 日，李泽钜和李泽楷兄弟相继出生。

据《说文解字》释："钜，大刚也。"《史记·卷二十三，礼书》："宛之钜铁施，钻如蜂虿。"张守节《正义》亦指："钜，刚铁也。钜，大刚也。"至于次子泽楷，就是"楷模"的意思，即榜样、模范、典范。《后汉书·卷六十四·卢植传》有记："士之楷模，国之桢干也。亦作模楷、楷则。"两儿名字中间取一"泽"字，据李嘉诚说，这是按家族字辈而排。

李嘉诚先后得龙虎之子，直如为他添了左右两翼。兴奋的心情，使他暂且抛开繁重的工作，忙于进出医院照料妻子，以及回家为这个新生命的到来，打点一切。

在家庭方面，庄月明尽心尽力，相夫教子，培养儿子李泽钜、李泽楷长大成人。两个儿子在李夫人的亲自教导下，奋发好学，完成了大学教育，在家族业务担负着相当大的责任。

当年，李嘉诚只有 38 岁，已是城中有名的富豪，人人称他塑胶花大王。其时，他掌管的长江实业仍未上市。李嘉诚事业上的重大转折点是 1972 年 11 月，"长江实业"上市。这一决策，是由当时出任执行董事、公司决策核心人物之一的庄月明共同做出的，只是不为外界所知。庄月明出任执行董事，是公司决策层的核心人物之一，李嘉诚不少石破天惊的决策，均蕴含了庄月明的智慧和心血。

庄月明婚后致力为丈夫打理业务，长江实业上市时，庄月明是主要股东，出任执行董事，经常参与长实业务，每年的年度股东大会均有出席。庄月明在公众面前始终保持低调，她很少露面，也不接受记者采访。所以人们在谈论李嘉诚的"超人"业绩时，很少会提到庄月明。

这份永远埋在心中的情与爱是恬淡的，却是隽永的，宛如涓涓溪流，恰似"执子之手，与之偕老"的现代版。

"当你把如斯风景看透，我愿陪你看涓涓细水长流。"其实，如果李嘉诚的生命中没有庄月明，真不知他会变得怎样。

"天马行空，唯此唯大。"这绝不仅仅是一句动听华丽的语句，而是李嘉诚的内心道白。随着长江实业的上市成功，一切运作也渐渐步上正轨。天生贤静贤淑的庄月明渐渐退居幕后，相夫教子，孝敬伺候家婆。

∽ 一个不幸的日子

李嘉诚少年经历忧患，15 岁便辍学到社会谋生，深深体会健康和知识的重要，同时认为对无助的人给予帮助是世上最有意义的事情，教育及医疗两者更是国家富强之本，他也认识到个人力量到底有限，唯有事业成功，才能对社会和国家做更大的贡献。

事业辉煌的李嘉诚夫妇是众所周知的大慈善家和敬佛居士。他曾捐资三千多万港币建立"李嘉诚护理安老院"，该院规模宏大，设备齐全，占地 1.6 万多平方英尺，可收容几百名老人在此接受护理和安养。在该院建设过程中，李嘉诚不但委派属下多人专职筹划，而且更是事必躬亲，使该院在短时间内建成启用，许多老人在此安度晚年。

李嘉诚与庄月明在香港和内地也广种福田，常常捐助上亿元的巨资，用来造佛像、修寺庙、造桥铺路、兴办教育、支援医疗、赞助科研、弘扬文化、赈济灾民等慈善布施。号称世界第一的香港大佛，李嘉诚更是一大功德主。

请记住李嘉诚的座右铭：

> 人生在世，能够在自己能力所逮的时候，对社会有所贡献，同时为无助的人寻求及建立较好的生活，我会感到很有意义，并视此为终生不渝的职志。

李嘉诚深信三世因果，深信布施和富贵的内在必然联系，深知慈悲喜舍的精神和举止是菩萨的特色。事实也证明，唯其如此，才得天时、地利、人和；唯有如此，事业才能兴旺，社会才会祥和。

进入 20 世纪 80 年代，李嘉诚的事业如日中天。庄月明别无所求，丈夫事业成功就是她最大的心愿。就在这个时候，也就是 1988 年 11 月的一个深夜，夜半醒来的李嘉诚，被夫人的喘息声所惊吓。面色苍白，嘴唇微紫的庄月明，依然尽量压抑自己的痛苦声音，只是怕吵醒劳累一天的夫君李嘉诚。忧心如焚的李嘉诚，立即差人请来了医生，诊断的结果，庄月明心律不齐，需要静养。接下来的时间，庄月明接受了精心的调理，病情有了明显的缓解，李嘉诚悬着的心才稍稍为安。

然而，不幸的事情最终发生在一个不幸的日子。1989 年 12 月 31 日夜，李嘉诚偕夫人庄月明出席在君悦酒店举行的迎新宴会。夫妇俩容光焕发，笑容满面，成为宴会上的焦点。孰料第二天下午，午休中的庄月明却突发性心脏病逝世，享年 58 岁。

庄月明在年富力强的时候离开人间，对李嘉诚及长江实业集团公司来说是一种无法弥补的损失。

李嘉诚在柴湾佛教坟场，找到坟场最开扬的位置，安葬他敬爱的亡妻。葬礼中的李嘉诚，凄凄楚楚，悲悲切切，哀哀婉婉，泪珠涟涟，香港市民见者无不为之动容。

或许，常人并不能完全理解李嘉诚的哀情与情爱。突发性心脏衰竭是指心脏突然停止正常跳动及不能将血液输送到身体各部分。心脏衰竭很多时都会在毫无先兆及病历的情况下突然发生，通常，病者会在病发后相当短的时间内不幸死亡或即时死亡。

其实任何年纪的人士包括青少年、运动员等均有机会患上突发性心脏衰竭。而 50 岁以上的人士、自己或家属曾患有心脏病、肥胖、烟酒过多、长期精神紧张、缺少运动、高胆固醇及高血压等人士的病发机会则相对较高；另外，其他原因包括：触电、遇溺或严重失血亦会引致心脏衰竭。

往往因为稍稍不同的激动，或者非常不注意的某些身体动作，甚或夜间睡觉的侧身，都有可能引致意外发生。而在意外发生后，又因为现场人员的不知所措或等待救援的时间，造成不幸的发生。

此时此刻，只有李嘉诚，也只能有李嘉诚在默默吟诵这句凄美的诗句。是苦，是甜，是哀，是思，是忧，是愁，唯有超人，才能感受到。因为李嘉诚的心中只有庄月明。

不论是昨天，还是今天明天，不论是刮风下雨，还是阴晴圆缺。心，昨夜依旧，不会为其他任何人所动。此时此刻的李嘉诚，不是超人。而是一个普普通通的不能再普通的普通凡人。

1990 年 1 月 4 日，庄月明女士举殡，港督代表送来亲笔书写的慰问信。

香港佛教联合会会长觉光法师亲自主持佛教仪式。钟逸杰爵士、李鹏飞议员、汇丰银行主席包伟士、加拿大商业帝国银行总裁传理敦等社会名流扶灵出殡。

　　长江实业董事李业广在悼词中强调："李夫人庄月明女士艰苦创业，敬业乐业，对公司做出卓越贡献。并赢得公司同仁的一致敬仰。在家中，相夫教子，支持鼓励李先生为社会做出巨大贡献。她在年富力强的时候离开人间，实是无法弥补的损失。李夫人重友情、重亲情、重信义的崇高品格，将永远为长江同仁及一切亲友铭记于心。"

　　细心的记者发现，面对生离死别，面对爱妻娇容不再，商界巨擘李嘉诚，泪水涟涟。

　　庄月明是虔诚佛教徒，对多间佛教机构捐献良多。李氏以亡妻名义捐出大笔款项予教育及慈善机构，不少学校或建筑物均以她的名字命名，如明爱庄月明中学、佛教李庄月明护养院、香港大学庄月明文娱中心、庄月明科学楼、庄月明化学楼等。2006年李嘉诚基金会更捐出巨款予香港大学，成立"李庄月明佛学研究基金"推动佛学研究。

∾ 一个人的生活

　　庄月明逝世以后，李嘉诚才六十出头。有一位漂亮的女明星一有机会就主动接近李嘉诚，在公众场合或主动上前向他敬酒，或有意找话题与他攀谈，但李嘉诚唯恐让记者的镜头抓住把柄，每次总是及时避开。

　　香港不少富商都以绯闻为荣，但李嘉诚始终孑然孤身。元旦日公众假期，对于香港首富李嘉诚来说，每年的此时此刻，都是他和家人到柴湾佛教坟场拜山，风雨不改。原来，这日正是李嘉诚已故妻子庄月明的忌日，每年这日的大清早，李嘉诚必带同两个儿子，到坟前向亡妻致祭。

　　而王富信[①]嫁入李家后，近年也多了一成员参与这一风雨不改的祭奠。

　　多少年来，无论是风，抑或是雨，不论是阴，抑或是晴，不论是忙，抑或是闲，在这里，在这静静的土地上，都毫无例外地留下了他的脚印。李嘉诚是超人，更是有血有肉的凡胎，他既有一日三餐，亦有七情六欲。然而，他更有一个对爱有着永久承诺的心。他对亡妻的思念，对亡妻的追忆，对亡妻的挚爱，对幽魂的承担，并没丝毫动摇，从没半点减退，也从来没有半点遗漏，更从

---

① 　王富信，李泽钜之妻，李嘉诚的大儿媳，1993年嫁入李家。

来没有半点含糊，半点虚假。此时此刻，天底下的女人无不为之动容，天底下的男人更无不为之惭愧。

两个儿子看在眼里，痛在心里，香港七百万人为之动容。更重要的是，在天国安息的庄月明，永远都是那么的安详安静安眠安生安息。

李嘉诚亡妻庄月明的母亲庄邱碧云，2002年4月14日在医院病逝，享年93岁。庄邱碧云既是李嘉诚的岳母，也是他的舅母，李嘉诚父母当年为逃避日军侵华，举家来港投靠经营钟表业的舅舅庄静庵。

庄静庵有两名妻子分别为邱碧云及黄惠君，育有三子四女，庄家思想新潮，准许长女庄月明入读香港大学及留学日本，她后来与表哥李嘉诚日久生情，虽然当年的李嘉诚无论财力及学历均比不上表妹，但庄静庵最终亦将爱女许配给他，缔结良缘，李嘉诚一直铭记于心，对岳父母侍奉至孝。

庄月明于1990年因心脏病发逝世，令李嘉诚伤痛欲绝，以后更加尊敬岳父岳母，五年后岳父庄静庵仙游，丧礼细节一切由李嘉诚亲自打点，李家三父子也极尽孝道，到灵堂守孝七日七夜。

李泽钜及李泽楷对外婆非常照顾，加上母亲庄月明过世，李氏两兄弟对庄老太夫人更是尊敬有加，经常百忙中抽空探望高龄的外婆，而庄老太夫人在养和医院昏迷弥留期间，不仅有庄氏家族、中南钟表的后人经常探望她，李氏三父子也常常在医院陪侍在侧。

李嘉诚夫人庄月明早在十二年前因心脏病发与世长辞，五年后即1995年10月，李嘉诚的岳父庄静庵因肠癌去世，享年87岁。

庄静庵一生笃信佛教，富有而不忘回馈社会，多次捐献给慈善团体开办学校，如在1945年开办的绵德小学及在1982年创立的绵德中学。在家乡开元寺的历年修缮活动中，均见庄老先生捐献的义举。

拿破仑说："一个人的私生活是一面反光镜，人们从中可以懂得很多，并受到教益。"这句话恰好成为我们今天阅读李嘉诚的理由，即使我们对他的丰功伟业不感兴趣，纵使我们对他的千亿身家不感兴趣。

有一次，香港一传媒煞有介事地刊登，本港一李姓富豪与某港姐有染。八卦的港人即刻议论纷纷。这位李姓大款究竟是谁？恰巧就在这时，香港名媛林燕妮来到华人行，与李嘉诚商讨广告事宜。"奇怪的是，一坐下来，他开腔谈的不是公事，而是非常严肃地澄清有关的绯闻。李嘉诚再三强调，他跟这位港姐绝对没有任何关系，亦不认识，更无往来，外边在乱讲。"

其实香港的富豪，姓李的何止一人。该传媒又从未指名道姓地说是李嘉诚。按理，李嘉诚大可不必如此认真。显然，李嘉诚对相关的议题非常小心谨慎。其实，李嘉诚的意图很明显，就是希望借林燕妮之口，代为澄清，代为否认。

1995 年情人节，香港《明报》赫然刊登两幅示爱广告。这位求爱者其实来头不小。她就是城中名作家茜凤凰。被爱上的人自然是本书的主人公李嘉诚。这位情妹妹用心良苦，发挥其才女的最佳水平与浪漫情怀，给超人手书条幅："嘉千骏之长，诚万川之江。"巧妙镶嵌了嘉诚、长江。落花有意，流水无情。李嘉诚对此退避三舍，饭后茶余，一笑了之。据说，有次在家中的餐桌上，不知天高地厚的小儿子李泽楷，也居然斗胆用此笑料开老窦的玩笑。

更有甚者，直到 2005 年 6 月，还有一妇，居然亲自往李府大吵大闹。言之凿凿地说自己是李嘉诚二十年前的红颜知己，并为李嘉诚诞下一女，现今小女初长成，恨见亲父，希望李嘉诚收为膝下。云云。

此事甚至惊动警方上门，后来还将该位妇人的家姐请来，化解危机。原来，这是一位精神失常多年的病人。也许她年轻时精神又正常之时，确曾暗恋过李嘉诚。又关卿事？

世界之大，真是无奇不有，无奇不生。

在这如痴如醉如痴如狂如泣如诉的曼妙爱情故事，将要不情愿地暂时画上一个句号的时刻，我们全文抄录李嘉诚 1994 年 12 月 13 日在香港大学庄月明楼开幕仪式上的讲话，来表达对这位身在天国的贤淑施主的敬仰与哀思。

　　本人今天能够在这里和大家说几句话，感到非常荣幸，对各位在百忙中莅临参加庄月明楼开幕典礼致以衷心的感谢。

　　香港大学是世界知名的高等学府，成立至今已有八十多年，一向享有崇高地位，近期在王赓武校长的领导和杰出的大学行政人员协助下，由不少国际知名的优秀学者悉心指导，为香港培育社会栋梁。港大毕业生都学有专长，其中极多在国际和本港的事业上都卓然有成，居政府、工商、财经、学术界等领导地位，为社会的繁荣进步献出力量。此外，香港大学多年来在国际学术界亦赢得无数称誉，这种辉煌的成就实在是值得敬佩的事。

先室庄月明有幸亦是港大一分子，早年留学日本，返港后就读于香港大学，为 1961 年毕业生，获文学士学位。

其本人一向热爱母校，以毕业于香港大学为荣，生前恒常思念对母校做出贡献，故承其遗志，捐助港大兴建物理化学大楼及学生文娱活动中心，以为纪念。并蒙先室老师饶宗颐教授亲为大楼撰写纪念碑文，又为月明泉题字，使整个建筑群更具深切意义，谨此向饶老师表达衷心谢意。

教育为培育国家和社会的根基，保持社会活力和竞争力的重要源泉，近年港府大力发展高等教育，以配合香港经济转型，对高质素人力资源有迫切需求。港大在未来岁月里，将为香港继续培育优秀人才，担当更重要的任务。本人向来重视教育，谨借此机会向所有服务于港大的人士致以崇高的敬意。

今日目睹港大两座教学大楼及学生活动中心落成，尚有喷泉广场，为校园增添优雅的景色。所有工程得以顺利完成，全赖在王赓武校长领导下和全体有关工作人员的努力，本人和小儿泽钜、泽楷谨此表达衷心的感谢。同时谨向大学当局致贺，并祝各位来宾身体健康，万事如意。

谢谢各位。

2006 年 1 月 29 日大年初一，李嘉诚亡妻李庄月明位于柴湾歌连臣角佛教坟场的墓地，遭四名带风炮等工具的、丧心病狂的盗墓贼破坏。

墓地位于坟场中央，邻近坟场办事处，坟场四周装有铁栏，有三处出入口，其中正门装有铁闸，此出入口亦是最接近李庄月明的墓地，但铁闸不高，即使关上铁闸，外人也可轻易爬入；而坟场一直没装闭路电视等监视设备，直至李嘉诚亡妻的墓穴被盗墓贼"光顾"，基地保安才加强。

坟场办事处新装的六部闭路电视，其中两部装于墙身位置监视通往墓地的楼梯，一部监视天台情况，其余三部以及部分红外线监视器，则全部向李庄月明方向的多个墓地。所幸李庄月明墓基牢固，贼徒亦奈何不得，虽然如此，亦造成些许破坏，彼时正在外地的李嘉诚即时飞返香港，携儿多次往墓地巡视，并督导工人尽速修缮。

讲到这般丧尽天良之徒的丑行，李嘉诚可谓义愤填膺，怒火中烧。他谓爱妻庄氏为虔诚之佛教徒，过身后除几件随身所好之外，并无任何贵重之金银玉器陪葬。这般盗贼行此令人齿冷之暴行，相信必然恶有恶报。及至年尾，这般盗贼终于被官府绳之以法，判刑坐监。

"我屋中有好多书，多到整间屋不够放……以前 Victor（儿子李泽钜）结婚前我是住 house（房子），Victor 结婚后住 apartment（公寓）。"在一次记者招待会上，李嘉诚突然谈起自己位于深水湾的大屋已经不够住。

李嘉诚尔后决定将深水湾道大屋拆卸重建，并于 2006 年年中正式入则申请，将这座已居住四十三年的三层高爱巢改建为四层高，原先约为 6000 平方英尺的大屋，重建后楼面将增加至 8830 平方英尺，不过在大屋重建的三年期间，李嘉诚会迁往长实旗下寿臣山寿山村道三座新建成的大屋。

据地盘工人表示，"老板对于大屋装修相当重视，亦不急于完工，拣料亦拣了一段时间。"李泽钜亦间中亲自到场视察进度。

这座李嘉诚的未来大屋，基座高人一等，私隐度高。寿山村道洋房亦是依山而建，因此大屋最低的一层已高于前方洋房的天台，私隐度相当高。大屋用料相当讲究，外墙用上米白色的全云石外墙，以欧陆建筑大屋设计，事实上原先地盘计划兴建成四座大屋，不过其后长实决定将每间大屋面积加大，最终兴建成三座大屋。

"我不会因为今日楼市好景，立刻购下很多地皮，从一购一卖中牟取利润。我会看全局，例如供楼的情况，市民的收入和支出，以至世界经济前景，因为香港经济会受到世界各地的影响，也会受到政治气候的影响。所以在决定一件大事之前，我会审慎，会跟一切有关人士商量，但到我决定一个方针之后，就不会变更。"

第六章

进军房地产

▲ 李嘉诚在首播发布会上向天比高节目俞琤和各参与的工
作人员致谢。

▲ 李嘉诚及旗下集团多年来均大力支持公益。左为曾为李氏
王国立下汗马功劳的李业广。

香港房地产业几经起伏，一直是香港经济的支柱之一，占 GDP 的比重在 20% 以上，长期以来一直是香港经济发展的"晴雨表"，更是香港经济社会发展的主要动力之一。

早在 1841 年 6 月 7 日，港英政府在公布的第一批土地中，将土地分为海旁地段、市区地段、郊区地段、市场地段四种。及至 6 月 14 日，香港历史上的首幅土地拍卖成交。当时的地价大约为每一千平方英尺每年地税两英镑。及至后来，土地拍卖已经成了港府主要财政收入。其中，最少的一年为 1854 年，亦达 5966 英镑，最多的年份是 1844 年，高达 54234 英镑，占据当年财政总支出的 85%。

1946 年 5 月 1 日，港府从英军手中接过管治权，开始大规模的战后重建工作。同年 11 月，港府邀请英国城市规划专家艾伯克隆比就香港未来五十年的发展蓝图提供建议。艾伯克隆比在充分了解战后香港的实际情况，尤其是大陆难民激增及港人回流导致的人口暴增的现实，针对香港城市核心地段土地匮乏及人口持续不断增长的困境，提出了大香港新区域规划概念。

他认为，开拓综合发展的新区域，并均衡发展每个区域，提升香港作为一个远东都市的发展潜力与竞争力，是战后香港在相当长的时间内必须走的路向。艾氏并建议把九龙半岛作为未来香港发展的重点。

∽ 长江的未来在哪里？

20 世纪 50 年代末期的香港，经济处于突飞猛进的时期。由于当时特殊的历史条件和地理环境影响，弹丸之地的香港成了名副其实的"东方之珠"。

特殊的社会环境使香港如同三四十年代的大上海一样，成为投资者的天堂、冒险家的乐园。特别是内地政治局面骤变，抗日战争结束后的国共内战及共产党执政，国民党败退台湾，大批穷人富人纷纷避走香港，在大幅度增加香港人口的同时，也给战后香港的发展带来了两个至关重要的资源——大量资金设备与廉价劳动力。地域狭小、人口众多的香港，一下子变成了寸土尺金的地方。最明显的现象，是人口的暴增和经济的持续发展。

1946 年二战结束时，香港人口仅为 60 万人，1949 年增至 186 万，到 1959 年超过了 300 万，1981 年为 496 万人，到了 2013 年，人口高达 721 万人。人口的急剧增加使住房需求急增。

人口增多，不仅住宅需求量剧增，因本埠经济持续发展，急需大量的办公写字楼、商业铺位、工业厂房。香港开始闹房荒，房屋的增量远远跟不上需求量。供不应求也好，物以稀为贵也好，总之，香港楼市恰逢其时，风生水起。

香港是弹丸之地，不仅狭窄，而且多山。有限的土地，无限的需求，加之港府采取高地价政策，寸土寸金。在港府政策推动及利益驱动下，20 世纪 50 年代，大量资本涌入楼市，香港出现了房地产热浪，也由此催生了一个个地产资本大鳄。

1959 年开始，香港经济出现转机，加上来港的外国人、国际商业机构增多，对商业楼宇、住宅的需求增加，刺激房地产业迅速回升。由于银行对房地产业的过度贷款及其他因素，1965 年春，香港爆发了银行信用危机，一间小银行——明德银号突然发生挤提，并迅速宣告破产。根据事后公布的文件资料，明德银号完全是因为动用客户的存款，大举炒卖房地产，导致资不抵债。

明德银号的关门倒闭，首次为香港楼市实实在在敲响了警钟。此后，香港房地产产生多米诺骨牌效应，价格暴跌，许多地产公司倒闭，香港房地产业陷入了战后第一次大危机之中。受房地产拖累，广东信托商业银行也难以支撑，被逼关门大吉。就连老牌的恒生银行也陷入水深火热之中。银行的危机又反过来加剧了地产市道的大幅下滑。

香港在一片惶恐中煎熬。楼市危机一直延续到 1969 年才慢慢喘定，有所好转。危机令到香港大批从事地产或炒卖地产的富商破产倒闭，那些冒进冒险的投资者血本无归，欲哭无泪，望楼兴悲。

一贯稳健保守的李嘉诚，十分幸运地躲过了这场浩劫。正是在这一危机过程中，很多人大量抛售所持有的楼宇，尤其是富裕人家持有的中半山楼宇。半山区一些原价值十三四万元的豪宅，很多人以四五万元急于抛售。看到如此诱人的价格，今天的港人唯有抱恨自己生不逢时。

李嘉诚看中香港经济发展的潜力所在，认定这种危机是短暂的，很快就会过去，而且也是危中有机，遂大量吸纳廉价地皮与优质物业，奠定了自己大展鸿图的基石。李嘉诚最困难时的情景，也不过是少收了几十万租金，长江的根基依然稳定坚实。

20 世纪五六十年代，香港地产行业绝大多数为中小型公司。进入 70 年代，市区旧楼重建已基本完成，小幅地皮大大减少，工业楼宇的兴建需要申请大幅地块，加上当局批出住宅用地呈现大块化趋势，竞投需支付高额地价，而且新建楼宇无论在高度、造价方面都不断提高，超过了势单力薄的地产公司的承受能力，小型公司被逐渐淘汰。

经过五六十年代的连番洗牌，房地产业趋向集中，逐步形成了一些较大的集团，而且大地产公司纷纷将公司股票上市，资本实力增强，并通过一系列换股、收购、合并等活动使资本进一步集中。

70 年代后期，兴建大型屋村① 的盛行使地产公司规模越来越大。

进入 80 年代以来，香港房地产业已逐渐成为垄断性大集团的天下，虽然经营房地产业的公司有四千家左右，但上市的地产公司只一百家左右，在一百家左右的地产上市公司中，"长江实业"、"新鸿基地产"、"新世界发展"、"恒基兆业"、"恒隆"等最大的十家地产集团的股票市值约占地产建筑类上市公司总市值的七成。

本世纪初叶以来，最大的十家地产集团的房屋开发量约占香港总开发量的80% 左右，地产市场集中度相当高，几乎形成了寡头式垄断经营。

早在 1958 初春的一个傍晚，刚完成一桩塑胶生意的李嘉诚，怀着难得的好

---

① 屋村特指公房，为中国粤语地区尤其是香港澳门一带对政府提供的公益性廉租房的称呼。

心情，独自驱车前往郊外。这几天，李嘉诚心里颇不平静，一个多年苦苦思考的问题时时缠绕着他。虽然迎面吹拂着微微寒风，但是，透过沁人肺腑的丝丝凉意，还是感受到春天已经悄悄地来临了。

塑胶花的成功，确实滋长并坚定了李嘉诚建立伟业的雄心决心信心野心。经营塑胶花为李嘉诚带来一笔相当可观的财富，但李嘉诚预测到塑胶花市场有限，尤其是现在已经像雨后春笋般遍地开花，所剩黄金时间相信也是夕阳无限好。

该从何处着手？长江的未来在哪里？他在苦苦思索，寻求新的发展路向。李嘉诚心中的蓝图，岂是塑胶花的绚丽多彩所能遮盖？塑胶花表面的绚丽风光，虽然能够令到李嘉诚陶醉，但怎能迷惑李嘉诚的眼光？生产塑胶花，是李嘉诚环球王国原始积累的开始，是他人生的第一个台阶。

他的最终目标是希望寻求一个更为广阔的人生舞台，充分展示人生潜在的全部能量与价值，看看个人的能量究竟有多大，跳得究竟有多远，飞得究竟有多高。用他自己的话来说，要充分享受挑战自我的无穷无尽的乐趣。

当然，李嘉诚也并非草率摒弃塑胶业。在其后十余年间，他在塑胶领域继续处于领先地位，并保持着塑胶花的生产销售龙头地位，为开创新事业积累了数以千万元的资金。

虽然贵为一业之主，胶花老板，李嘉诚仍是多次为租赁厂房叫苦不迭。寻找交通便利、租金适宜的厂房难乎其难。每次扩大生产规模，都是在现有的厂房重新东挪西动，左拼右接。车间里，设备、人员、制品，犬牙交错，拥挤不堪。

香港工业化进程出人意料地急速发展，使得工业大厦需求殷切，几达供不应求势，用户续租时，业主又一加再加。甚至到了不怕你走人，只怕你不肯加。作为租客的李嘉诚亦然，其租金成本占到了全部经营成本的三成以上。随着塑胶产品的不断扩大，李嘉诚不得不不停扩大生产空间，不停寻找更为合适的厂房，也需要不停地与业主打交道，看到业主那般神气活现的世故世俗模样，李嘉诚一次又一次，不得不放下身段与他们讨价还价。其中的滋味真是万般苦涩在心头。

李嘉诚曾多次设想：要是有自己的厂房该多好，就用不着受业主随意摆布。当然，如果能有更多的厂房，在自己使用的同时，还可以租给他人，那该有多好啊。他的构想，经过长时间酝酿，进一步聚焦到一个核心问题：

为什么不可以做地产商？为什么不可以拥有自己的商厦？为什么不能搞地

产？如果自己兴建一座大厦，不仅可以解决工厂自身的问题，而且可以做业主，将大厦空余的厂房租出。对，就向土地爷要钱。盖楼建厂房，进军房地产！

洞察先机的李嘉诚，不失时机地统率长江，先人一步跨入地产界，并成为其中进取的一支劲旅。

1959 年，李嘉诚在香港北角购地兴建了一座十二层高的工业大厦，开始涉足地产界，兼营房地产。由此开始了李嘉诚商业帝国的关键一步。

1960 年，李嘉诚在港岛东柴湾购地兴建了两座工业大厦。这两座大厦的面积共 12 万平方米。

在香港经济迅速发展的 20 世纪 50 年代末至 60 年代初期，香港的港岛和九龙中心地段地价楼价持续飙升。

1965 年至 1967 年，香港发生银行挤提及暴动事件，楼价狂泻，不少地产商因焦头烂额，被迫贱售未完工的地盘。李嘉诚此时"人弃我取"，在观塘、柴湾、黄竹坑买地建工厦，取名"长德"、"长华"、"长汇"等，全部做收租用途。

直到今天，李嘉诚一直保留这种敏锐的商业习惯，只要一有投资感觉，他就牢牢抓住，绝不让它成为昨天的遗憾，而只会成为今日的杰作，明日的骄傲。涉足地产，心中发酵已有数月之久，甚至更长时间。这个过程中的苦楚，对外人来讲或许难以体察。

据港府公布的统计资料，1959 年港府拍卖市区土地平均价：工业用地每平方米 104.85 港元；商厦、写字楼、娱乐场等非工业用地，1668.4 元，住宅用地 164.75 港元。

地升楼贵，李嘉诚坐享其利。他拥有大批物业，储备了大量土地，逐渐成为香港最活跃最进取最有实力的大地主。沉稳持重的李嘉诚在塑胶花、房地产经营方面显示了他的独创性之后，又在股票投资方面再一次表现出他的远见卓识，以及对香港经济起伏发展规律超乎寻常的领悟力与洞察力预见力。

由于对房地产业行情看好，这样就在人们用低价卖出物业并用所得的钱去买股票时，李嘉诚统率他的长江实业一边发行股票，一边用发行股票所吸收的资金成批地收购那些低价出卖的物业。

在今天，香港百亿身家的超级巨富，九成是地产商或兼营地产的商人。可当时并非如此，大富翁分散在金融、航运、地产、贸易、能源、工业等诸多行业，地产商在富豪群落中并不突出。

　　李嘉诚以独到的慧眼,洞察到地产的巨大潜质和广阔的前景。此后,李嘉诚将制造业赚取的利润陆续投入地产,相继在北角、柴湾、元朗等地区兴建工业大厦,规模像滚雪球一样越来越大。

　　当时,投资房地产者大多以贷款的方式进行,花钱购地只付30%现金,其余70%向银行借贷,风险颇大,地价一下跌就难以支撑。然而,李嘉诚持有充裕资金,既不用向银行借贷,亦可从容发展、趁低吸纳。

　　60年代中期,香港先后爆发银行危机和政治骚动,地产市道陷入空前低潮。李嘉诚看准香港地产业的无限量前景,并不为一时的调整而忧虑,反而利用这千载难逢的良机,大量吸纳低价抛售的优质物业。

　　70年代初,李嘉诚决定全力发展地产,他于1971年6月创办长江地产有限公司,1972年改名为长江实业(集团)有限公司,将投资重点转移到房地产业。

　　此时,李嘉诚旗下的收租物业,已由最初的12万平方英尺扩充到35万平方英尺,每年仅租金收益就将近400万元。到1975年,租金收益甚至已经开始超过了塑胶花产业的收益,这一资本积累的过程大约经历了十年的漫长历程。

　　1971年6月,在夫人庄月明的全力协助下,李嘉诚把握良机,及时将长实上市。长实上市后即利用发行新股作为工具大规模集资,并趁地产低潮大量购入地皮物业,先后购入及兴建轩尼诗道八幢旧楼、皇后大道中联成大厦一半权益、观塘中汇大厦、皇后大道中励精大厦和德辅道中环球大厦等。

　　1974年,长实与加拿大帝国商业银行合作,组成加拿大怡东财务公司,第一次将外资引入香港按揭市场。这时,神奇小李的实力已引起汇丰银行、加拿大帝国商业银行的高度重视。这一时期,长江实业还利用其享有的声誉及拥有的雄厚资金,与一些有地无钱的上市公司合作,发展这些公司拥有的土地。

　　其实,早在1976年,长实就曾先后与亨隆地产、铨利基业等公司合作,先后发展寿臣山的豪华别墅及湾仔坚尼地道凤凰台的高级住宅大厦,双方均分得可观利润。1979年,长实又与广生行合作,兴建位于湾仔告士打道、谢斐道及杜老志道间一幢二十五层高的商业大厦。

❧ "中环地王"

1980 年至 1983 年间，长实更先后与南海纱厂、南洋纱厂、恰南实业、广生行、会德丰系的信托置业、联邦地产，以及港灯集团等，合作合组联营公司，发展对方所拥有的土地或买卖对方所拥有的物业。这些合作对长实极为有利，因为它不需要付出一大笔资金购买土地，只需支付少量做地基工程的钱，并通过"卖楼花"以战养战，就可与合作公司分享可观利润。长实的实力因而进一步增强。

用他人的钱来为自己赚钱，成为李嘉诚一生呼风唤雨的绝妙经典。到 1981 年，长实年利润高达 13.85 亿元，相当于上市第一年的 31.7 倍。

从 70 年代末至 80 年代中期，李嘉诚领导的长江实业进入了一个高速扩展的新时期。当时，李嘉诚以高瞻远瞩的战略目光为长实制定新的发展策略，即动用大量现金收购那些潜质优厚的英资上市公司，这些公司的共同特点就是拥有庞大的土地储备，因为长期经营保守而股价持续走低，大股东对公司的控制权不稳。

1977 年长实斥资 23 亿元收购拥有中区希尔顿酒店的美资永高公司全部股份，正是这一并吞策略，李嘉诚由此成为华资收购港外资之第一人。1978 年，再接再厉，李嘉诚收购了英资上市公司青洲英坭 25% 股权，并进而取得该公司的控股权。

青洲英坭的主要业务是生产及销售水泥等建筑材料，与长实的日益蓬勃发展的地产业务相配合，更重要的是它持有九龙红磡鹤园街的庞大厂址，为长实日后的地产发展提供了大量廉价地皮。

在整个 80 年代，长实集团先后共完成六十多项地产发展计划，除黄埔花园外，尚有城市花园、嘉云台、乐信台、瑞峰花园、银禧花园，以及丽城花园，所提供的住宅单位超过 5.25 万个。期间，长实集团发展的物业，约占香港整个物业市场的 20%，长实已成为香港地产业的龙头企业。

踏入 90 年代，长实的气势气量更加宏大，它利用所收购公司的庞大土地储备，策划四大私人屋村的发展计划，包括蓝田地铁站的汇景花园、茶果岭的丽港城、港岛南的海怡半岛，以及元朗天水围的嘉湖山庄，这都是香港地产发展史上罕见的具里程碑概念的大型住宅发展计划，四大屋村共占地 747 万平方英尺，可提供楼面面积近 3000 万平方英尺，其中住宅单位逾 4 万个，总投资超过 185 亿元。

四大屋村中，蓝田汇景花园地段于 1988 年 4 月由长实联同中信集团投得，该财团向港府补地价 10 亿元，在蓝田地铁站上盖兴建二十幢二十八至三十四层高住宅楼宇，约提供四千一百个单位，从 1991 年起陆续建成。

茶果岭的丽港城和港岛南的海怡半岛则是由和黄联营公司联合船坞将船厂用地与蚬壳石油公司在茶果岭及鸭脷洲的油库用地交换，以及香港电灯集团将电厂从港岛南迁往南丫岛后所得。其中丽港城兴建 55 幢住宅楼宇，提供逾 8000 个住宅单位，可容纳 2.5 万居民，从 1990 年起陆续建成。海怡半岛则兴建 35 幢住宅楼宇，提供逾 1 万个住宅单位。

李嘉诚把资金投到大家不愿意投而又潜力十足的地方，这样就进一步扩大了自己的商业帝国。也许，这是一个非常浅显的投资策略，但是，未必是人人都能意识到并能把握到的机缘。

其实早在 1967 年，香港社会因受大陆"文化大革命"的影响，社会出现了动乱，房地产价格也随之大跌。此时的李嘉诚，虽然已经开始考虑踏入房地产业，但是，手头缺乏必需的庞大资金，只能购买小部分物业，眼看着这一机会从自己身边流过。

80 年代初，正值中英就香港问题谈判期间，香港社会又出现了一些流言蜚语，人心不定。不少富有人家把资金转移到美国、加拿大及澳大利亚，纷纷抛售房产，使房价再次大跌。

这时财力已经十分雄厚的李嘉诚，"出其所不趋"，人弃我取，开始大手笔介入房地产。三年后，中英签署香港前途的联合声明，香港前途渐趋明朗，谣言也随之销声匿迹，香港社会趋于稳定，房地产又开始升温。

李嘉诚将自己的经营方针确定为：稳健中求发展，发展中不忘稳健。尽管是小心翼翼，不轻易冒险，但他还是高瞻远瞩技高一筹地将经营塑胶花工厂所赚取的利润，以及第一幢工业大厦源源不断的租金收入，全部投资到房地产经营上。

1932 年 5 月 5 日上午 10 时，日本企业家松下在大阪中央电气俱乐部大礼堂，面对全公司 168 位主管，阐述了一名企业家的责任："我的使命不应该只是为了松下，而是战胜贫穷，实现民众富有。怎么办？那就是大量创造民众所需的产品，为民众创造更多的财富。什么时候我们的产品像自来水一样成为人们时刻离不开的重要产品，做到既方便又便宜地满足民众需要，此时贫穷就会消失。

"这个设想，需要许多时间，可能要两到三个世纪，但永远不要放弃这个看法。从今天起，这个遥不可及的梦想、神圣的呼唤，将成为我们的理想和使命，让我们分享为追求这个使命带来的乐趣和责任吧！为后代人幸福努力奋斗！"

李嘉诚的使命，或许就是"安得广厦千万间"，在追求这份历史使命中，去享受其中的快乐与满足，确立责任与承担。

1986 年的一天，李嘉诚在谈到一个人事业的成功时，为自己的发展做了一个小小的注脚：

> 一般中国人多会自谦那是幸运，绝少有人说是由勤奋及有计划的工作得来的，我觉得我的成功有三点原因：第一完全靠勤奋工作，不断奋斗；第二，虽然有少许幸运存在，但也不会很多，当然也要靠运气；第三，如果没有个人条件，运气也会跑掉的。

被人们赞誉为商业奇才、"神奇小李"的李嘉诚，充分掌握地产发展的大趋势，因势利导地变逆境为顺境，人弃我取，稳中求进，奠定了多元商业王国的坚实厚实基础。

李嘉诚最欣赏香港最大的地产商——英资置地公司的持之以恒的保守稳健做法，重点放在稳健的收租物业。置地经过半个多世纪的发展，一直雄踞中环地王宝座，拥有大量的优质收租物业。只要物业在，就是永久受益的聚宝盆。

在李嘉诚的创业生涯中，最值得一提的是 1977 年。这一年是李嘉诚和他的李氏财团经过二十余年的稳打稳扎、步步为营的奋斗，真正脱颖而出的一年。

李嘉诚购得中环新地王的两次战役，成为使香港英资、外资惊诧不已，而使中资兴奋不已的街谈巷议的热门话题。

位于香港中区的中环和金钟地段，是香港最为繁华的核心商业地段，也是世界上最值钱的地皮之一，可谓寸土寸金。如果能在这块享有"地王"之称的地皮竞争上夺标并成功地发展物业，不仅能带来丰厚的利润，而且夺标公司还可由此增强信誉声势。于是既精通经营之道又精通资本之道的李嘉诚，再次利用出售楼宇和发行新股的方式，集资数亿港元现金，打起了有备之战。

1977 年 1 月 14 日，香港地铁公司正式宣布，中环邮政总局旧址公开接受招标竞投。素有"地产皇帝"之称的置地公司，毫无疑问成为夺标呼声最高的公司。也难怪，置地本来就是香港地产的龙头老大，也是港府英国主人的好朋友。长江实业不过是香港众多地产公司中的一个不起眼的默默无闻的小老弟，名不见经传。在地产方面从来没有什么辉煌的业绩，也没有留下引人注目的地标。

怎么办？参与还是不参与？竞标还是放弃？李嘉诚在人面前，虽然是信心十足，但是，夜深人静，当面对波涛起伏的南海，站在深水湾畔家宅窗口边的李嘉诚，陷入深深的沉思。

> 不必再有丝毫犹豫，竞争既是搏命，更是斗智斗勇。倘若连这点
> 勇气都没有，谈何在商场立足，超越置地？

一个漪涟，一个浪花，在李嘉诚眼前平淡无奇，视而不见。竞争既然充满了机会，充满了生存的希望，充满了赚钱的机会，那就无谓犹豫再三。如果不能够就此突围而出，拔地而起，将如何超越置地，将如何令到长江实业发扬光大？决心既定，就要付诸行动。李嘉诚返回寓所，彻夜研究起有关的资料。

过往为了表示对爱妻庄月明的尊重，李嘉诚绝少把公务带回家中。前途攸关，就破例一次吧。庄月明耐心地在旁奉茶把盏，仔细推敲。

在这次"地王"公开招标竞投活动中，香港地铁公司先后收到三十个财团及地产公司的投标申请。其中包括置地、太古、金门等老牌英资地产公司，还有众多华资地产公司，当然，也包括李嘉诚的长江实业。

卧榻之侧，岂容他人酣睡。中环是置地的传统势力范围。显然，难容他人染指。与我置地抗争，无疑以卵击石，简直是异想天开。

李嘉诚就是凭着一股不自量力的潮州汉气概单挑置地。当年，《南华早报》记者为此专访置地大班纽璧坚，老奸巨猾的纽璧坚对投标内容不露半点风声，对投标结果却是胸有成竹。

纽璧坚依然意气风发，自信有加："投标结果，就是最好的答案。"言下之意，舍我其谁？王者气度，一览无余。

消息传到长江实业，淡定自若的李嘉诚听后微微一笑，说："传说总归是传说，到底花落谁家，到最后一刻再见分晓吧。也许，笑到最后的那位，才是最开心的。"

李嘉诚成竹在胸，气定神闲。看来，李嘉诚志在必得。其实，彼时李嘉诚心里也没个底。

为了稳操胜券，李嘉诚审时度势，推敲再三，先仔细分析了当时的大环境，经过精心研究推敲，他发现，作为发展商的地铁公司，早在 1976 年，为购得中区邮政总局旧址地皮，曾与香港政府磋商多次，希望用香港地铁公司的部分股票加部分现金支付，但是，财政紧绌的港府坚持全部用现金购买，而且将这块地皮要价 2.443 亿元。

这就是说，第一，大地主港府坚持要地铁公司全款现金支付现金补地价。

第二，地铁公司恰恰手头缺少现金，要求用部分地铁股份支付地价，地铁的这一计划已经遭到港府明确拒绝。

第三，地铁在现金匮乏的困境中，更多考虑的是如何解决资金周转，即在地铁不付分文或尽量少付的前提条件下，寻求合作伙伴，并能够确保地铁公司拥有更大更多的利润。

第四，在众星拱月的特殊环境中，如何将地铁放在一个核心位置，甚至摆放在神台上，令到地铁上下飘飘然，势必会产生意想不到的效用。

第五，在众多的竞争者中，如果没有出奇制胜的绝招，以长江实业的江湖地位，很难啃到这块肥肉。

李嘉诚亦发现，当时，怡置系凯瑟克家族力主向海外拓展，造成置地大班纽壁坚左右为难。怡置系的内部矛盾，势必导致纽壁坚在这个问题上，捉襟见肘，牵制太多，难以全力以赴。而且，拓展海外，必然资金紧绌，而且以怡置系财大气粗的江湖地位，不大可能曲意逢迎地迎合地铁需求现金的先决条件。

这实质上给长江实业制造了乘虚而入的天赐良机。而且，过于自负的置地，一贯以香港地产老大自居，又如何会把竞争对手放在眼里，又怎么可能降尊屈驾，削减自己的应得利益以迁就地铁公司的商业利益。世上哪有这样好的事情？确实有，皇帝女儿不愁嫁，地铁公司看到众多地产商跃跃欲试，干脆吊高价钱卖，寻找对自己最为有利的一方。

针对这一局面，李嘉诚相继抛出了连环诱饵。

其一，为了满足香港地铁公司急需现金的要求，长江实业主动提出为地铁公司垫付补地价，并提供现金做建筑费，即整个专案，地铁无须支出分毫；

其二，将与地铁公司共同分享商业大厦出售后的利润，并且再打破平时分红各五成的常规，由地铁公司占百分之五十一，长江实业占百分之四十九；

其三，整个专案由长江负责规划，最后由地铁审核批准；

其四，整个项目落成后，由地铁公司负责招标管理，长江实业在地铁的同意之下参与管理。即在这个专案中，地铁是老大，长江只是配角老二。

风险完全由自己承担，利润你我各半，而且由地铁公司话事，这就是李嘉诚为地铁公司精心制作的极具诱惑力的美味蛋糕。心思缜密，柔情似水的二奶显然胜过专横跋扈、不可一世的大婆。地铁公司自然是情有独钟，中环邮政总局旧址地皮物业发展权非李嘉诚莫属。

1977 年 4 月 5 日，香港多家报纸以大标题报道："长江击败置地，夺得旧邮政总局地段。"

"这块平均地价每平方米一万港元的地王，早为大财团觊觎，卒由长江投得。据地铁公司透露，主要原因是长江实业所提交的建议内列举的条件异常优厚，终能脱颖而出，独得与地铁公司经营该地的发展权。"

此时此刻，许多香港人还在问：长江是何方神仙？

李嘉诚终于力挫多家强悍竞争对手，一举击败一度呼声甚高的香港地产巨擘——香港置地有限公司，被人们誉为"长江实业扩张发展中的重要里程碑"。"华资地产的光辉，值得开香槟庆贺。"

地铁公司董事局通过决议，一致接纳长江实业的竞标方案。规限长江实业在未来地铁中环上盖，建造 2270 万平方英尺，高三十七层的混合式商厦。

4 月 4 日，地铁公司董事局主席唐信与长江实业主席李嘉诚首先签订中环站上盖物业发展协议。唐信并表示，虽然有多家公司对该物业发展兴趣浓厚，经本公司详细研究各家方案，结果长江地产独占鳌头，因为长江实业之方案对本公司最有利。

被问及是役成功的秘诀，李嘉诚娓娓道来：

> 其实没有秘密可言，但我觉得，顾及对方的利益，为对方着想，考虑对方的需要是最重要的。不能把眼光仅仅局限在自己的利益上，两者是相辅相成的，自己舍得让利，让合作方得利，最终还是会为自己带来较大利益。占小便宜的不会成为朋友。这是我小的时候就明白的道理，做生意也是这样。

大意失荆州的置地，下层愤愤不平，中层莫名其妙，高层恼羞成怒，继而发生内讧，据说后来纽璧坚卷起铺盖走人，便是祸起是役。

李嘉诚啊李嘉诚，你害苦了投资大鳄纽璧坚。置地的投资策略，一开始就集中在商业最繁盛的中环，自此成为传统。李嘉诚顺利投得中区物业发展权，无疑是太岁头上动土，老虎头上抓虱，大大地将了置地一军。

李嘉诚自踏入地产后，就从未忽略中环这块肥肉。中环的车水马龙，正好印证了天下熙熙，皆为利来，天下攘攘，皆为利往。

∽ 结识汇丰大班

商界的人常说："谁结识了汇丰大班，谁就高攀了财神爷。"

1978 年，李嘉诚的事业再攀高峰，与汇丰银行联手合作，重建位于中区黄金地段的华人行。当时的汇丰集团董事局常务副主席为沈弼（Michael Samdberg），李嘉诚寻求与汇丰合作发展华人行大厦，正是与沈弼接洽的，两人还由此建立了持久的友谊与信任。

一个多世纪来，经汇丰扶植而成殷商巨富的人不计其数，甚至还包括包玉刚、李嘉诚这样的华人巨擘。20 世纪 60 年代起，刚入航运界不久的包玉刚，靠汇丰银行提供的无限额贷款，而成为著称于世的一代船王。

在取得中环地铁上盖物业发展权后，香港地产界金融界再也不能不正视神奇小李李嘉诚的存在了。现在，李嘉诚取得汇丰银行的信任，建立了合作关系，未来极有可能在汇丰的鼎力资助下，成为香港地王。

李嘉诚收购华人行后，便与控有部分业权的汇丰银行达成协议，重建华人行。因为，这毕竟是当时所有华商所瞩目的专案。

荀子在《正名》中说道："所以知之在人者谓之知，知有所合谓之智。所以能之在人者谓之能，能有所合谓之能。"李嘉诚对华人行不可谓不深知。

1976 年 2 月 10 日，旧华人行开始拆卸，面对矗立中环核心地段的华人行的再建，多少地产商都想沾手，与业主汇丰银行合作兴建新华人行。

相传华人行的由来有这么一则掌故。自香港开埠以来，中环便是洋人横行的天下，更是洋商操纵香港的风水宝地。当时有一位地产商在皇后大道中兴建一座写字楼，楼建成后，华人竞相入伙承租。洋人一贯自以为高人一等，不屑与华人同楼出入，已付订金的洋人纷纷退租。于是此大楼便成为华人的"独立王国"，大楼便改叫"华人行"，成了名副其实的华人行走的天地。

百年殖民地的历史，"华人与狗不准进入"的屈辱历史，活生生展现在世人面前。更为屈辱的是，人们习以为常，完全不当回事。香港人的殖民地心态由此可见一斑。

1963 年，香港股坛教父李福兆，与友人在华人行成立与香港会抗衡的证券交易所，秘密安装 150 条电话线至华人行，并于 1969 年年底宣告远东交易所开业。由此，华人行成为华商的标志与象征，成为华商的大本营，成为华商的骄傲。

重建华人行势所必然，但是，拆建过程势必严重影响华商的经营活动。那么，如何将重建时间压缩至最短，便是将华商之损失减少到最少。

长实与汇丰合组华豪有限公司，以最快的速度重建华人行综合商业大厦，大厦面积 24 万平方英尺，楼高二十二层。内装修豪华现代典雅，集民族风格与现代气息于一体。整个工程耗资 2.5 亿港元，写字楼与商业铺位在极短时间内全部租了出去。当然，绝大部分是租给了华商。

1978 年 4 月 25 日，华豪公司举行隆重的华人行正式启用典礼，汇丰银行大班沈弼出席典礼剪彩，并发表讲话："旧华人行拆卸后仅两年多一点时间便兴建新的华人行大厦。这样的建筑速度及效率不仅在香港，在世界也堪称典范。"李嘉诚以自己的实力再次创造了香港第一，赢得了华商乃至英商的尊重与仰慕。

新行正式启用的 3 月 23 日，也就是香港传统的"生易生"的大吉大利之日，李嘉诚的长江集团总部，迁入新华人行大厦。长江正式立足大银行、大公司林立的中环，确定了自己的江湖龙头地位。长江的位置愈来愈靠近汇丰银行。

汇丰银行大班沈弼与香港新贵李嘉诚成了左邻右里，他们的关系愈来愈密切。

1985 年，汇丰银行邀请李嘉诚担任非执行董事，后来更任非执行董事副主席。

在地产发展战略与策略上，李嘉诚长期坚持宁可少建或不建，也不加速建房进度；他尽量不向银行抵押贷款，或会同银行向用户提供按揭。他兴建收租物业，资金回笼缓慢。但他看好地价楼价及租金上升的总趋势。

好的时候不要看得太好，坏的时候不要看得太坏。

看来，李嘉诚哲学方面的书平时读得不少。收租物业，虽不可像发展物业（建楼卖楼）那样牟取暴利，却有稳定的租金收入，物业增值，时间愈往后移，愈能显现出来。而且，可以确保公司有一个长期稳定的现金流，虽然没有售楼那样一夜暴富，但却能够保证公司在稳健的财政基础上稳步发展。

李嘉诚总的原则是谨慎入市，稳健发展。今天，掌控万亿王国的李嘉诚，娓娓道来他的理财经。据他本人透露，他有三个秘诀：

> 二十岁以前，所有的钱都是靠双手勤劳换来，二十至三十岁之间是努力赚钱和存钱的时候，三十岁以后，投资理财的重要性逐渐提高，到中年时赚的钱已经不重要，这时候反而是如何管钱比较重要。
>
> 要有足够的耐心。理财必须花费长久的时间，短时间是看不出效果的，一个人想要利用理财而快速致富，可以说是一点指望也没有。理财者必须了解理财活动是马拉松竞赛，而非百米冲刺，比的是耐力而不是爆发力。要想投资理财致富，你必须经过一段非常漫长时期的等待，才可以看出结果。
>
> 先难后易。每年年底存一点四万元，平均投资回报率有20%，即使经过了二十年后，资产也只累积到二百六十一万元，此时仍然距离亿元相当遥远。只有继续奋斗到四十年后，才能登上亿万富翁的台阶，拥有一亿零二百八十一万元，但赚第二个一千万要比第一个一百万简单容易得多。

李嘉诚料事如神，洞若观火，预测无误。

李嘉诚再三提醒自己，每当购入一样东西时，百分之九十九的时间要考虑其不利因素，做最坏打算，只有百分之一的时间在考虑能赚多少。

李嘉诚决定破釜沉舟，在准备充分的前提下，在市场大幅集资，扩张地产。1976年冬，长实通过发行新股，集资1.1亿港元，大通银行更应允长实随时取得二亿港元的贷款，再加上年盈利储备，李嘉诚持有可动用的现金约四亿港元。

正如李嘉诚在1986年度和记黄埔的业务报告中所言及的：

> 本集团坚持不渝之目标是不断茁壮成为一家基础广大，而主要业

务以及控股权利中心仍牢固植根于香港的国际性集团。

李嘉诚从不觉得自己的地产之道有什么不能公开的秘诀。他认为：

> 我不会因为今日楼市好景，立刻购下很多地皮，从一购一卖中牟取利润。我会看全局，例如供楼的情况，市民的收入和支出，以至世界经济前景，因为香港经济会受到世界各地的影响，也会受到政治气候的影响。所以在决定一件大事之前，我会审慎，会跟一切有关人士商量，但到我决定一个方针之后，就不会变更。
>
> 我会贯彻一个决定，我在差不多百分之九十九点九的 projects（工程）上做到这一点。比如，以过去数以百计的地盘而论，更改的情况可以说是绝无仅有。我不会今日想建写字楼，明日想建酒店，后天又想改为住宅发展。因为我在考虑的期间，已经着手仔细研究过。一旦决定了，就按发展计划，除非有很特别的情况发生。
>
> 我知道香港有的人把几万英尺的一个地盘，可以计划更改几次，十几年之后才完成，有些人喜欢这样做，但我负担不起。

～ 赚钱法则

李嘉诚兴建的第一个大型屋村是黄埔花园。早在 1981 年，李嘉诚就开始筹划推出这一庞大发展计划。

黄埔花园所用地盘是黄埔船坞旧址，按港府条例，廉价的工业用地改为住宅与商业办公楼用地，应当补交地皮的差价。而当时正好是地产狂热的阶段，按协定的价格，和黄需补地价 28 亿港元。由于代价太大，李嘉诚不得不按兵不动，暂缓实施，静待时机。

时隔两年，1983 年，香港地产业出现低潮，李嘉诚立即抓住大好时机，与港府讨价还价。结果他仅用 3.9 亿港元就获得了商业住宅的开发权。这样，李嘉诚大大降低了发展成本，屋村的每平方英尺发展成本不及百元。也就是说，在前后三年的时间差里，李嘉诚少支付 25 亿地价。相信主持有关工作的港府官员，面对如此结果，面对如斯精明的李嘉诚，只能徒叹奈何，惭愧不已。

眼不过人，技不如人，不说也罢。1984 年 9 月 29 日，中英关于香港问题的联合声明在北京签订。香港前景骤然明朗，恒生指数回升，房地产再度活跃飙升。

1984 年年底，黄埔花园兴建计划是中英签订联合声明后香港首项庞大地产发展计划，和黄将在六年内投资 40 亿港元发展整项计划。该计划包括兴建一百多幢住宅大厦，总楼面面积 765 万平英尺，另有商场面积 170 万平方英尺。这样宏伟的屋村工程在香港地产业史上前所未有。和黄公布黄埔花园发展计划时，李嘉诚亦亲自到场，主持动工仪式，可见李嘉诚对这个项目的高度重视。

地产低潮补地价，地产转旺大兴土木，地产高潮出租楼宇，而且要分期逐年推出（整个计划分十二期，首期 1985 年推出，1990 年全部完成），每期楼花还根据市场波动不断调整推售的数目、价格、时间、层数、座向，等等。

这就是李嘉诚在香港地产界立于不败之地的秘密所在。

黄埔花园由 1985 年 4 月推出第一期，至 1989 年 8 月售出最后一期，售价由每平方英尺 686 元升至 1755 元。

据粗略估计，整个黄埔花园平均售楼价为每平方英尺 1220 元，以黄埔花园住宅楼面面积共 765 万平方英尺计算，和黄在约四年半时间内总收入达 93 亿港元，扣除约 40 亿港元发展成本，税前利润高达 53 亿港元。如此高的回报，实属罕见。此外，和黄还持有 170 万平方英尺商场做收租之用，为集团提供稳定租金收入，以确保集团运作之正常稳定现金流。

和黄拥有黄埔船坞地皮这一烂泥荒地，经李嘉诚之手开采、挖掘，妙手回春，点石成金，终于显山露水地发出绚丽多姿的缤纷。面对如此结局，已经离开怡和的纽璧坚，也不得不点头称是，拱手称颂。

话说某一天，开完业务会议，李嘉诚的秘书洪小莲（后为长江实业董事，现职李嘉诚基金会董事）说："依目前的发展势头，我们将来一定要做成最好的华资地产公司。"

李嘉诚却说："我们要做到能与置地（当时香港实力最雄厚的英资地产商）较量。"

洪小莲听后不以为然，有可能吗？

　　虽然如此，但当问及李嘉诚，经商多年，最引以为荣的是什么事情，他说不是击败置地，而是"我有很多合作伙伴，合作后，仍有来往。比如，投得地铁公司那块地皮，是因为知道地铁公司需要现金……你要首先想到对方的利益：为什么要和你合作？你要说服他，跟自己合作都有钱赚"。

　　洪小莲后来回忆起当初李嘉诚那番话，发现原来梦想可以成真，如果连梦都不敢做，那么，只能在原地踏步。

　　李嘉诚有一套行之有效的管理之道："管理一间大公司，你不可以样样事情都自己亲力亲为，首先要让员工有归属感，使得他们安心工作，那么，你就首先要让他们喜欢你。"

　　1974 年 5 月，李嘉诚领导长江实业与实力雄厚、作风稳健的加拿大帝国商业银行合作，成立由李嘉诚出任董事长兼总经理的加拿大怡东财务有限公司。公司注册资本 5000 万元，李嘉诚与加拿大方面各出资 2500 万元。同年 6 月，得力于加拿大帝国商业银行的保荐，长江实业在温哥华顺利上市。

　　联营公司的建立，不仅为发展中的长江实业引进大量现金，而且为长江实业在接下来的拓展海外、横向发展的过程中，开辟了一条潜力深远的四通八达的高速公路。

　　1978 年 5 月，李嘉诚中标所建的环球大厦开盘，总价值约 5.92 亿港元的物业，于广告刊登后 8 小时内全部售完。一个香港开埠以来少有的神话，6 亿商品 8 小时售罄。神奇小李再次以自己的神来之笔改写了香港的神奇历史，写下了香港地产发展史上的又一个神来之笔。

　　1978 年 8 月，李嘉诚投标所建的金钟海富中心开始出售，交易总价为 9.8 亿港元，创造开盘售楼一天交投最大的纪录。

　　做任何事，心中都要有一个"全"字，这样才能办好事。80 年代，李嘉诚先后完成或进行开发的大型屋村有：黄埔花园、海怡半岛、丽港城、嘉湖山庄。李嘉诚由此赢得"屋村大王"的称号。李嘉诚由此成为香港历史上独树一帜的地产大王。

　　1985 年，置地因债台高筑，被迫出售港灯股权，李嘉诚斥资 29 亿购入 34.6% 的港灯股权，他看好的是电厂旧址发展潜力。李嘉诚收购港灯，其实"醉翁之意不在酒"，他在意的是港灯的地盘。港灯的一家发电厂位于港岛南岸，与之毗邻的是壳牌石油公司油库，壳牌另有一座油库在新界观塘茶果岭。

李嘉诚收购港灯后，祭出环保旗，想方设法游说港府，并策动传媒舆论，大造声势，强调发电厂邻近市区，既对人体健康无益处，又直接威胁人身安全，成功将电厂迁往南丫岛。这样，李嘉诚运筹帷幄，获得了两处可用于发展大型屋村的地盘。

1986年，李嘉诚运用超人力量及其固有的灵活的交际手腕，与政府充分合作，壳牌石油将茶果岭和港岛南两块油库地皮，换回青衣油库地皮。而港灯将毗邻壳牌油库的港岛南发电厂，移到南丫岛后，将两幅地皮合并重建，发展成为今日的海怡半岛。

1988年1月，全系长实、和黄、港灯、嘉宏四公司，向联合船坞公司购入茶果岭油库后，即宣布兴建大型屋村，并以8亿港元收购太古在该项计划中所占的权益。这样，李嘉诚又获得了大型屋村发展所需要的地皮。这一计划成就了今日的丽港城，也造成了后来卖楼期间的排队党奇闻。

李嘉诚是名副其实的"十年磨一剑"。成大事者，不能大急大躁，而应有足够的耐心等待机会和创造机会。这就是李嘉诚的赚钱法则。

丽港城、海怡半岛两大屋村就是如此，对它们的构想萌动于李嘉诚着手收购和黄之初时。之后，经过他长期耐心等待时机，精心策划，其间1985年收购港灯，使其构想向前迈了一大步，1988年方全面推出计划。因此，人们称道"超人"过人的远见卓识与超人气魄之时，又不得不佩服他坚持不懈的耐心恒心决心。

李嘉诚在地产界是一招比一招快，一招比一招准，一招比一招鲜，一招比一招精，一招比一招绝。

无独有偶，嘉湖山庄计划的推出，也历经十年磨剑之久。嘉湖山庄原是相对偏僻的新界天水围的一个毫不起眼的荒凉的小村庄。

1978年，长实与会德丰洋行联合购得天水围的土地。1979年下半年，中资华润集团等购得其大部分股权，共组公司开发天水围。华润占51%的公司股权，长实只占12.5%。华润雄心勃勃，计划在15年内建成一座可容纳50万人口的新市镇。

李嘉诚当时正为收购和记黄埔殚精竭虑，因此难以分身的他，无暇顾及天水围的开发工作，而整个开发计划，由华润主持主导。可是，当时的华润并没有房地产开发的经验，尤其缺乏开发大型楼盘的发展经验，再加上它的红色背景，又缺乏广泛的香港人脉，未完全洞悉港府运作的特点，所以最终它的庞大计划在港府的干预下胎死腹中。当然，也不完全排除港英当局有意封杀红色的中资企业。

天水围成了华润的鸡肋。食之无味，弃之可惜。华润灰心丧气，手足无措，骑虎难下。李嘉诚则看好天水围的发展前景。他成竹在胸，不动声色，慢慢地收购了其他股东的股份。

经过十年马拉松式的吸纳，到 1988 年，李嘉诚终于控得除华润外的 49% 的股权。

1988 年 12 月，长实与华润签订协定，长实保证在天水围发展中，华润可获利 7.52 亿港元，并即付四分之三即 5.64 亿港元给华润。

如将来楼宇售价超过协定范围，其超额盈利由长实与华润分享，华润占51%。今后天水围发展计划及销售工作均由长实负责，费用由长实支付。风险全部由长实承担，华润只等天上馅饼掉进口中。又一个让利合作伙伴的经典。但是，李嘉诚一丁点也没有吃亏。俗话说"一分劳动，一分收获"。当然承担风险者收入要高得多。

天水围全部工程分七期到 1991 年完成，至今仍是香港最大的私人屋村，也是亚洲最大的私人屋村。

仅仅第一期售楼，华润就已赢得协定范围中的 7.52 亿港元的利润。以后六期，华润等于"额外"所得，而长实的利润，远在华润之上，更是不可估计。

在这个计划中，李嘉诚一箭五雕：其一是自己大赚特赚；其二是挽救了华润，并且使它坐收丰厚利润；其三是搞好了与中资的关系，因为华润正是国家外贸部驻港贸易集团公司；其四是向港人推销推广了环保概念；其五是借此楼盘之宏大规模，向商界展示了其子李泽钜的办事能力魄力。

与其说李泽钜成功推销了嘉湖山庄，但不如说是嘉湖山庄出人意料地推销了李泽钜。当然，最为重要的是，李嘉诚及其长子李泽钜在发展物业的同时，强力推销环保概念，令到蛙居斗室的香港人为之耳目一新，也令到香港住宅市场的发展进入一个新的概念新的天地新的世界新的色彩。也由此，港府在未来的批地过程中，开始重视环保问题。

李泽钜的江湖地位，由此，岿然于人。李泽钜的庐山真面目，也由此为港人所熟知。李泽钜柔中带刚的处事手腕，精于算计甚至过于算计的头脑，也由此令合作伙伴赞赏，甚至头痛不已。

所以，如果你有幸与李嘉诚打牌，当李嘉诚打出一张牌之时，你一定要考虑清楚，随后他可能会出什么牌，这就是李嘉诚的风格，任何事情都不会是单一的直来直去，不是一个战役战术，而是战略策略。

1991年11月嘉湖山庄首期推出时，当时的售价已经达到每英尺1850元，超过了当初长实与华润协议中的1997年每英尺1700元的预期理想价。

其后，随着香港楼市的稳定与攀升，嘉湖山庄水涨船高，到1996年4月，每英尺已经达到2936元，最后一期在1997年推出时，售价已超过4000元。据估计，长江实业在嘉湖山庄的十年发展过程中，前后获利超过130亿元。

从1994年至1996年，长实集团在市场推出的住宅单位多达1.1万个，高踞各大地产商榜首。1979年长实拥有地盘物业面积已超过置地，而实际价值仍大为逊色。置地的优势，是单位面积的含金量高。因此，到1986年1月，虽然长江全系已超过怡和全系的市值，但长实市值仅为77.6亿港元，远远低于置地的市值150亿港元。

李嘉诚扬长避短，把发展重心放在土地资源较丰、地价较廉的地区，大规模兴建大型屋村，以此来取胜。

到了1990年6月底，长实市值升至281.28亿港元，居香港上市地产公司之首。一直在香港地产业坐大的置地公司以216.31亿港元，屈居第三位。至此，李嘉诚彻底打败"地产巨子"，让置地俯首称臣。在与置地的争霸战中，李嘉诚充分运用了"知己知彼，百战不殆"的战术。避实击虚，迂回作战。

香港传媒常用"擎天一指"形容在拍卖市场上龙争虎斗的李嘉诚。其实，"擎天一指"指的是李嘉诚强大的经济实力，更是李嘉诚与众不同，超然于人的气度气势气概气量。

拍卖场上的李嘉诚，并没有财大气粗、盛气凌人的架势。比如土地拍卖，李嘉诚认为不取此幅，以后还有他幅，目的都是发展地产赚钱，"绝不可持买古董的心理。"因此，每次参加竞标，李嘉诚总是洞察先机，仔细研究，精心计算，全面分析，制定出夺标的最高价格，若超过此价，李嘉诚则毫不犹豫地果断退出。

有记者在采访中会这样问李嘉诚："都说您是拍卖场上擎天一指，志在必得，出师必胜，可您有时为何还是中途退出？"李嘉诚幽默地说："这是因为我心中有数，经商为的是利润，不是为了竞争，如果有利可取就参与竞争，不然就要退出。你们没有看到我想举右手，就用左手用劲按住；想举左手，就用右手按住。"

耐心等待，捕捉机遇，有智有谋，从长计议，这是李嘉诚的经商诀窍之一。李嘉诚从不炫耀自己，也从未自高自大。

> 我只是朝着个人定下的目标一步步推进，从来没有居心和任何人比拼。

逞一时之英雄，不计后果，这绝对不是李嘉诚的行事作风，而是某些赌徒的手法。假如碰到这种赌徒，李嘉诚就会理智地坦然退出，以成全对手的风头。

李嘉诚说："与其到头来收拾残局，甚至做成蚀本生意，倒不如袖手旁观。"

当有人问起李嘉诚地产生意的诀窍时，李嘉诚毫不犹豫地说，第一是地段，第二是地段，第三还是地段。

股神巴菲特曾说过一句名言："股市成功的秘诀有三条：第一，尽量避免风险，保住自己的本金；第二，尽量避免风险，保住自己的本金；第三，坚决牢记第一、第二条。"

巴菲特认为，任何不可预测的远景都是骗人的。甚至在1999年和2000年上半年网络狂热，他的业绩赶不上股票指数的时候，他依然不改初衷。面对众人和他的投资者的质疑，巴菲特说："非常抱歉。但是，我依然只会用我的老师传下来的价值估算法。"

1987年9月14日，大有"锦帽貂裘，千骑卷平岗"之气势的李嘉诚在记者招待会上兴奋地宣布：其控制下的四家上市公司已经集资103亿元，并且动用其中的29亿收购英国大东电报局4.9%的股份，其余用于扩建第六、第七号码头，以及兴建四号码头货物物流中心。

自20世纪80年代后半期以来，李嘉诚一改从前在香港所进行的长期策略性的收购活动，重新着眼自身结构与业务的整顿重组和进一步加重业务国际化的比重之有关政策。

首先他进行了一系列眼花缭乱的改组活动：1987年将港灯集团的非电力业务分拆成嘉宏国际集团有限公司；1988年长江实业进一步将青洲英坭私有化；

1989 年和记黄埔将属下的安达区大亚集团售予长江实业。

李嘉诚集团内部的一系列资产重组措施，不仅仅便于理顺集团内部的业务分工和利润分配，而且也为今后新的投资创造有利条件。接下来，李嘉诚还通过加强对和记黄埔的货柜码头和电讯业务等方面的投资，使集团业务进一步核心化多元化。

1986 年，李嘉诚财团趁石油价格处于低潮时期，收购赫斯基石油公司 52% 的控股权。其中李嘉诚家族占 9%，共耗资 32 亿港元。

1986 年，李嘉诚进军北美能源业的同时，并没有放过欧洲能源市场。同年 12 月初，李嘉诚私人斥资港币 1000 万元，收购英国伦敦上市的克拉夫石油公司 4.9% 的股权。

李嘉诚频频出手的策略性投资，什么时候会卖出呢？没有人能够准确地预测到，甚至连李嘉诚有时也不能准确预测到。但是，所有人都会相信，一定会是在未来资本高涨的某一个高点。总之，李嘉诚是不会与他的投资项目长期拍拖拥抱的。

投资买卖不是婚姻，李嘉诚深谙其中的奥妙。成功后的李嘉诚对自己的形象极其在意，一副大大的黑框眼镜架在脸上，不苟言笑，给人严肃认真，一丝不苟的感觉，李嘉诚很少接受媒体采访，原因有三：

第一，十分慎言，他知道自己在香港乃至世界上都是有一定地位的人物，说他一言九鼎并不为过，如果对媒体说话，万一被捕风捉影的香港媒体断章取义地误解歪曲，事关重大，不如干脆少说甚至不说，这就是他自己所说的要低调。万一被指责是在操纵股价，真是得不偿失。

第二，怕传媒乱写，尤其怕香港的传媒乱写滥编。近年狗仔队盛行，李嘉诚避之唯恐不及，绝不轻易对媒体开口。

第三，据李嘉诚手下的一位老臣子说，李嘉诚是不喜欢出小风头的，也就是说，一些二流三流的媒体记者想采访他，绝对是没有可能的，因为李嘉诚日理万机非常忙。大的风头嘛，李嘉诚偶尔也是愿意出一出的，比如，《纽约时报》或《时代周刊》、中央电视台等著名媒体采访，一般情况下，李嘉诚是不会拒之门外的。

然而，在外人的眼中，在一个外国记者的笔下，李嘉诚看上去不像一位难对付的商人，而像一位学富五车的大学教授，或者和蔼可亲的中学校长，或者慈祥温和的老伯。当你面对面和他聊天时，丝毫感觉不到他是世界知名的富豪，而是一个循循善诱的谦和博学的长者。

言行谨慎的李嘉诚，绝对不是一个谈锋犀利，能言善辩的外交家。他更像一个从书斋里慢步踱出，满腹经纶的学者，非但不能巧舌如簧，花言巧语，慷慨激昂，而且绝对看不出丝毫的老谋深算，工于心计，左右逢源。就算现时立即将一副黄袍马褂穿在李嘉诚身上，已经看惯了西装革履形象的李嘉诚，相信人们也不觉得有多么奇怪。

李嘉诚人如其名，靠的是一贯如一的诚，以及多年来持之以恒，坚如磐石的超卓信誉。

∽ 发掘人才

今日的世界是一个瞬息万变的世界，今日的世界是一个突飞猛进的世界。贯穿在这个划时代的大变革之中的世界经济，也呈现出愈来愈激烈的商业竞争态势，而这种激烈的商业竞争，实际上是企业与企业之间的人才和智慧的竞争。李嘉诚正是其中主宰和操纵这些竞争的弄潮高手。

20 世纪 50 年代初期就跟随李嘉诚南征北战的创业者——上海人盛颂声和潮州人周千和，就是李嘉诚创业兴家的将相之才。

1980 年，被李嘉诚提升为副总经理的盛颂声，在回答记者关于"长江实业在强敌环伺的情况下，终能脱颖而出，原因何在"的问题时说："靠李嘉诚先生的决策和长江实业上下齐心的苦干。李嘉诚先生决策快速而准确，这么多年来从没看错过人，没做过错误的决定。"

李嘉诚的真诚与善待下属，令下属对他忠心耿耿，全力以赴。在长江实业发展具有一定规模之后，李嘉诚便开始着手选拔人才和发掘人才。他打破东方家族式管理企业的传统格局，构架了一个拥有一流专业水准和超前意识而且组织严密的现代化经营内阁，来配合他苦心经营起来的庞大的李氏王国。

正如一家评论杂志所称道的："李嘉诚这个内阁，既结合了老、中、青的特点，又兼备中西方色彩，是一个行之有效的合作模式。"

李氏王国的业务包括地产、通信、能源、货柜码头、零售、财务投资及电力等，十分广泛。而围绕在李嘉诚身边协助他经营的得力助手，有长江实业及和记黄埔董事局副主席麦理斯、长江实业总经理周千和以及董事周年茂、马世民、霍建宁、洪小莲、甘庆林、李泽钜等人。

毕业于香港大学的霍建宁，自1979年在美国留学归来后，就进入长江实业集团，出任会计主任，其后又考得澳大利亚会计师资格，到1985年被委任为长江实业集团董事。处事低调的霍建宁，有着杰出的金融头脑和非凡的经营管理本领，被誉为头脑充满了赚钱的细胞。

曾经由李嘉诚指定为长江实业的专门人才而被送往英国攻读法律的周年茂，是周千和的儿子，1983年，三十余岁，就被李嘉诚选为长江实业董事和集团指定发言人。

曾经在60年代末期，也就是长江实业尚未上市之前就作为李嘉诚的助手，跟随李嘉诚长达21年之久，为李嘉诚立下汗马功劳的精明能干的"女强人"洪小莲，作为长江实业的董事，深得李嘉诚信任。

不仅如此，深悉"古为今用，洋为中用"的李嘉诚，从古代圣贤的做人风范中，汲取到成为一代典范的精髓。

60年代初期的李嘉诚，在长江实业步入规模化集约化运作发展之路的时候，开始注意回避东方式的家族化的企业管理，并在当时就开始大胆起用洋人。李嘉诚高薪聘请了一位美国人Erwin Leissner出任总经理，负责集团之日常运作。这之后不久，又聘请了一位美国人Paul Lyons为经理，配合原来的二百余位基层管理人员实行企业的国际化管理，自此长江实业的管理格局更提升至一个全新的层次。

李嘉诚所器重的另一个外国人，就是英国人马世民。

1966年，雄心勃勃的马世民来到香港，是为了加入当时控制了整个香港经济的怡和财团。马世民勤奋好学，积累了大量融合东西方企业管理之精华的企业管理经验。他已经完全领悟了怎样在亚洲经营商业，也更精明地看出香港的发展前景。

70年代末的一天，一个很偶然的机会，马世民与李嘉诚攀谈起来，马世民感慨之余说："目前来说，我的经验及能力还有待于边干边学。但香港是这样，当你拿出真本事做生意时，你就学得很快。"这句话给李嘉诚留下了深刻的印象，此时他正在有目的含而不露地发掘各方人才，因此自然而然地把注意力放在了马世民身上。

1984 年，一直默默注视马世民发展的李嘉诚，基于集团内部业务发展的需要，看到任用马世民的时机已成熟，便通过和黄收购了马世民自己创办的公司，并将当时名不见经传的马世民提升为和记黄埔董事兼总经理。

在总结自己的用人心得时，李嘉诚曾生动地说：

> 知人善任，大多数人都会有部分长处，部分短处，好像大象食量以斗计，蚁一小勺便足够。各尽所能，各取所需，以量材而用为原则。又像一部机器，假如主要的机件需要用五百匹马力去发动，而其中的一个部件则只需半匹马力去发动，虽然半匹马力与五百匹马力相比小很多，但也能发挥其作用。

> 就如在战场，每个战斗单位都有其作用，而主帅未必对每一种武器的操作都比士兵纯熟，但最重要是首领亦十分清楚每种武器及每支部队所能发挥的作用……统帅只有明白整个局面，才能出色地统筹和指挥下属，使他们发挥最大的长处以取得最好的效果。

李嘉诚的总部——长江集团中心，为何不跟旁边的中银大厦比拼高度？它的样子为何四四方方像个盒子？负责设计这两幢建筑的摩天大厦大师西沙佩利说："李嘉诚信风水，他相信四四方方的盒子形大厦，可抵挡中国银行的煞气。"西沙佩利说，如何定出长江中心 283 米高的高度，是一项精明杰出的政治艺术。

他透露，高度是李嘉诚定下的，"他说要高过旁边的汇丰总行（179 米），但要矮过另一旁的中银大厦（367 米）。"如果在中国银行及汇丰总行的最高点画一条斜线，长江集团中心就在这条斜线之下。

从外表看，长江集团中心设计得四四方方，欠缺线条美，在香港众多摩天大厦中不算突出，西沙佩利说："因要解决中银的风水问题，我要依风水大师意见，故设计上颇多限制。"此外，长江中心的菱角位全被"削平"，方形建筑最后变成八角形，原因也是为免跟中银大楼硬撼。

多元化发展

"9·11"事件重创世界经济，令全球投资者大多噤若寒蝉，手足无措。但是李嘉诚旗下的长和系却频频出手，从香港到海外，从地产到能源，从电讯到港口，从零售到医药，掀起一连串的投资行动，引起全球市场的高度关注，有媒体甚至将之概括为李嘉诚逆市投资策略。

2003年10月中旬，长江实业击败竞争对手，以6.65亿港元的低价成功投得红磡商业用地皮。香港地产业人士惊叹：经此一役，长和系庞大的"红磡地产王国"已然成形！

地产投资一向是长和系的支柱，更是李嘉诚在香港建功立业之本。有分析员指出，长实的策略是趁着香港地产市场低迷不振，大力扩展土地储备，以巩固其领导地位。

早在80年代初，李嘉诚成功收购当时香港四大洋行之一的和记黄埔（简称和黄）后，即着手把和黄位于红磡的船厂地发展为住宅项目，迈出打造地产王国的第一步。李嘉诚之所以布重兵于红磡，重要原因是红磡地处要冲：九龙火车站位于区内，未来地铁红磡支线建成后，这里更会成为连接香港与内地的交通枢纽。

更重要的是，该区横跨九龙城学区，区内有全港最多的名校，是历来中产阶层选择居住的首要选择，这一因素可以持久地支撑大市价格，就算其他地区楼价大幅度下滑，该区所受到的影响也相对为轻。

经过多年的经营，长和系已在该区拥有黄埔花园、海逸豪园、海逸酒店和国际都会等九个发展专案，总楼面面积超过110万平方米。

1986年11月，李嘉诚部署和黄与长江实业重新组织一家公司，在欧洲发行总值港币七点八亿元的可兑换的国泰航空公司股份债券。通过这次变相批售国泰航空公司股份，和记黄埔与长江实业在短短半年的时间内，获利高达2.5亿港元。

李嘉诚的成功，也是他知人善用的成功。

2003年8月，李嘉诚在被问及香港行政长官董建华应否为香港现今疲弱的经济负责时，他表示经济的好坏并非一个人的问题，而且香港在九七年前的经济是泡沫经济，故此无论亚洲有否出现金融风暴，香港的经济都历史性地存在着结构性问题，这个泡沫都会或早或迟地暴露出来。

假如董建华不用为香港的经济负责，一向与董建华关系密切的李嘉诚是否要为过去的泡沫经济负上部分责任？其实，从地产商的角度看问题，李嘉诚也是董建华政府施政，尤其是房屋政策"八万五"目标①的最大受害者。

作为香港最大地产商之一的长实集团，在早年推出新楼盘的时候采用小批量分批次推出的手法，以致经常出现数十倍超额认购。以中产阶层为目标顾客的红磡海逸豪园为例，中原地产海逸豪园分区经理鲍志德表示，该楼盘第一期推出的第一批单位只有十多个，供求完全不平衡，因此造成售价由每英尺7000港元急升至高峰期的每英尺1.1万港元。

另外在天水围的嘉湖山庄亦因同样的推销手法令尺价由每英尺升1500至4300港元。由这种推销手法所造成的市场气氛，居然也被指责是构成香港泡沫经济的元凶之一。不能否认长实在香港高地价高房价发展中所发挥的推波助澜的作用。正是香港地产市道的两高，才使得香港有可能成为远东金融中心。

当然，这是香港众多地产商推销的基本手法策略之一，绝对不是李嘉诚的独家绝技，更非始于李嘉诚，只不过是李嘉诚将其发挥运用得炉火纯青。

无理由他人赚钱，超人挨骂。虽然李嘉诚为董建华说好话，以及多年来一直表明支持当时董建华所推出的八万五建屋政策，但亦由于后来楼市毫无起色，长和系的地产业务实质上成为首当其冲的受害者，以致后来，长实不得不明确希望政府要减慢推出居屋速度。

李嘉诚是否完全认同董建华的经济政策，实在不言而喻。

早在1999年6月，在房地产界叱咤一时的李嘉诚，认为香港的经济必须超越房地产的限制，追寻更高的附加值的高科技产业，扭转金融风暴之后的被动局面。

李嘉诚在接受《亚洲周刊》独家专访时就指出，海外投资者在香港房地产业中不会超过5%，香港要创造外汇，还须多元化发展，开拓高新科技等附加值更高的产业，在世纪之交冲出房地产的樊笼。

---

① "八万五目标"即指八万五建屋计划，简称八万五，是董建华在1997年度施政报告提出的一项政策，即每年供应不少于八万五千个住宅单位，希望10年内全港七成的家庭可以自置居所。这项政策的推出，再加上亚洲金融风暴，使香港楼价一落千丈，香港经济一片萧条，直到2003年才逐渐复苏。

李嘉诚旗帜鲜明地说:"在经济转型过程中,痛苦无可避免,但必须支援港府应变的策略,发展自己有能力、有基础的事业。只有多元化发展,香港才有希望的明天,也才能避免更大的痛苦。"

回归以后的香港正处于风云变幻之中,在金融风暴的侵袭下,曾经为香港创下经济神话的股市、楼市受到冲击,作为经济支柱的旅游业、传统的服务业也遭遇挑战,香港面临着再定位和重新启动。

港府正大力倡导数码港、国际中医药中心、远东旅游中心、国际邮轮码头,规划香港未来的发展。但很多时候都不过是议而不决,决而难行。李嘉诚表示政府的方针毋庸置疑,相信符合香港的长远利益。

亚洲金融风暴前,香港房地产热火朝天,楼价飙升,经济似乎一片繁荣。但这种现象其实就好像广东俗语"塘水滚塘鱼",也就是"兄弟姐妹打麻将",输赢都是自己家人的金钱。

李嘉诚身体力行,早已迈出了多元化、国际化的步伐,投资遍布全球五十多个国家和地区,雇员超过 20 万人,业务包括酒店、货柜码头、零售及制造、通信、基建和能源等多个领域。他并期望有朝一日,香港能够从科技、服务和旅游等领域多元化地赚取外汇。

李嘉诚以其集团发展的经验指出,他们所做的事业最重要是能够赚到外汇和增加就业机会。

> 我们要明白,香港不是单靠地产可以生存,地产对内部的经济影响很大,但不要忘记,海外的投资在香港地产业不会超过百分之五。那么要创造外汇,吸引外资,靠什么?

他强调一般工业在香港根本难以立足,贸易额下降,货柜港受内地竞争的影响,旅游业也受到冲击,必须创造新的支柱产业,以吸引外资,带来新生机。

然而寸土寸金的香港,借以施展的空间越来越小。唯一的选择,只有精卫填海。地产界人士更抱怨道,香港人传统的选址购楼,多重视靠山临海这一风水,而地产商销售楼宇时,总是标榜全海景。可如今,海港越填越小,当初"开窗临海景,闭门听涛声"的豪宅,此情此景已不再。如黄埔花园,原来可远眺大海的单位,如今已无海可望,只能是你望我,我望你,令楼价难升。

教育界人士、建筑界人士、酒店业人士……特别是常常坚持集体回忆的那班环保人士，都对填海颇有非议。就连李嘉诚也说："全世界三分之一的运沙船都集中到香港了，填海还要填到什么时候？"

2005 年 5 月 19 日，对于有建议修例提高楼花内购的透明度，李嘉诚表示，只要对整体楼市好，集团都会赞成，但如无必要则不需立例，否则太多条例只会影响商业运作，自由经济的价值绝对不是体现在日益增多的繁文缛节式的规条上。

不少发展商促请政府恢复定期卖地，李泽钜重申方式并非最重要，政府能够维持健康有序的土地供应，达致市场供求平衡，才是集团所关注的焦点。

李嘉诚曾经在房地产天地创下奇迹，但他其实早已看破房地产市场的脆弱。李嘉诚执着于难以忘情地奋斗了数十年的地产世界，但更明白"长江后浪推前浪"的自然规律。在继续主政长和集团业务的同时，李嘉诚正酝酿新的计划，开创新的天地。

"作为一家上市公司的负责人，我要为股东长远利益着想。地产以外，应该做多方面分散投资。当地产遇到低潮，或是以后土地供应增多，旧楼利润减少时，有其他行业的收入，公司所受到的影响会最少。"

第七章

入主和黄

▲ 李嘉诚与菲利普·库里斯基（Philippe Kourilsky）教授会面，一同出席的有汕头大学医学院管轶教授和法国驻港总领事孟嗣德先生。

▲ 李嘉诚基金会捐献的澳洲皇家飞行医疗服务专机。

　　置地公司和船王包玉刚争夺九龙仓控股权的喋血之战，已是半个世纪前的香港商场陈年旧事，双方尔虞我诈，枪来剑往，刀光斧影，筹谋精详，高潮迭起，峰回路转的惊心动魄过程，成为香港资本收购战史上最为精彩的一页，亦成为香港华资与英资集团势力此消彼长的历史转折点。

　　通过这一诡波起伏的浴血交战，更显示出当时置身其中，超然于外的第三者李嘉诚的经韬纬略与精明的商业战略头脑。

　　当时香港经济的发展及香港社会未来可能的变动，使华资势力龙头渐起，四行之首的怡和公司（另外三行是和记、会德丰和太古）已无一方独大之势。主因是怡和对香港前途信心不足，在 20 世纪 70 年代全力分散投资，致力推动走资撤资的国际化经营，给予众多华资兴风作浪并做强坐大之天赐良机。

　　相反，由于包玉刚、李嘉诚等人与大陆千丝万缕的血浓于水的联系，使得他们对香港前景充满信心。当然，也不是每个有中国血统的香港人都能够看到香港未来的美好前景，否则，怎么会有二十万香港人竞相移民枫叶国。而且，华资通过 70 年代两次石油危机及当时日、韩造船热的轰轰烈烈，预见到世界性的经济结构的必然转型。所以，船王包玉刚不安心于已建立的世界上最大之独立商船队，而是积极推行他的登陆大计，不断寻求新的投资机会及购入有发展潜质的产业及股票。

　　厌倦海洋生涯的包爵士就像鳄鱼一样，抬头上岸后瞅准的第一块猎物便是怡和系守在岸边的九龙仓。

∽ 百年怡和

怡和洋行创办于 1832 年，其历史最远可上溯到 1782 年的科克斯·赖德商号和 1824 年的马尼亚克公司。

1906 年后改组为渣甸·马地臣有限公司，是以其两个创办人医生威廉·渣甸和詹姆士·马地臣的名字命名的。"怡和"是它在广州注册时所用的商行号。

入乡随俗，精明的洋大班为其取"快乐和谐"之意。看来，和谐是人们长久以来对美好生活的向往与追求。奇怪的是，今天的怡和，当其周边高唱和谐之声的时候，却少了入乡随俗的自然反应。

1817 年，渣甸脱离东印度公司，加入自由行商人行列，开始了毒害中国人的鸦片走私的肮脏罪恶生涯。这也应验了中国古代南橘北枳的故事，如果渣甸一路在英伦三岛悬壶济世，完全有可能成为一代被后人称颂的名医扁鹊。他首先和曾任东印度公司医生、已成为富商的老南海公司老板托马斯·威汀，以及孟买鸦片商弗拉姆吉·科瓦斯吉合伙，购买了一条摇摇欲坠的破烂的"萨拉号"商船，从事鸦片走私活动。

很快，"萨拉号"以其敢于冒险而成为加尔各答至伶仃岛快速航线上一条臭名昭著的鸦片走私船。"萨拉号"之所以出名，就在于别的船，只要赚钱，什么走私货都装载，而"萨拉号"则是名副其实的鸦片走私专船，除了鸦片，还是鸦片，独沽一味，其他什么货物都不装，最多只是装运银元，或是随船的一两个慰安妇。

当时，渣甸主要在孟买做生意，他把中国方面的业务委托给荷林沃兹·马尼亚克代为经营。荷林沃兹是他哥哥查理斯的查理斯·马尼亚克公司的合伙人。马尼亚克兄弟则是从 18 世纪以来就常驻澳门和广州的老牌鸦片贩子。

1824 年，查理斯死后，荷林沃兹将公司改名为马尼亚克公司，同时决定退休回国，为此，他物色了胆大心细敢于犯险的渣甸为公司的合伙人。

1827 年，渣甸加入马尼亚克公司，负责管理该公司在广州的进出口业务。这对于渣甸是一个施展身手的极好机会，因为当时的形势已渐趋明朗，东印度公司在中国的贸易垄断已是强弩之末，更重要的机缘是，大清帝国已是日薄西山，不堪一击，在这腐朽的国度里，银元与洋妞成了渣甸走私鸦片横行无阻的最有力的敲门砖与通行证。如果读者看过陈冲主演的电影《大班》，或许还能对当年的景象略知一二。

怡和洋行的另一个创办人詹姆士·马地臣（James Matheson），也是苏格兰人，早年毕业于英国爱丁堡大学。马地臣亦曾在东印度公司任职，1815年他取得了自由商人的资格，并加入他叔父在加尔各答开设的公司。

1818年他离开叔父的公司前往广州，开始从事鸦片走私活动。1826年马地臣结识了渣甸，两年后亦加入了马尼亚克公司，与渣甸合伙从事鸦片走私，一本万利，生意越做越大，贼胆也越练越大，胃口也越来越膨胀。

两人不仅在广州一带销售鸦片，还雇人沿海北上至渤海湾，扩大走私贩毒，积累了大量肮脏的财富和资本，这或许正应验了他们同时代的乡邻、无产阶级导师马克思所说的那样，资本原始积累的每一个毛孔，都滴着肮脏的血。

1830年，渣甸在广州致函英国友人，极其无耻地声称鸦片走私是"我所知道的最稳妥又最合乎绅士风度的投机。其中虽然充满风险，但是其乐无穷，因为它可以帮助你得到你想要的一切"。

好一个绅士风度，好一个其乐无穷，好一个无耻嘴脸。他在信中说："在好的年头，我估计每箱鸦片的毛利甚至可达一千银元之多。"走私鸦片的生财之道，不仅在于贩卖，他们同时操纵市场，投机买卖，哄抬价格，转手间，即获暴利。一百七十年前的一千银元的商业概念是什么？按照货币比值，应该是今天的100万元港币。可见当时鸦片贸易的猖獗。可憎可恨可怜可悲可叹的东亚病夫，撞邪撞到这样的"鬼"，真是倒霉透顶了。

1832年7月1日，渣甸和马地臣在马尼亚克公司倒闭的翌日，在广州创办了怡和洋行。当时，公司的主要合伙人还有渣甸的外甥安德鲁·约翰斯顿和马地臣的外甥亚历山大·马地臣。

拜清朝政府之腐败无能所赐，怡和洋行的业务发展极快，1834年东印度公司退出后，怡和洋行即取代东印度公司，成为英商对中国进行鸦片贸易的主角儿。

1844年，怡和洋行将总部从澳门迁至香港东角（今日港岛太古城中心一带），并雇用了12名武装的印度人守卫总部。由此，揭开了怡和发展历史的新一页，自由港口香港正式成为万恶的鸦片贸易的名副其实的中转站与总指挥部。所以，到后来随着香港回归的临近，面有愧色脸红耳臊忐忑不安的怡和对共产党又惊又怕。当然，对其迁册避难之举措，人们则是心知肚明，不言而喻。

其时，马地臣已退休回国，怡和大班的职位，由其外甥亚历山大·马地臣（Alexander Matheson）接任。为了解决香港和广州的交通问题，怡和洋行和香港的九家洋行组成了一支快艇队，定期来往于省港之间，运送邮件、旅客。当然，这时的邮旅业务，还只是完全从属鸦片走私，为鸦片走私服务。

1871 年，英商保罗·遮打（Catchick Paul Chater）创办了香港第一家码头货仓公司——香港码头货仓有限公司，在湾仔海旁建设码头及货仓，依照英国标准，用优质木材修建码头，用水泥建筑仓库，并购入简单的起重机及手推车做卸货之用。不过该公司创办后，股东仅筹集到三分之二资本，资金不足，经营不理想，开业不久就负债累累，最后宣布破产。

保罗·遮打鉴于香港岛设码头货仓不甚理想，遂于 1886 年在九龙尖沙咀海旁创立香港九龙码头及仓库有限公司（简称"九龙仓"）。九龙仓的设立及其运作，终于揭开了我们书中故事的序幕。这个序幕确实有点啰唆，但是，历史的细节不能不交代，否则，未来的故事就很难精彩。

1874 年，台风袭击香港，尖沙咀一带不少仓库和码头东主破产，投资者自愿将地段交还政府。

1885 年，香港政府将尖沙咀临海地段重新拍卖，由遮打投得。当时，该地段尚未发展，全是临海的空旷的泥沙之地，有充足的土地兴建货仓码头，且临深海，处港湾，可避台风，可停泊大轮船，是建设货仓码头的理想地点。

1886 年，遮打与怡和洋行合作，创办九龙仓公司，注册资本 170 万元，在尖沙咀沿海地段建设两座码头与仓库，因其两仓相连如桥故得名"九龙仓桥"。九龙仓还备有容量约 75 万吨货物的仓库，运输货棚备有专门设计的充足灯光和宽敞的货场，货仓是一座钢筋混凝土的坚固的足以抵御八级台风的六层楼房，全都安装了货运电梯和起重机。

九龙仓的创办，使维多利亚海港有了崭新的码头及货仓设施，奠定了这个远东深水港的重要基础。

到 20 世纪 40 年代，九龙仓已成为香港一家以效率著称，闻名远东的大型码头货仓公司，无论在涨潮或退潮时，其码头都能够同时停泊十艘吃水十米以上的远洋货轮。

怡和曾在它的广告上狂傲地宣称："在中国任何地方，只要哪里有贸易活动，哪里就有怡和洋行。"其实，应该这样讲：在中国任何地方，只要哪里有贩毒活动，哪里就有怡和的影子。当然，这是说的早年的怡和，不是现在的怡和。

凭借着从早期鸦片贸易积累的雄厚资本，以及多年来的丰富的管理经验，怡和洋行在与其他各国洋行的竞争角逐中，始终保持优势，因而在中国，它被誉为"洋行之王"。当年怡和横行无阻的撒手锏就是黄白红黑，即黄金、白银、洋妞、鸦片，以毒攻"毒"，而且万试不爽。

1949 年共产党执政后，怡和在中国的业务发展便走进了终点，自"三反"、"五反"运动后，对共产党心有余悸的怡和即完全撤离大陆，损失惨重。

有此过节，怡和对共产党政权存有恨意戒心，加之自己跳进黄河也洗不清的特殊的黑黢黢的缸底，总怕共产党秋后算账，故此对香港九七问题亦抱有非常悲观的态度，改而努力拓展海外投资。

1976 年 12 月底，怡和只持有约 5% 的九龙仓股份，以及 3% 的置地股份。经过百年的发展，九龙仓的业务逐渐步向多元化，除收购了海港企业 51% 的股权外，亦收购了天星小轮和电车。产业包括九龙尖沙咀、新界及港岛上的大部分码头、仓库，以及酒店、大厦、有轨电车和天星小轮。

九龙仓全力发展尖沙咀的地皮作为商业大厦，而此等位于尖沙咀的优质地皮是九龙仓未来发展的王牌，此也是惹来包玉刚大举收购的主要诱因。

长期在海上漂泊的包玉刚，渐渐看淡航运，就像一个心焦力乏的渔夫，面对茫茫大海，多么希望能够洗脚上岸，极力想找一块安身立命的立足之地。

包玉刚 1918 年 11 月 16 日出生于浙江宁波。1967 年，包氏组织环球航运集团。1970 年，与汇丰银行首脑桑达士合作，成立"环球航运集团股份有限公司"，包玉刚为主席。

1972 年，成立"环球国际金融有限公司"，由包玉刚出任董事局主席。1975 年，包玉刚登上了世界船王的宝座，赢得了"东方奥纳西斯"的美誉。到了 1981 年，包玉刚环球航运集团的船队已发展到 210 艘，2100 万吨，成为世界上拥有船只吨位最多的船王。

∽ 九龙仓争夺战

1977 年，李嘉诚小试牛刀，以 2.3 亿港元收购美资的永高公司，开创了香港华资公司吞并外资企业的先河。

永高公司拥有港岛中环著名的希尔顿酒店，以及印尼巴厘岛的凯悦酒店；不过，其时公司盈利停滞不前，巴厘岛的凯悦酒店正在亏蚀之中。当时，舆论普遍认为李嘉诚太过进取，出价过高，似乎不值。因为当时来看，这两所酒店长期亏损并无盈利能力，更重要的是，短期内确实看不到盈利可能。尤其是印尼的凯悦酒店，那时的巴厘岛一片荒芜，游客稀少。

然而，事后证明，长实对永高的收购极为成功，因为要在同样地点兴建同等规模的一流酒店，再多用一倍的资金也做不到，至少找不到这么理想的地理位置。更重要的是，巴厘岛未几就成为印尼最负盛名的旅游胜地。

看来，今日繁盛之巴厘岛，绝对应该感谢香港财神李嘉诚的带挈。当然，最主要的是，这两所酒店在李嘉诚接管经营之后，面貌大为改观，经营状况迅速好转，没过两年，已经转亏为盈。

初试锋芒之后，李嘉诚即将矛头指向了脚踏实地的九龙仓。其时，李嘉诚隐隐约约知道，船王包玉刚想染指九龙仓。不过当时的包玉刚，只是初恋单相思而已，还没有进入动手动脚的实质阶段。

九龙仓被收购之说早在 1978 年便在市场流传，当时市场盛传某华资大鳄，可能是李嘉诚打算收购九龙仓，但李嘉诚在接受采访时对此说断然否认。事实上，李嘉诚确实在不动声色地收购九龙仓股票，只是不显山不露水地采取分散户头暗购的方式，也就是说，李嘉诚所收购的股票并不全在自己名下。

李嘉诚悄悄地从散户持有的九龙仓股票中买下了两千万股，且没有惊动怡和。被李嘉诚的高调否认所麻痹的怡和高层，此时此刻，还蒙在鼓里，似乎刚刚松了口气，想安枕无忧呢。在他们的眼中，李嘉诚从来都是兵最厌诈。至少，在他们看来，小李的实力尚不足以构成直接威胁，就算小李有此贼心贼胆，也恐怕没有那份贼钱。

精于地产市道的李嘉诚，端起算盘算了一笔细账。1977 年年末和 1978 年年初，九龙仓股票票价每股在 13 至 14 港元之间徘徊。九龙仓发行股票不到一亿股，就是说它的股票总市值还不到 14 亿港元。但九龙仓控有九龙最繁华的黄金地段，按当时同一地区官地拍卖价以每平方英尺 6000 到 7000 港元计算，九龙仓股票的实际价值不低于每股 50 港元。

九龙仓旧址地盘若加以综合开发发展利用，价值自是不言而喻。因此，无论怎样算计，九龙仓的股票市值都大大低于其实际价值，可谓是一块人人垂涎的肥猪肉。所以李嘉诚决定，即使以高于时价五倍的价钱买下九龙仓股份，长远来看，也是绝对划算的。至少，不会赔进身家。

九龙仓是置地的联营公司，一直以来与置地同为怡和航空母舰旗下的两大主力巡洋舰。就如同和黄与港灯是长江实业集团的两大主力一样。

20 世纪 70 年代以后，九龙仓先后收购天星小轮、香港电车以及海港企业 51% 的股权，又将码头货仓迁往葵涌、荃湾，并在尖沙咀海旁兴建庞大综合物业海港城，业务搞得有声有色。特别是海港城，寸土寸金。

然而，九龙仓的投资策略有几个致命弱点：其一，是以发行新股的方式筹集发展资金。1973 年至 1974 年期间，九龙仓为筹集发展海洋中心及海港城的庞大资金，先后多次发行新股及送红股，令公司股数从 990 万股急增至 8501 万股，股份几乎扩大十倍，公司股份大大摊薄，股值也相应压低，作为控股公司怡和所拥有的股份，也大幅度摊薄。

1975 年 5 月至 1976 年 10 月，九龙仓再发行 1.2 亿港元的八厘息可兑股债券及 2 亿港元 7.5 厘息附有认股证债券，由于债券息率远远高于股票红利，结果不少喜新厌旧的九龙仓股东，迅即抛售股票筹集资金收购债券，令股价大幅抛低，股票大量流入散户之中。

天助我也，李嘉诚把握良机顺手牵羊，大量接货。所有的这一切，都是没有销烟的战争。

其二，是九龙仓兴建的商厦，效法置地，以出租用途为主，此招虽然能确保公司财政稳健，但是，占用资金，现金回流极慢，盈利增长低，造成九龙仓长期缺少充裕的流动资金，这亦是造成九龙仓股价偏低的一个重要因素。而且，在盈利持续低迷的客观情况下，很难指望股东对你仍旧一往情深。资本市场，任何时候的股东都是最现实的最势利的某类女人，有钱派就爱死你，无钱派就绝不会爱死你。天经地义，人之常情，当然也是天公地道。

其三，一直惧怕共产党的怡和，此时已经开始了其战略部署，大幅度削减在港投资，转而向海外市场扩张，并且有意识地大规模转移资产。亦因此，怡和虽然明知九龙仓是块肥肉，但是，也无心死守，不会拼死捍卫控股权。

其四，怡和试图分散投资，连年来大举海外投资，负债累累，没有充裕的现金流，一旦风吹草动，根本无力搭救九龙仓。

1978 年年初，九龙仓的股价最低见 11.8 港元，仅为李嘉诚心目中理想价位的五分之一；其间，香港地价不仅没有回落，而且大幅飙升，地处繁华商业区的尖沙咀更是寸土尺金。

李嘉诚慧眼识金，就像潜伏在岸边的鳄鱼紧紧盯住在喝水的羚羊一样，紧盯九龙仓不放。但是，李嘉诚此时并没有绝对的把握，甚至连五成的希望都没有。

李嘉诚通过手下的一批智囊探得一个消息：怡和洋行作为九龙仓股份有限公司的最大股东，它在九龙仓实际占有的股份，还不到总股份的 20%。也就是，只要不动声色地买到九龙仓 20% 的股票，就可以与怡和洋行进行公开叫板了。当然，有一点是十分重要的，一旦进行全面收购，那么，在价格相同或略高的情形下，分散持股的香港人肯定会更倾向于将股票卖给华资集团。这便是华资集团得天独厚的地缘人缘优势。

事实上，1978 年年底，置地仅持有九龙仓约 10% 股权。那时的香港证券交易，并不像现今这样透明公开。于是，李嘉诚不动声色地大量购入九龙仓股票，从每股十余港元一直买到每股三十多港元，共吸纳了大约二千万股九龙仓股票，到 9 月份，李嘉诚已掌握了九龙仓 18% 的股票，与怡和手中的 20% 股票数额旗鼓相当了。

由于李嘉诚是用多个公司的名义分散购入，怡和高层还蒙在鼓里，不以为然。其实，这时的李嘉诚，已经成了九龙仓名副其实的大股东。

随着九龙仓股票莫名其妙地大幅飙升，嗅到"铜臭味"的大小财团以至斗零股民，已渐渐意识到正有高人抢购九龙仓股票。不过，一般市民哪里知道这个高人是谁，又何必知道这个高人是谁，只要能赚到钱，自己就是高人，就已经心满意足矣。

硝烟弥漫，一场空前惨烈的收购战爆发在即。大战前夕，利在眼前，争先恐后，纷纷蜂拥入市，将九龙仓股票炒得热火朝天。九龙仓股票价格直线上升。小股民争先恐后，眉开眼笑，乐不可支。

这时，市场已盛传长实主席神奇小李李嘉诚有意收购九龙仓。这时，有意染指九龙仓的包玉刚恍然大悟，急急忙忙走到了前台。这时，洋洋得意的怡和洋行大梦初醒，试图亡羊补牢，但是，为时已晚。

奇妙的是，1978 年 7 月 26 日，李嘉诚在接受记者访问时对有关传闻依然断然否认，显示他精密部署的收购计划已经戛然而止。不过，李嘉诚这次讲的是实在的真话，绝对不是掩耳盗铃，最多只是此地无银三百两。

至于突然中止的背后原因，仍扑朔迷离。或者，这是李嘉诚有意施放的一个烟幕弹。或许，"将欲取之，必先与之"，欲擒故纵成为唯一合理恰当的解释。因为，鱼与熊掌不可兼得。不过，这绝对符合一贯行事低调的李嘉诚的稳健作风。

当时怡和确认神奇小李有意收购九龙仓，始知大事不妙，无奈怡和在 70 年代中前期大规模投资海外，导致盈利停滞不前，资金捉襟见肘，心有余而力不足，虽然在紧急部署反收购行动之后，也到市场上高价收购散户持有的九龙仓股票，然而为时已晚，资金有限，只好转向好兄弟汇丰银行求助。

1978 年 7 月，汇丰银行果断介入，汇丰大班沈弼更亲自出马游说李嘉诚，劝说李嘉诚放弃收购，成全财雄势大的包玉刚。

鉴于收购计划已经泄露，李嘉诚不愿公开同历史悠久、实力雄厚的怡和正面较量，亦不愿因争夺九龙仓而得罪财神爷汇丰银行，更不愿与当时正如日方中的华资大鳄包玉刚扳手腕。最主要的是，船王包玉刚非常识做，同意将手中持有的和黄股份让与李嘉诚，换取等值的九龙仓股份。这一切，都有赖汇丰从中穿针引线，左右逢源。因而，李嘉诚决然将所持全部九龙仓股票转售于"世界船王"包玉刚，换取等价的和黄股份。

当时，包玉刚身兼汇丰银行董事，决意问鼎九龙仓，而且实力更为雄厚。在与汇丰的关系上，李嘉诚深知不如包玉刚密切深厚。包氏的船王名头，一半靠自己努力，一半靠汇丰长期坚定不移的支持，包氏与汇丰的交往史长达二十余年，与汇丰的两任大班桑达士、沈弼私交甚笃，过从甚密。

作为华人，包玉刚与汇丰能够处到水乳交融的关系，确实也看出包玉刚的功夫之深厚与手腕之灵活。包玉刚的大部分投资都与汇丰有着密切关系。

∽ 输家？赢家？

由于李嘉诚一贯坚持"从稳健中求发展"的经营方针，不愿意冒很大风险公开同历史悠久、实力雄厚的怡和较量，也无意为拿下九龙仓而得罪财神爷汇丰银行。

于是，1978年7月，在中环一间幽密的茶室里，与英资争夺九龙仓的另一个资金雄厚的华资财团主席、船王包玉刚爵士，悄然约见此次收购战中举足轻重的李嘉诚。

外界所传，是李嘉诚主动约见，此言差矣，以李嘉诚从不求人的性格，以李嘉诚当时实际上已经控有2000万股九龙仓股份，并在收购战中处于十分有利的位置的客观情况，以李嘉诚做任何事都周详沉稳的个性，都不大可能。反倒是，包玉刚居高临下，志在必得，急于求成。所以，主动约见李嘉诚求货，毕竟是有求于人。

纵横四海的包玉刚自然不是等闲之辈，在此之前他已经揣摩到李嘉诚的意图，而且这也是包玉刚所渴望的，李嘉诚出让九龙仓股票正好与老谋深算的他不谋而合。

包玉刚深知自己没有胃口同时吞下九龙仓与和黄。两人见面，并没有太多的语言，亦无须太多的寒喧。因为彼此的性格、要求、目的、立场都十分清晰明确。开门见山，单刀直入。

"我们正在进行着一场共同的决战，我相信，你很清楚地知晓我的立场与目的。"包玉刚沉稳有加。

"我完全知道你的目标，我也希望你能够充分理解我的选择。"李嘉诚点到即止。

"相信你不会令我失望，希望我们能够尽快达成协议。"包玉刚迫不及待。

"相信你也不会令我失望，希望我们能够达成令双方都满意的协议。"李嘉诚话中有话不慌不忙。

"我是为我而来，也是为你而来。"包玉刚直截了当。

"我也不单是为我而来，不过，我会充分考虑你的愿望要求。"李嘉诚话中有话。

两位华资大鳄，在一杯清茶淡水间，握手达成了这宗改写香港历史的世纪交易。没有人去考究，这次历史性会面进行了几分钟，也无人能够品味到两位巨人喝的茶的色香味。

总之是，两人皆大欢喜，当然，包玉刚在欣喜之余，有些惆怅与失落。李嘉诚将手中持有的九龙仓股份，慷慨地悉数转手包玉刚。李嘉诚在九龙仓收购战中，获利 5900 万元，成了唯一真正的赢家。更重要的是，通过向包玉刚转手九龙仓股份，李嘉诚从汇丰银行手中承接 9000 万股和黄股份。

意气风发的包玉刚，此时此刻，才不经意留意起坐在他面前的这位精明过人的神奇小李。

包玉刚拼死拼活，腥风血雨中所得到的九龙仓，远远不及李嘉诚已经从中所得到的实惠及将要得到的更为长远的巨大利益。这无疑是为了啃骨头而丢了肥肉。虽然是各取所需，当然是你情我愿。但是，包玉刚多少还是有点迫不得已。真是后生可畏啊。

面对举重若轻的李嘉诚，突然间，包玉刚发现，自己似乎苍老了许多，不知不觉间有了举轻若重的沉重感觉。

九龙仓不过是个富丽堂皇的理想的飞龙，和黄才是货真价实的真金白银式的虎豹；行走江湖多少年的蛟龙包玉刚，焉能不知其中之奥妙。只是，骑虎难下，只好顺势而为，焉能强逆天意。失之东隅，收之桑榆。包玉刚又何曾不明白如此简单的道理。

李嘉诚又何曾不是？不过，一进一出之间，李嘉诚获利 5900 万元。而这 5900 万元，不过是买了根钓金龟的银线。李嘉诚总是轻描淡写地化解在这次争购战中的恩恩怨怨纷纷扰扰，对于有人一再把他与包玉刚拉在一起做比较，一定要分出个高下立见，李嘉诚只是淡然一笑。

1980 年 6 月 19 日，市场上盛传置地公司将与九龙仓换股，消息使九龙仓股价逆市而上，当日最高曾升到 78.3 元，最后以 77 元收市，较上日升 3.5 元。

第二天，置地公司宣布建议增购九龙仓股份，从原有的 20% 增加到 49%，条件是每两股置地股份，作价 12.2 元，另加一股面值 75.6 元已缴足的无抵押保证债券（周息率十厘）换取一股九龙仓股份。按置地公司所提出的条件来算，置地公司提出约以 100 元的代价，来换取一股市价 77 元的九龙仓股份，这个条件显然具相当之吸引力。

消息公布后，九龙仓股票马上在四会停牌，隆丰国际公司（包玉刚在1980年4月25日把手持的九龙仓股份全售给隆丰）立即与身在欧洲的包玉刚通长途电话联络，并于当日傍晚发出通告，表示隆丰公司已经拥有九龙仓30%的股份，置地公司的建议增购内容繁复，条件没有吸引力，呼吁各小股东不要接受置地公司的收购条件。各方人马紧锣密鼓，整个股市受到该事件的刺激而上升，有关的其他股份如置地、隆丰国际等均交投活跃。

6月21日，星期六，虽然股市休市，但涉及该事件的有关人士则仍然忙个不休，各方人士仍然在背后斡旋。隆丰国际公司及其财务顾问获多利公司积极研究对策，向置地公司增购九龙仓股份的行动做出反击。

香港证券监理处则就置地公司增购事件召开紧急会议研究，研究此次置地公司的增购行动是否抵触了收购合并守则，唯因资料不足，没有透露会议内容及结果，所以委员会决定将会议延至周一举行。

周日的假期并没有使这场"战事"暂时得到喘息机会，反而使争夺战推向高潮。包玉刚取消周一与墨西哥总统的约会，日夜兼程自伦敦秘密赶返香港，由此可见他对九龙仓股份控制权的高度重视。

抵港之后，包玉刚在希尔顿酒店租下会议厅做临时办公室，马上紧急召见投资银行——获多利公司的要员，在酒店里举行会议，共商"帝国反击战"大计。

会议很快便有结果。当天晚上七点半，包玉刚召开记者招待会，宣布以个人及家族名义，出价每股105元现金在市场收购2000万股九龙仓股份，期限为星期一和星期二两天，增购手续由获多利公司办理，额满即止。

包玉刚如果收购成功，所需动用资金共计22亿港元，这笔金额在80年代初期来说，简直就是天文数字！相信包玉刚当时的身家不超过10亿元。

包玉刚反收购计划成功，包玉刚家族以及隆丰国际公司所持有的九龙仓股份就会增加到49%，这样就完全控制了大局，包玉刚解释反收购主要是为了"保障个人以及家族的利益"。与包玉刚关系密切的汇丰银行，这次居然胳膊肘子往外弯，全力支援包玉刚爵士的行动，并承诺在资金上无限支持。

包玉刚爵士慷慨的出价使九龙仓小股东大喜过望，6月25日，早上才九点半，获多利公司门前便挤了人群，他们不是排队买楼，也不是排队买票，而是排队等候兑换现金的投资者。

十一点半左右，获多利公司的增购目标达到，新鸿基方面则直到下午两点半为止才结束增购，也就是说，包玉刚爵士准备在两天之内收购二千万股份的行动，在短短的几个钟头内已经达到预定目标。从理论与技术层面上来说，九龙仓争夺战包玉刚已经获胜。

至于置地公司方面，于当天晚上六点半也公开宣布增购九龙仓股份的建议，但已于6月22日包玉刚提出反收购时失效，置地公司表示当时只持有约1330万股九龙仓股份而已！

无可奈何花落去。不得已，置地公司向似曾相识的包玉刚出售1000万股九龙仓股份。价值共十亿零五百万港元。

当时香港收购合并守则的综合条例第三款指出，拥有控制权的大股东，在可能的范围之内，以不低于其获得控制前六个月所提出的最高价，购入其他股东的股票。这即是说，包玉刚应该在这次事件中，以105元的代价向其他所有股东买入九龙仓股份。

市场对包玉刚宣布只收购2000万九龙仓股份，且额满为止这种做法争论不休，认为这样做是否"公平对待全体股东"？是否违犯"收购合并守则"精神？在包玉刚反收购期间，香港证监处也就包玉刚的反收购行动开会讨论过，会议从早上十点一直开到晚上七点半，然后在八点向新闻界发表声明。

收购及合并委员会主席麦恩指出，包玉刚在增购2000万股九龙仓股份之后，已取得九龙仓股份的控制权，但包玉刚不符合收购合并守则的第三点"公平对待全体股东"的原则。委员会建议包玉刚应最低限度以每股105元向九龙仓股东提出局部收购，而且不应该运用多次增购股份所得到的投票权。

不过，民间一些舆论则认为收购合并委员会的这个举动欠公平，这是因为置地公司提出增购时，证监处并没有指出要置地注意此守则，包玉刚完成反收购之后却提出这一点，似乎有厚洋薄华的嫌疑。事实上，如果要包玉刚"遵守公平对待全体股东"的原则而全面收购的话，所牵涉的资金高达60亿港元，在当时来说，这一天文数字是不可能做到的。

包玉刚就证监处发表的声明，第二天与获多利公司要员进行会议商谈，而置地公司方面也举行了会议。当天下午四点三十分，获多利公司通知证监处，说包玉刚无意提出全面收购九龙仓股份的建议。于是有消息传出证监处收购及合并委员会主席麦恩立刻携同相关文件前往布政署。但包玉刚并不接纳这些建议，而有关方面也没有再采取进一步的行动。

议而不决，这件事也就不了了之了。原来，港英政府一直以来就有议而不决的历史习惯。

此外，还有人认为汇丰银行在这次收购事件中可能无意中触犯银行条例，因为当时银行法例规定向一家私有公司或银行董事独立贷出无抵押贷款，不能超过 25 万港币或不超过银行已缴足股本及储蓄额的 1%。但后来香港政府根据汇丰银行的材料澄清有关疑问，指包玉刚口头上曾承诺贷款是以包氏船队做抵押的，总算给包玉刚一个台阶下。九龙仓股权争夺战也在这些叫嚷声中落下了帷幕。

虽然船王包玉刚在九龙仓争夺战中最终胜出，但由于怡和方面的精密策划，如果不计后来开发海运码头的利益，包玉刚最终亏损 6.1 亿港元，赢了面子输了金钱。

1978 年 9 月 5 日，包玉刚公布他及其家族已买入了 20% 左右的九龙仓股份，同时九龙仓集团宣布，持有九龙仓股票的包玉刚爵士加入九龙仓董事局。综观整场收购战，包氏虽胜，代价犹大，九龙仓星期三复牌后股价初成 105 港元，其后节节滑落，以 74.5 港元收市，也就是说，包玉刚 105 港元买来的货品，账面上已经跌了一半有多。

换言之，包公胜了一场收购战，但账面价格即刻亏损 6.1 亿港元。再加上 22 亿港元贷款的利息，以 13% 年息计，一年利息支付 2.86 亿港元，故此该役包先生只能称为惨胜。就如同中世纪欧洲的角斗士，在击倒对方的同时，自己已是血流满面，奄奄一息。

九龙仓收购战，赢家只有一个。那就是仿如和风细雨中的羽扇纶巾的神奇小李。

在这宗交易中，李嘉诚不动声色赚取约六千万港元利润，全身而退，将九龙仓这个烫手山芋扔给了包玉刚。包玉刚喝的是血，喝到顶心顶肺而想呕，李嘉诚饮的是红酒，喝到心花怒放，暗香浮动。更为重要的是，李嘉诚为日后接手和黄埋下了伏笔。

事后，李嘉诚在回答记者提问时这样解释道："本人没有大手吸纳九龙仓，而长江实业的确有过大规模投资九龙仓之上的计划，是以曾经吸纳过九龙仓股份。本人安排买入九龙仓全部实收股份 35% 至 50%，做稳健性长期投资用途，但到了吸纳约二千万股之时，九龙仓股份的市价已经急升至长实拟出的最高价之上，令原定购买九龙仓股份的整个计划脱节。结果，放弃这个投资计划。"

其实，九龙仓是块肥肉，更是一个烫手的山芋。当有人向李嘉诚提出是否会以包玉刚爵士为竞争对手时，李嘉诚予以断然否定，并在多个场合说："我与包先生有真诚愉快的合作。"

李嘉诚从不刻意寻找竞争者，从未恶意收购，决不抱买古董的心态，非要不可。他只是沿着自己预定的轨道前进。途中或遇敌或遇友都是情有可原，顺其自然。不过，不论是敌是友，都不得不赞赏李嘉诚的为人。

朱元璋在打天下的时候，采纳了谋士朱升"高筑墙、广积粮、缓称王"的建议，最终夺得天下。李嘉诚所作所为只是高筑墙、广积粮而已，从来没有刻意去称王称霸，亦无心无意急于称王称霸。

李嘉诚退出九仓争夺战后，即将矛头指向另一个目标——青洲英坭。青洲英坭也是一家老牌的英资公司，主要业务是生产及销售水泥等建筑用的材料，在九龙红磡拥有大量土地。

李嘉诚依然使用同样的手法，在市场上不动声色地吸纳青洲英坭的股票。这一次，李嘉诚居然轻易就获得成功。所谓"凡用兵之法，全国为上，破国次之：全军为上，破军次之；全旅为上，破旅次之：全卒为上，破卒次之；全伍为上，破伍次之。是故百战百胜，非善之善者也，不战而屈人之兵，善之善者也"。李嘉诚在九龙仓攻防战中细腻地应对自如，进退有据，已经将自己置于不败之地。

李嘉诚在商战的风风雨雨中，驾轻就熟，恣意挥洒。

1978 年年底，李嘉诚通过长江实业购入青洲英坭 25% 股权，加入青洲英坭董事局。1979 年长实持有青洲英坭的股权增加到 36%，李嘉诚顺理成章出任青洲英坭董事局主席。其间，长实与青洲英坭达成协议，自 80 年代起，双方合作发展青洲英坭所拥有的红磡鹤园的庞大厂址。

李嘉诚这种收购持有大量廉价地皮的公司的策略，比直接购买地皮更加有利，可谓一举五得：其一，被收购公司即可提供合理的经常性利润；其二，被收购公司拥有的大量廉价地皮为集团的长远发展提供了基础；其三，若将被收购公司的物业地皮做资产重估或出售，即可获大量利润；其四，青洲英坭业务与长江事业业务有很强的互补性，有助降低长实房地产运作成本；其五，在收购九龙仓未果的情况下，成功收购青洲英坭有助确认长实的无可替代的不可动摇的江湖地位，成为李嘉诚日后资产运作的助推器。

李嘉诚的投资策略，反映了他过人的眼光与精明。

∾ 和记黄埔

踏入 1979 年，长实集团的实力更加雄厚，声势更加浩大，它先后与会德丰、广生行、港灯、利丰、香港地毡等拥有大量地皮的老牌公司合作，发展他们手上的物业，又与中资公司侨光置业合组地产公司，夺得沙田火车站上盖物业发展权，并在屯门踏石角兴建大型水泥厂。

同年，李嘉诚当选中国国务院属下部级公司——中国国际信托投资公司（简称中信集团）董事，同时当选为中信董事的还有霍英东和王宽诚，这两位华侨早就与中国政府建立密切的人际关系。

李嘉诚的当选，或多或少令外人感到意外，但是这毕竟反映出他在北京领导层心目中的社会政治地位正迅速冒升。其实这不过是李嘉诚江湖地位的一种客观反映。反过来讲，此时此刻，没有任何一个港人会怀疑李嘉诚超然的江湖地位。

北京领导层，决然不会随便做如斯重大之政治意义大过商业意义之委任。时机已经成熟，李嘉诚将他的目标转向作为英资四行之一的和记黄埔。

英国军事战略家利德尔·哈特(L.Hart)在《间接路线战略》中说：从战略上说，最漫长的迂回道路，往往是达到目的的最短路线。不知道，嗜书如命的李嘉诚，有否读过《间接路线战略》。

在现代企业竞争中，以义取利，坚持天人合一，价值平衡，及伦理经营与道德管理，才能使企业持续健康地发展与壮大。李嘉诚深知其中的奥妙，并且玩得得心应手。当然，有时，还需要一点儿异想天开。一种完全不同凡人的超凡入圣的大智若愚。

九龙仓收购战硝烟未散，两败俱伤的置地与包玉刚，一个伤痕累累，气喘吁吁，一个心有余悸，精疲力竭。还有一个，会当凌绝顶的李嘉诚，淡定自若，一览众山小。

此时此刻，汇丰手中的和黄，正在紧锣密鼓地物色合适的经营者。和记黄埔的历史，最早可追溯到 1860 年创办的和记洋行及 1863 年创办的黄埔船坞。

到 20 世纪 70 年代，和黄迅速崛起，其经济实力一度超过沉雄稳健的太古洋行，威胁到怡和洋行的地位。

和记洋行由英商沃克（Robert Walker）于 1860 年在香港创办，初期业务主要是经营布匹、杂货及食品的转口贸易。1873 年由英商夏志逊（John. D.Hutchison）接管。和记洋行在 20 世纪初进入中国大陆，曾先后在上海、广州等通商口岸设立分行。

1863 年 7 月 1 日，怡和洋行、铁行轮船公司、德忌利士洋行等几家船东创办了香港黄埔船坞公司，由铁行公司驻港监事托马斯·苏石兰出任主席。1865 年黄埔船坞收购了石排湾船厂和贺普船坞。

1880 年，黄埔船坞合并了大角咀的四海船坞公司，一跃成为香港修船和造船业的巨擘。

1900 年，黄埔船坞的规模已达到雇工 4510 人，其设施不但能建造各式船舶，而且为来港商船及远东海面的船只提供各种维修养护服务。

二战之后，几经改组的和记洋行落入祈德尊家族之手。祈德尊是个贪大求全、好大喜功的商界大鳄。他接手和记后大肆扩张，一味地吞并企业，如此管理，和记焉能过上好日子。未及，效益大幅度下滑，和记背上沉重的债务负担。和记在捉襟见肘中惨淡经营，艰难运作。

好在祈德尊运气不算太差，当时正值全球股市节节上扬，香港股市也是一片湛蓝的天空，牛气冲天，不见一片阴霾，祈德尊大量从事股票投机生意，屡有斩获，倒也能勉为其难，弥补财困。

和记鼎盛时期所控子公司高达 360 家，其中有 84 家在海外。祈德尊甚至连旗下许多公司经营什么业务都不知道。公司经营状况更是鞭长莫及，顾此失彼。1967 年，香港政局动荡，投资者纷纷抛售股票、物业，移居海外，但和记国际的收购步伐并未因此而停止。

1969 年，和记国际通过发行优先股集资 7200 万港元，收购了著名的黄埔船坞 30% 的股权。这是和记国际发展史上的一个重要里程碑，它奠定了日后和记黄埔携手发展的坚实基础。

和记国际收购黄埔船坞后，即重组该公司业务并推向多元化发展。同年，黄埔船坞在红磡兴建一座货柜码头，开始了向货柜运输业的扩充，之后又与华资地产公司合作成立都城地产有限公司，发展黄埔船坞内剩余土地。

1970 年，和记国际通过黄埔船坞，收购港岛的大型货仓集团均益有限公司，黄埔船坞和均益仓这两家公司在九龙和港岛均拥有大量廉价地皮，令和记国际成了香港最大的地主。也由此，引起了李嘉诚的高度关注与格外垂青。

1973 年 3 月，香港股市从恒生指数 1774 点的历史性高位回落，股市热潮开始冷却。当时，和记国际并未停止扩张步伐，仍然大量借贷用作投资活动，尤其是借入风险极大的瑞士法郎，埋下了日后身陷泥潭的导火线。

到 1974 年年底，和记国际股价已从 1973 年 3 月股市高峰期的每股 44 元跌至 1.18 元，整间公司市值已跌至 3.4 亿港元，仅相当于 1973 年全盛时期的 4.7%。1974 年至 1975 年财政年度，和记国际亏损 1.29 亿港元。

当时，和记国际已陷入严重的财政危机之中，市场有关公司倒闭的传言满天飞。1975 年 9 月，和记国际召开股东大会，董事局在逼不得已之下，要求股东供股 1.75 亿港元，以解除公司的财政危机，但被汇丰银行所代表的股东断然回绝。而和记国际的债权人则正循法律途径强力追债，要求和记国际清盘还债。

在无可选择的情况下，也就是说根本没有第二项选择的尴尬情况下，和记董事局被迫接受汇丰银行的友好建议，由汇丰银行注资一点五亿港元收购和记国际 33.65% 控股权，汇丰银行成为和记国际的控股大股东。结果，和记国际董事局重组，祁德尊黯然去职。

当时，汇丰银行亦曾承诺，一旦和记国际恢复盈利，汇丰银行将在适当时候出售和记国际，这就埋下了日后李嘉诚入主和记的伏笔。尽管如此，和记集团的财政基础并未稳固，当时公司仍有短期负债 7.6 亿港元、长期债务 5.7 亿港元，集团的组织架构仍未清晰。

1975 年 11 月，大股东汇丰银行出面，邀请被誉为"公司医生"的韦理（W.Wyllie）加入和记国际董事局，出任副主席兼行政总裁，订明一旦和记恢复盈利，韦理可享有和记国际 2.5% 的纯利。自此，和记国际进入韦理时代。

韦理上任甫始，向和黄全体高层人员提出了在预定期限内达到的各项目标，包括建立财务控制、解决未了结的诉讼、减缩经常性开支、全面减债计划，以及清除亏损的部门和公司等。

随后，韦理展开了一系列大刀阔斧的改革措施，首先是全力遏止附属公司的亏蚀，同时加强总公司与附属机构的沟通，进而加强对公司的管理；其次是强化集团的财政基础。为此，韦理决定将亏损及盈利较低的公司出售或关闭。经过一年多的改革，和记集团内部管理层的改组已大致完成，主要的亏蚀已全部制止，公司运作很快就有了起色。韦理认为，黄埔船坞的业务只有货柜码头、交通运输、地产、制造业和船舶修理业等，这些业务的发展余地有限。但黄埔船坞拥有极大数量的土地，可为公司带来巨额的现金收益。

不过，黄埔船坞在其他业务方面却缺乏专门人才，尤其在地产方面，可说全无经验。而和记的业务极其广泛，它所拥有的最大资产就是人才，这刚好弥补黄埔的不足，能协助黄埔将土地发展带来的资金加以适当连用。因此，韦理决定将和记国际与黄埔船坞合并，1977年12月21日，和记国际董事局批准了韦理的建议，1978年1月3日，和记黄埔有限公司正式成立并取代和记国际的上市地位。

这时，和黄集团共辖有上市公司八家，包括和记黄埔、和宝、屈臣氏、和记地产、都城地产、均益仓、安达臣大亚以及海港工程，其所经营的业务遍及进出口贸易、批发零售商业、商务、货柜运输、船坞、货仓和交通运输、地产、石矿业、建筑业，以及金融投资业务。

此外，和黄还持有170万平方英尺商场做收租之用，为集团提供稳定租金收入，确保公司必需的现金流量，以应付集团日常运作之基本开支。1976年，和记集团获得1.07亿港元的综合溢利，并恢复向股东派息。韦理也如约获得260万元的巨额花红。

∾ 掌管和黄

天时不如地利，地利不如人和。转眼间，从九龙仓收购战以来，已是两年多了。风雨欲来，表面平复的市场似乎该有大动作了。

1979年，李嘉诚秘密与汇丰银行接触，得到的明确答复是：只要李嘉诚开出的条件适合，长江实业的任何建议，都会直接为汇丰银行有意在适当时候有秩序地出售和记黄埔普通股提供最好的选择与机会。

汇丰大班沈弼更私下应允李嘉诚，汇丰将优先积极考虑李嘉诚的任何可行性建议。领到这一尚方宝剑，担心夜长梦多的李嘉诚，快马加鞭地推动吞并和黄的大计。吸取上次收购九龙仓消息外泄的教训，李嘉诚对这次的保密极为重视，在外界一无所知的情况下，与汇丰银行展开收购和黄股份的洽谈事宜，同时，继续采用收购九龙仓时的分散户头的手法，极其低调地收购和黄股份。

在汇丰与长江合作重建华人行的两年期间，沈弼就对李嘉诚留下了极为深刻的印象。沈弼是汇丰史上最出众出色的大班之一。作为银行家的沈弼，他在出让和黄一事上的考虑，就是以汇丰银行的切身利益为前提，而不在乎对方是白皮肤还是黄皮肤。总之一句话，不管白猫黑猫，能捉住老鼠就是好猫。

沈弼亦会对怀疑者讲："银行不是慈善团体，不是政治机构，也不是英人俱乐部，银行就是银行，银行的宗旨就是盈利。谁能为汇丰赚钱，谁就是汇丰的好朋友。"

落花有意，流水有心。

李嘉诚深知汇丰绝对不会长期控股和记黄埔，因为金融机构直接操作企业，于理不合，于法不通，于情不便，汇丰银行出售和记黄埔只是一个时间问题。

汇丰手头上持有的和黄股份，最终要找个好人家接手。谁不希望自己的女儿，嫁个好人家，日后过年过节，也会有油水进贡。得到汇丰银行垂青，就可主宰这当日资产值62亿元的商业帝国。

当人们还在朦朦胧胧地分析猜测之时，一场世纪交易已经悄悄画上完美的句号。

1978年，李嘉诚与包玉刚达成协定，他放弃对九龙仓控制权的争夺，从而改善了与汇丰银行的关系，赢得汇丰银行高层的信赖。特别是得到汇丰大班的赏识。

李嘉诚有条不紊地部署收购和黄的一系列行动。李嘉诚又以自己的精明能干、诚实从商的作风，以及日益壮大的长江实业如日中天的业绩，令汇丰银行董事局沈弼所欣赏，从而为急需将和黄这个烫手山芋甩出去的汇丰银行，创造了一个十分具有吸引力的出售和记黄埔股权的适当时机，也使得李嘉诚梦寐以求的强烈愿望得以顺利实现。

紧接着集中火力的李嘉诚，拿出"咬定青山不放松"的韧性与气概，秋风扫落叶，对英资和记黄埔穷追不舍，并继续在股市上吸纳和记黄埔的股票。

汇丰银行偏偏选中了李嘉诚。今天回过头来看汇丰，也不能不钦佩当时汇丰大班的眼光与头脑，正是他们的独到眼光，造就了李嘉诚，造就了一个商业王国的诞生，造就了一个现代版的经营神话，造就了一个空前绝后的商圣。

一个正直的香港人，在这一点上，都应该感谢这位洋大班。作为中国历史之一部分的香港历史，准确说，香港人的历史的真正开始，发端于李嘉诚收购和黄，由此，有了香港人自己参与并逐步主宰的历史，而不是延续过往的"华人与狗不准出入"的人格荡然无存的屈辱的殖民地历史。

李嘉诚频频与汇丰大班沈弼接触。他摸透汇丰的意图："不单是售股套利，而是指望放手后的和黄经营良好。"另一方面，只要包玉刚出马敲边鼓，拉兄弟一把，自然马到成功。

李嘉诚在九龙仓收购战中的义举，不能不打动包船王的心。包玉刚始终觉得欠李嘉诚一个人情。而身为汇丰董事的包玉刚亦对李嘉诚另眼相待，从中积极配合，游说汇丰董事局支持。

以此为契机，李嘉诚于1980年，"蛇吞大象"式地收购了汇丰手下的和记黄埔。

收购和黄，令李嘉诚摆脱本地华资地产商的局限，一跃而成具国际视野国际业务的多元战略投资者。这位猎人事后难掩兴奋之心情对人说："我捉到了一只大鹰！"反映入股英资财团的欢呼雀跃之情。

当时，极力支援李嘉诚的是汇丰银行大班沈弼。据悉，汇丰为出售所持和黄股权，会多番找寻买家，而沈弼很早就甚为欣赏李嘉诚，他与李嘉诚初次会晤后，沈弼立刻向银行高层写了一份备忘录，大意是说，李嘉诚此人非常精明，汇丰以后要多加留意。

既有这样渊源，汇丰出售和黄给长实一事，经过多次洽商之后，已到了水到渠成势在必行阶段。犹记得沈弼与李嘉诚就这宗交易拍板的会晤，是李嘉诚在当时长实总部华人行顶楼宴请沈弼，两人是在觥筹交错间达成协议的。

到了李嘉诚有意收购时，和黄基本上已走上正常发展轨道，双方的谈判极其保密，并在极短时间内达成协议。当年沈弼与李嘉诚在华人行会面后，1979年9月25日下午4时，沈弼主持了一次汇丰董事局会议，商讨把和黄股份售予李嘉诚。

历史往往机缘巧合。巧的是，在该次商讨出让和黄的汇丰董事局会议上，怡和及太古两大英资行的董事居然因故未到场，会议决定同意把股份售予李嘉诚。否则，上述两位英资大班决然不会轻易投票给李嘉诚，沈弼也很难轻易地拍板做成这笔交易。

该项交易事前也没有咨询和黄管理层的意见，只是在会议结束后，通知和黄行政总裁韦理。和黄完全是在自己不知情的情况下，被汇丰出卖了，确切说是被自己的同胞沈弼出卖了。

和黄管理层的尴尬不言而喻，韦理等人的愤怒可想而知。沈弼在英人英资眼中，成了典型的卖国贼。好在英国人不喜欢阶级斗争，否则，沈弼往后的日子也很难过。

收购条件也极为优厚，李嘉诚只需即时支付总售价六亿三千九百万元的20%，余数可延迟支付。后来证实，李嘉诚所支付的两成定金，是一天前沈弼亲自批准贷款予李嘉诚本人的，而且，六亿三千九百万元的售价十分便宜，每股仅 7.1 元。

当时的和黄行政总裁韦理便认为，和黄每股最低限度值 14.4 元，李嘉诚可说以大折让五成购得和黄，更得到汇丰的贷款支援。给予李嘉诚如此优厚的条件，除了九龙仓一役中欠其一个人情外，最主要是汇丰觉得，今后十年李嘉诚在香港的位置将举足轻重。

同时，也可借帮助华资李嘉诚赢得北京方面的好感，使得汇丰在香港回归后能够平稳过渡，经营运作不会受到政治影响。这对汇丰而言，又何尝不是一石三鸟。不过，汇丰与李嘉诚方面都极力否认有如此长远的政治考虑，强调纯粹为一宗商业交易。双方从未考虑其中所牵涉的长远的政治利益。

沈弼不是一个简单的银行家，而是一个独具慧眼的战略投资家。

香港新闻界整日轰动，各报纸杂志纷纷用醒目的大幅标题，形容李嘉诚这次"蛇吞大象"式的成功收购，有如在香港上空投放了一颗原子弹，其石破天惊的能量，不仅轰动整个香港而且令股市狂升。

1979 年 9 月 25 日，李嘉诚终于就收购和黄股份与汇丰银行达成协议，完成了这宗被《远东经济评论》指为"使李嘉诚直上云霄的一宗世纪交易"。

英资大行落入华人手中，这一日，对于香港的资本财团发展史来说，无疑是一个重要的里程碑。对香港社会历史发展来说，无疑是一个振奋人心载入史册的转折点。李嘉诚举行长实上市以来最振奋人心的记者招待会，一贯沉稳的李嘉诚，难掩兴奋激动的心情，以自豪的口气宣布："在不影响长江实业原有业务的基础上，本公司已经有了更大的突破——长江实业以每股7.1元的价格，购买了汇丰银行九千万普通股的老牌英资财团和记黄埔有限公司股权。"

李嘉诚宣布，长实所购股份，约占和黄全部已发行股份的22.4%，成为和黄最大的单一股东。

笔者仔细翻阅有关李嘉诚的历史资料及图片档案，发现只有1999年出售Orange时的记者招待会上的李嘉诚的意气风发的表情心情，才与这次成功收购和黄最为相似。正是这前后相隔二十年的一进一出，成就了李嘉诚商业帝国的强大基石，成就了李嘉诚商业帝国的丰功伟业，成就了商圣李嘉诚的万世盛誉。

记者招待会后的一天，和黄股票一时成为大热门。小市带动大市，当日恒指大幅飙升，成交额四亿多元，可见股民对李嘉诚的高度信任与对和黄前景的憧憬。李嘉诚在回答记者所提出的"为什么长江实业只购入丰汇银行所持有的普通股，而不再购入其优先股"的问题时，直截了当地说：

> 从资产的角度看，和黄的确是一家极具发展潜力的公司，其地产部分和本公司的业务完全一致。我们认为和黄的远景非常好，由于优先股只享有利息，而公司盈亏与其无关，又没有投票权，因此我们没有考虑。我们在做出这一决定时，首先要考虑的问题，就是要获取和黄集团名副其实的控股地位。

根据协议，长江实业仅须即时支付总售价6.39亿港元的20%，也就是说，李嘉诚仅仅需掏出约1.4亿元，就潇潇洒洒地达成了自己的世纪心愿，完成了对和黄的控股，完成了对资产达62亿元的和黄的控股。

这是亘古以来绝无仅有的传奇式的商业收购。简直太不可思议了。然而，这是千真万确的历史事实。是人人不能漠视却又不能不心动甚至忌妒的历史事实。汇丰对李嘉诚还法外开恩，优惠多多。

整项收购的余数，大约4.8亿元可延迟支付，为期最多两年，不过须在

1981 年 3 月 24 日之前支付不少于余数的一半。也就是说，李嘉诚最迟在收购生效之日算起的 18 个月内，最少须支付 2.4 亿元。

以和黄集团的规模与当年的收益，可以这样说，汇丰的这一优厚条件，等于告诉李嘉诚，你可以拿和黄的盈利来收购和黄集团。

相信这个世界上绝对不会再有这样便宜的买卖了。换言之，李嘉诚以极优惠的条件收购了和黄。难怪和黄前大班韦理，以一种无可奈何又颇不服气的语气对记者说："李嘉诚此举等于用和黄两千四百万美元做订金，而购得价值六十多亿元的和黄资产。"

但是他忽略一点，汇丰所考虑的重点不单纯是获利套现，而是寻求一个为和黄永远赚钱的掌舵人。在这一点上，我们不能不佩服汇丰高层的远见卓识。也由此，我们可以说，汇丰银行造就了李嘉诚。

深谙人情世故的商圣李嘉诚，从来都不刻意展示自己的超人智慧，而对助自己一臂之力的汇丰，反倒是一副感恩戴德："没有汇丰银行的支援，不可能成功收购和记黄埔。"

香港轰动了，业界纳闷了，李嘉诚凭什么能够鲸吞和黄？汇丰的解释简单到不能再简单的地步：李嘉诚就凭李嘉诚三个字。这是一句空洞无物的回答，汇丰丝毫没有嘲弄香港人的语气。因为，这是一句最实在的答案。

汇丰急于等着使这区区六亿元吗？绝对不是。莫非，汇丰想跟紧张压抑的香港人开个弥天玩笑？

美国《新闻周刊》在一篇新闻述评中说："上星期，亿万身家的地产发展商李嘉诚控制和记黄埔，这是华人出掌香港一间大贸易行的第一位，正如香港的投资者所说，他不会是唯一的一个。"

英国《泰晤士报》分析道："近一年来，以航运巨子包玉刚和地产巨子李嘉诚为代表的华人财团，在香港商界重大兼并改组中，连连得分，使得香港的英资公司感到紧张。

"众所周知，香港是英国的殖民地，然而，占香港人口绝大多数的仍是华人，掌握香港政权和经济命脉的英国人却是少数民族。'二战'以来，尤其是六七十年代，华人的经济势力增长很快。

"有强大的中国做靠山，这些华商新贵如虎添翼，他们才敢公然在商场与英商较量，以获取原属英商的更大的经济利益，这使得香港的英商分外不安。连世界闻名的怡和财团的大班大股东，都有一种踏进雷区的感觉。英商莫不感叹世道的变化。"

三十年河东，三十年河西。

英国人毕竟是英国人，统治香港百多年，终于知道了中国，知道了中国人，知道了中国文化，知道了中国历史。当然，这一切稍微来得晚了些，直到撒切尔夫人被邓小平的熊猫烟雾熏得晕头转向，在人民大会堂台阶上摔了一跤后，才真正明白过来。

就连一贯对华人啬啬刻薄的日本《朝日新闻》亦一改故辙，用惊叹赞美的语调酸溜溜地写道："异军突起的长江实业，出人意料地夺得资产庞大的和黄集团控股权，将意味着华人资本在香港兴风作浪的开始。李嘉诚的手掀开了香港历史的新一页。"

当时英文《南华早报》和《虎报》的外籍记者，盯住沈弼穷追不舍：为什么要选择李嘉诚接管和黄？沈弼答道："长江实业近年来成绩良佳，声誉又好，而和黄的业务脱离1975年的困境踏上轨道后，现在已有一定的成就。汇丰在此时出售和黄股份是顺理成章的。"

他又说："汇丰银行出售其在和黄的股份，将有利于和黄股东长远的利益。坚信长江实业将为和黄未来发展做出极其宝贵的贡献。"

怡和大班纽璧坚看得更清楚，说得更明白："整个形势都变了，英国准备抛弃香港，华商在70年代起就越做越强大。这就像当年美国扶植日本，突然一天发现，原来抱在怀里的婴儿，是一只老虎。人们总是揪着九龙仓不放，而不睁眼看看对方是婴儿还是老虎。如果一个人的胳膊被老虎咬着，不管这只手是在颤抖，还是在挣扎，都会被咬断或咬伤。聪明的人，是不必再计较已经失掉的手，而是考虑如何保全另一只手。"

全球都在关注着弹丸之地香港发生的这一里程碑式的社会剧变。同年《远东经济评论》首次把李嘉诚称为香港的超人，并以卡通人物为封面。自此，李超人便成为李嘉诚的代称。自此，李嘉诚便成为香港的象征。超人的名头家喻户晓。

一位深明大义的银行家也指出：汇丰预料今后十年内李嘉诚是全港最重要的人物，胜利者当然是首选。

历史就是历史，没有假设的可能，也没有假设的结局。李嘉诚继续在市场吸纳和黄股份。

到1980年11月，长江实业及李嘉诚个人共拥的和黄股权增加到四成，控股权已十分牢固，其间，未遇到和黄大班韦理组织的反收购。

当时的一篇评论文章评论道："老牌的大班并没有忽略李氏的论点，和黄主席纽璧坚承认，在香港整个局面都变化了，在过去几年，商界迅速地扩展，其中大部分是由华人企业家进行的。北京开放其一度紧闭的边界后，整个过程加速地进行。船王包玉刚说现在与中国内地做生意，华商占有优势。"

"1980年头八个月，香港与大陆的贸易增长超过50%，达50亿美元左右。在中国市场竞争方面，华商经常击败英国竞争者。与此同时，一些华人企业家包括李氏和包氏，对在香港商界取得更高的地位愈来愈不甘寂寞。"

问题更深层的内在原因，或许就在这里。

李嘉诚从汇丰购得和黄股份后不久，即于同年1979年10月15日出任和黄董事局执行董事。经过一年的收购，1980年年底，长江实业持有和黄的股权已增加到41.7%。

和黄原董事局，已经再也不好意思，再也没有理由婉拒李嘉诚入局，主持大局。1981年1月1日，李嘉诚顺理成章，也是众望所归地出任和黄董事局主席，成为"入主英资洋行第一人"（韦理则于1982年辞去董事局副主席兼行政总裁之职）。

这是香港经济史上一个划时代的变化，其深远的历史意义，直到90年代初才逐渐显露。

李嘉诚入主和黄后，深知要控制这间庞大的公司并非易事，尤其是该公司涉及的货柜码头、船坞、制药以及零售业务，对李嘉诚而言仍为生疏。因此，他极力安抚和黄的外籍高层管理人员，在韦理辞职之后，即委任其副手李察信出任行政总裁，业务董事夏伯殷及政务董事韦彼得亦继续获得重用，组成和黄新管理层的三驾马车；同时，他又委派长实的李业广、麦理思出任和黄董事，参与执行董事会议，并负责筹划地产业务的发展。

　　在新管理层的主持下，和黄先后将属下的上市公司，包括和记地产、均益仓、屈臣氏、和宝、安达臣大亚等私有化，又将亏损累累的海港工程售予罗康瑞的瑞安集团，令和黄的业绩大幅改善。

　　和黄综合纯利从 1980 年的 4.11 亿港元急增到 1983 年的 11.67 亿港元，和黄的市值也从 1980 年年初的 38.7 亿港元大幅增加到 1984 年年底的 98.5 亿港元，成为仅次于汇丰银行、恒生银行的第三大上市公司。

　　不过在此期间，李嘉诚与以李察信为首的和黄外籍管理层的矛盾也日趋尖锐。李察信早于 1972 年便加入和记，经历了韦理时代及长实的入主，职位日益提高，但他与韦理一样，并不甘于只成为一个决策的执行者，更不甘成为华人管理下的打工者，而希望作为一个决策者，希望李嘉诚像汇丰一样，只承担大股东的职责，完全不过问和黄日常经营管理事务。同时，作为洋人一贯居高临下的殖民心态，他们对李嘉诚的经营管理能力也自始至终表示毫不掩饰的怀疑。

　　鉴于长实取得和黄控制权，在贸易、零售等方面仍须依赖原有人才，李察信等人便利用这段青黄不接的绝好时机，积极扩张本身的权势，同时千方百计排挤华籍高层，避免这些华籍要员与李嘉诚结成统一阵线，成为长实接管和黄的基础。

　　1983 年，和黄多名华籍高级职员被迫离职，部分华籍职员遂与长实及李嘉诚接触，要求李嘉诚干预并直接插手拨乱反正。当时，李嘉诚仍稳坐泰山，按兵不动，坚持不直接干预和黄行政，只对华籍行政人员进行安抚，但是此事件已种下长实与和黄管理层决裂的伏线。

　　1984 年 4 月，李嘉诚决定和黄派发巨额现金红利，主要目标是削弱和黄管理层的权力，并进一步增加长实在和黄的股权，同时也借此赢得众多小股东的支持与拥戴。这一釜底抽薪的决断自然引起和黄管理层的不满，后者操纵并利用外资基金的不满，指责李嘉诚杀鸡取卵，无长远之发展战略眼光，迫使李嘉诚接受以股代息的建议。

　　和黄在未来发展路向上的尖锐矛盾，直接影响到和黄的发展，基金借势持续抛售和黄套现，终于造成和黄在李嘉诚收购后的首次营运危机，这使双方裂痕已经无法弥补，此时李嘉诚也已完成接管的战略部署。

　　在李嘉诚八段锦式的刚柔并济，强势运作下，无可奈何，以李察信为首的三巨头只好全都辞职走人，李嘉诚正式全面接管和黄。

百年和黄由此进入焕然一新的李嘉诚时代。

生意场上的成功者大多信奉一个道理："一个人的成功，百分之十靠能力，百分之五凭运气，而百分之八十五则是取决于人际关系和处世技巧。"

李嘉诚的成功就实实在在印证了这句话。李嘉诚成长、创业的年代，环境有着巨大的机会，也有着巨大的风险。每一次动荡都给人们的生活带来了压力，给无数的小业主带来了变幻莫测的灾难，千千万万的小商人在时代的轮盘赌上转眼破产，输得一无所有。

李嘉诚让人叹服、着迷、羡慕之处，也正在于他有如神助，一再避过风险，而把握了千载难逢的绝好机会。

其父李云经先生是一位敬业的教育家，是中国传统教育那种传道与授业解惑育人集于一身的教育家。李嘉诚在童年因此受到很好的传统的学校教育和家庭教育，他的聪明眼光也很早显露出来。

少年的欢乐、人性的懒散和人生的惯性，在他身上几乎找不到什么蛛丝马迹。他的精力几乎完全用在赚钱上了，用在与人与钱打交道上了，用在挣取他和家人活命的资本上了。

以诚待人，这位老成持重的少年对外部环境的老实姿态，延续成为他的独特的做人方式，李嘉诚因此在商场上获得了无可替代的信誉。

他能够将塑胶杂志上的资讯转化为他工厂的主要产品，转化为他口袋中的钞票；能够将杂志刊物上的机器图片转化为赚大钱的工具；能够及时发现香港产业发展的动向；把握香港地产市道的起伏，能够出神入化地应用股市来进行他的企业扩张；能精确地计算出一个上市公司的合理股价及其波动，甚至能够准确地把握未来股市的走向；甚至紧随全球经济波动确定他在其他地区不同领域的投资，并且能够不失时机地把这些心头之好毫不留情地卖出去。这一切，只有商圣李嘉诚能够做得到。

到八九十年代，李嘉诚的发展已超越商人一词的简单含义，已超越香港这个弹丸之地，从一个街上到处推销的赚取三餐的少年进入了当代世界精英人物之行列。李嘉诚撰写演绎了另一种现代版的神话，真金白银时代的神话。人们不用强迫即服从，不用劝说即跟从，不用诱导即随从，不呼唤即盲从，不用解说即信从，不用神化即屈从。

这是一个生活在人世间却在凡人之上的超人。

马克思曾称赞希腊文明中的近乎残酷的地狱般的训练与选择，以为那是正常的儿童教育，其创造的文化有一种高贵的品质，健康的心态，拼搏的精神，永不言输的风格，是后世不可企及的典范。

李嘉诚幸运而成功地成为一种普世的不可企及的典范。

"假如我不是很久以前存着这个意念和没有透彻研究港灯整间公司，试问又怎能在两次会议内达成一项总值达到二十九亿港元的现金交易呢？"

第八章

收购港灯

▲ 宁养中心一位病人代表陈振源先生（中）向李嘉诚
先生赠送书法。

▲ 李嘉诚多年来积极参与各种公益事业。

　　20世纪90年代，和黄前董事行政总裁马世民在谈起港灯的收购时，仍对李嘉诚称道不已推崇有加。他说："李嘉诚综合了中式和欧美经商两方面的优点。先全面分析了收购目标，然后握一次手就落实了交易，这是东方式的经商，干脆利落。"

　　在这场港灯收购战中，李嘉诚所表现出来的一派王者气势，一览无余。商圣的一举一动，都在中国商战史上，乃至世界商战史上刻下了深深的不可磨灭的历史烙印。李嘉诚收购和黄后，集团的扩张步伐并未就此终止，他开始将目标指向拥有多块市区地皮的香港电灯公司。

　　香港电灯也是一家老牌英资上市公司，创办于1889年，到20世纪70年代已发展成一家多元化的大型企业集团，业务包括发电、地产、工程服务以及电器贸易等，已跻身香港十大市值上市公司之列。

　　早在1980年11月，李嘉诚已与香港电灯建立合作关系。当时，长实与港灯合组国际城市集团有限公司，合作将港灯的地皮发展为住宅物业，包括北角的城市花园、荃湾的丽城花园等。

　　港灯收购事件，从某种意义上讲是李嘉诚与英资大亨西门·凯瑟克的个人角力。李嘉诚是新崛起的华资大亨的领军人物，直至今时今日，仍是雄视环球商场的弄潮高手。西门·凯瑟克出身贵族，绝对不是不学无术的纨绔子弟，怡和财团主席纽璧坚黯然下台后，年轻的西门便走马上任，全力以赴收拾残局。

西门曾就读著名的伊顿公学、剑桥大学，对发展家族企业怡和集团，野心勃勃，驾驭多元化的商业帝国可谓甚有心得，亦是得心应手，处处表现出个人超卓的魄力与霸气。他上任后实行"弃车保帅"、"削枝强干"、"变掌为拳"的战略策略，决定出售大量边缘业务，以及置地在港的非核心业务，以强化怡和实力。

港灯便是在这种情况下，被视为鸡肋，成为被弃之卒，以低价卖给李嘉诚的。

港灯收购战中，其实并没有太多的火药味，买卖双方也是各取所需，最多只是此消彼长一加一减。反而，通过港灯出售过程，可以看到，英资财团在香港不可避免的无可奈何的进一步式微没落。而这种衰落则与中国英国之国力影响力及香港社会之历史变迁紧紧联系在一起。

在这一过程中，更可以看出商圣李嘉诚行云流水，踏雪无痕的超人轻功。

叱咤商场多年的英资集团，纵使如财雄势大的凯瑟克家族，时移势易，也在香港前途问题上飘摇之际，日益显得日薄西山，气数渐去。

面对咄咄逼人的华资，怡和系亦是有心杀"贼"，无力回天。凯瑟克家族的路在何方？是留还是走？是扩还是守？无人能够决断香港前景更美好。西门心中早已拿定主意，并且决然付诸行动。

商场自然没有永远的赢家，亦没有永远的纯粹商业概念，尤其是愈近九七，华资大鳄蜂拥而至，乘势而起，咄咄逼人，兴风作浪，本地华人大亨又稳守地利。

角逐商场，翻滚都市，永远离不开汰弱留强的残酷无情的政治现实。物竞天择，适者生存。赫胥黎的天演法则恒世长在。或许，富向险中求。财富总离不开风险。风险时时与财富为伴。

李嘉诚更愿意纵横风险。李嘉诚更愿意领教风险。当然，李嘉诚更有能力驾驭风险。

人生在不同的阶段中，要经常反思自问：我有什么心愿？我有宏伟的梦想，但我懂不懂得什么是节制的热情？我有拼战命运的决心，但我有没有面对恐惧的勇气？我有资讯、有机会，但我有没有实用智慧的心思？

我自信能力、天赋过人，但有没有面对顺流逆流时懂得恰如其分处理的心力？你的答案可能因时、因事、因处境，审时度势而有所不同，但思索是上天恩赐人类捍卫命运的盾牌。很多人总是把不当的自我管理与交厄运混为一谈，这是很消极无奈，在某一程度上是不负责任的人生态度。

∾ 西门·凯瑟克

香港，自由经济运作的自由世界，资本运作的深层垄断与传统文化的专断偏执及时下通行的自由商业规则形成了一幅时而波涛汹涌，时而风平浪静的多元交汇。

李嘉诚就是最好最出色最精到的诠释者与演绎者。越来越多的人注意到，表面上香港政府力量无所不包无所不至无所不为，而且政治思维日益渗透到社会的方方面面。特别是回归后的香港，中国式的政治思维模式日渐渗透到香港社会的各个角落里。香港的商业环境在发生着潜移默化的历史性转变，这就是商业的天平已经在不由自主地慢慢向政治天平倾斜。

人们都知道香港是中国的香港，是中国人的香港。在实施"一国两制"情况下，香港社会最核心的内容并没有发生变化，至少没有发生质的变化。尽管，李嘉诚等人不愿见到商业原则被政治观念所扭曲。但是，李嘉诚没有漠视这一转变，并且在相当程度上，不失时机地驾驭着这一转变。

李嘉诚自然也感觉到了，他把投资转向了海外。但他更经常表现的是，深陷其中而不能自拔，借力更甚而为所欲为，扬长避短而有所为而有所不为。他当然不会忘记，从一个时代一种文明中改头换面，脱胎换骨，也必须有效地引导其新的健康的因素，并扬弃许多非健康的至少是不合时宜的因素。否则，必将为其反噬，成为人人不能理解理喻理睬的异教徒，甚至邪教徒。

置地公司创办于1898年，创办人是著名英商保罗·遮打和怡和洋行的执行董事詹姆士·庄士顿·凯瑟克。置地的创办，标志着香港的地产业进入一个新的发展时期。

当时遮打和凯瑟克都意识到，香港迟早将发展成为世界上最重要的商埠之一，香港的房地产业必将蓬勃发展，经营地产业将大有可为。因此，两人携手合作，于 1898 年 3 月 2 日注册成立香港置地有限公司,注册资本 500 万港元,共 5 万股,每股 100 港元,其中一半通过发行股份筹集,另一半则须征集。

同年 3 月 18 日,置地召开第一次董事局会议(当时董事局是清一色洋人),由凯瑟克担任主席,自此,怡和洋行大班兼任置地大班成为不成文的历史惯例。

董事局会议决定,为了应付日益膨胀、野心勃勃的华资地产商的势力及其挑战,置地将化敌为友,创造和谐社会,扩大股本,邀请华资富商加入。于是,当年的华资巨富李升和潘邦成了这家英资公司的两位华人董事。由此看来,置地高层还是具有相当灵活的政治头脑的。

由于资本雄厚,置地创办后即在香港岛中环区广购物业,根据 1895 年至 1896 年的物业登记,当时置地拥有的物业主要集中在皇后大道中、德辅道中,其他则包括云咸街、奥庇利街、庇利街、伊利近街及史丹顿街这些中环、上环旺地。

由香港开埠之始,一直垄断香港经济的英资集团,在 80 年代大受华资财团的打击。原来由英资控制的九龙仓公司、和记黄埔集团、会德丰集团和香港电灯公司,先后落入华资之手。

英资老牌大行怡和虽算能幸免于难,但论风头,影响力也渐被以李嘉诚为首的长江实业集团盖过了。怡和系和李嘉诚实力的此消彼长,港灯易手可说是一个重要的分水岭。香港人不时感叹,时也势也。有道是,来也匆匆,去也匆匆。历史的瞬间,弹指一挥间。

1982 年,置地以每股六元三角至七角之间收购 35% 以内的港灯控股,动用了近 28 亿元的资金,当时市场流传佳宁集团及李嘉诚的长江实业都有意染指。

1982 年中开始出现的香港信心危机,对刚做出不同项目巨额投资的怡置系财团,可说是一场不料曾想到的梦魇。

在 1981 至 1982 年间,怡置系势力大肆膨胀,用银弹攻势购入电话公司、电灯公司两个稳赚的公用股,甚至豪气干云,以四十七亿五千多万的天价,投得中环地王,即现今的交易广场所在的地皮。

一连串的收购行动,怡置系现金资源消耗净尽,债台高筑,负债高达 150 亿元。本来,以怡置系的庞大资产与市场信誉,大举负债根本就不存在问题,只要地产市道尚佳,经济前景争气,资本雄厚,坐拥中区地王,在港英政府大树庇阴下的怡置系不愁没钱赚。可惜,战战兢兢的撒切尔夫人,在北京天安门广场前向人民英雄纪念碑意外磕头式摔了一跤,摔掉了港人的信心,亦彻底摔破了香港英资拳拳自信与丝丝幻想。

中英前途谈判中的炮声隆隆，向来只崇尚重商主义的香港人听不惯之余，更加忐忑不安，开始大举移民，连大量资金亦一并卷走。动荡飘摇的香港每况愈下，楼市插水，汇率狂跌，人心尽悲，出路何在？加上席卷欧美，以致日本的一场新的经济衰退，使工商业的前途满布迷雾，房地产由奇货可居变成有价无市，怡置系的如意算盘不但打不响，大量资金被冻结，更令公司的拓展业务变成巧妇难为无米之炊。

更糟糕的是，情况似乎越来越悲观，挨过了1982年，1983年地产市道未见好转，反而全面崩溃，怡置系手中的庞大资产，居然大幅度贬值，几乎到了资不抵债的边缘。

向银行贷款购入大量地皮的置地便成楼市"大闸蟹"，1983年地产全面崩塌，置地坠入空前债务危机。当年，置地出现历史性的13亿港元亏损。作为怡和旗舰的置地把母公司怡和拖下泥淖，怡和在同期财政年度盈利额暴跌80%。

1982年4月，怡和通过置地向港灯发动"破晓突击"行动，收购港灯34.9%的股权，成为该公司大股东。此举旨在通过控制公用股以增加集团现金流，缓解集团面临的困境。

1983年，李嘉诚洞悉置地在地产投资遭遇陷境，遂狮子口大开，向怡和、置地游说，购入他们手中的港灯、牛奶公司、惠康超级市场等股份，但双方条件始终谈不拢。

知己知彼，李嘉诚并不急于进行，静待有利时机的出现。

"善出奇者，无穷如天地，不竭如江河。"[1] 李嘉诚仿佛一个武林绝顶高手，冷酷的双眼，在等待中寻找着对手的命门，随时准备抛出"小李飞刀"。果不其然，置地在香港及海外的急速扩张，将其现金储备消耗殆尽，显得外强中干。

1982年9月，英国首相撒切尔夫人挟马尔维纳斯群岛一役大胜之余威与气势访问北京，提出了以主权换治权的馊主意，遭到邓小平的一口拒绝。稍后，强人邓小平即强硬宣布，不论中英谈判进展如何，中国政府将在1997年如期收回香港主权。

这一系列消息传至香港，早已疲惫不堪的股市、楼市应声下跌。随着地产市道的崩溃，当时香港数个"超级地产大好友"相继出现问题：

---

① 出自《孙子兵法》。

10 月 27 日，置地的主要合作伙伴佳宁集团宣布出现短期资金周转问题，稍后更被银行清盘；

11 月 2 日，另一地产大好友益大投资亦宣布债务重组，只余下置地心惊胆战地孤军作战，气喘吁吁，焦头烂额，其困境可想而知。

早知现在，何必当初。据估计，在地产低潮中，置地仅中区交易广场、美丽华酒店旧翼等三大投资项目，损失就超过 30 亿港元。

怡和大股东凯瑟克家族向大班纽璧坚兴师问罪，令在怡和置地大班宝座上坐了八年之久的纽璧坚黯然下台。1983 年 9 月 20 日晚，危城困守，犹如蟹民的怡和财团主席纽璧坚心有不甘地黯然下台，在董事局宣布辞去这家公司主席职务。1984 年 1 月 1 日，纽璧坚又辞去董事职务，依依不舍地离开他服务 30 年之久的怡和洋行。

接替纽璧坚的是怡和凯瑟克家族的西门·凯瑟克。西门·凯瑟克决定策划一项自救及偿还借款的大计，就是壮士断臂，卖了女儿救儿子，拆了帽子补裤裆，出售大量海外业务，以及在港的非核心业务。

罗马城墙倒了，但罗马城并未塌。西门·凯瑟克尚未正式上台，港版英文《亚洲华尔街日报》就以"对怡和新大班来说，战役才开始"为标题，报道怡和高层变动及未来走向。

作为怡和最大的潜在对手李嘉诚，始终密切关注怡和的一切变动。哪怕是一项不经意的人事变动。李嘉诚动用各种网络全方位收集凯瑟克的各种资料，包括凯瑟克在伦敦买醉的种种绯闻，为的只是彻底了解这位对手的行事风格。

李嘉诚反复研读有关怡和及凯瑟克家族的报道，甚至试图从怡和内部了解其动向。从蛛丝马迹中探寻置地下一步的发展动向。此时的李嘉诚，就像一头非洲雄师，静悄悄地匍匐在草丛中，耐心等待猎物露出疲态的那一刻的出现。

棋逢对手，将遇良才。李嘉诚遇到的这位年轻人，显然是个善者不来，来者不善的高手。李嘉诚知道，对这乳臭未干的黄毛小子绝不能等闲视之。

李嘉诚曾经向怡和表示过欲购港灯的意向。现在，在怡和焦头烂额坐困围城之际，李嘉诚不欲乘人之危，夺人所爱，未再主动做出任何表示。他有足够的耐心等待事情的发展。当然，他也有足够的信心，相信凯瑟克会主动找上门来。

好一个姜太公钓鱼，悠哉游哉。李嘉诚就像一个绝对相信自己枪法的猎人一样，藏而不露，静待时机，不徐不疾，关键时刻，扣动手中的扳机。不能打草惊蛇，只能一箭中的。

子曰："不知命，无以为君子也。不知礼，无以立也。不知言，无以知人也。"

怡和大班纽璧坚曾说过："如果你在河里游泳，不管是一条鳄鱼还是五条鳄鱼追着你，结果都是一样的。"

精明的西门·凯瑟克，焉能不知有条大鳄正盯紧港灯不放。他深深知道李嘉诚就是紧紧追怡和置地不放的一条可恶讨厌、令人生畏的鳄鱼。当然，西门·凯瑟克也正如鲸鱼的胡须一样，容易弯曲，更能予以绝地反击。

西门·凯瑟克接下怡和置地的管理大权，同时又接下了前任留下的累累债务。面对困局，西门绝对不是一个一筹莫展的人。

1984 年，西门·凯瑟克出台"自救及偿还贷款"一揽子计划，即出售海外部分资产以及在港的非核心业务。这是置地为求自保而采取的迫不得已的悲壮的壮士断臂之举。尽管西门·凯瑟克一千个一万个不愿意。所以，无论如何，都不能把西门看作一个败家子。如果还有哪怕是更下下策的招数，西门都不会考虑这一步。

使不得，但，又能奈何，前有追兵银行，后有股东吵闹，中有华资虎视眈眈。150 亿元的沉重债务压得怡和顾此失彼，狼狈不堪。为港灯找买家，西门·凯瑟克第一个想到的便是"初恋情人"李嘉诚。他知道在置地购入港灯不久，李嘉诚已经觊觎这只肥肥白白的羔羊，将肥羔羊卖给李嘉诚，他憧憬能卖得好价钱，起码，不会太惨。就算认输，也输得有面子。他知道，李嘉诚不会把价压得很低。

对白手兴家的推销员李嘉诚，西门此时要收起敌对情绪，硬着头皮，全力做一个最好的推销员。

∽ 幸运与智慧，孰轻孰重？

李嘉诚对这个有所求的年轻人自然不会放过，对这个千载难逢的绝好时机自然不会轻易放过。更不敢轻视自己面前的这个高高瘦瘦目光炯炯的年轻人。他也早摸透了西门的"底"，知道他虽是英国贵族出身，作为凯瑟克家族后人，虽然喜好风花雪月，但是全身充满了商业细胞，在生意场上熏染已久，绝对不是外行，既曾就读于著名的伊顿公学、剑桥大学，也有力全心发展家族企业怡和集团，并对怡和集团之运作非常清楚。

知己知彼，西门心里虽希望港灯能卖个高价，但也明白置地已到"弃车保帅"之苦境，肉在砧板上，只能任由买家鱼肉宰割。

怡和及置地主席西门·凯瑟克会主动与和黄接触，但要价在每股 6.5 至 6.6 港元，比当时市价约高出 12%。李嘉诚看到事态一如预料，正向他所期待的方面发展，遂还价以低于市值 13% 收购。当时置地手上的港灯股份平均成本连同利息计算为每股 6.6 港元，如以李嘉诚的还价，账面损失将超过 4 亿港元，因此有关谈判再度搁置。

及至 1985 年年初，置地的财政危机日深，怡和的幕后舵手、前主席亨利·凯瑟克遂亲自从伦敦飞抵香港，会晤怡和高层，决定毫不犹豫抛售港灯。统揽怡和地产业务的置地自然是核心业务，置地的旗舰地位无论如何要保住，而置地又是欠债大户。置地不保，怡和势危。

汇丰银行在商言商，逼债穷追不舍，没有丝毫的怜悯同胞之意。债台高筑的置地大班西门·凯瑟克不得不断其一指——出售港灯减债。西洋人做生意，通常都很现实，很少会顾及面子问题。置地不能不再次面对来者不"善"的李嘉诚。没有选择的余地，只好硬着头皮主动打交道。

然而令西门·凯瑟克深感不解的是，这一年来，李嘉诚好像失去了对港灯的任何兴趣，从未有过任何倾心的表示。对港灯不闻不问，视如陌路，似乎毫无雅兴。难道他真的不想要这盏明亮的灯？难道落花有意，流水无心？难道李嘉诚改变初衷？移情别恋，对港灯不感兴趣？抑或，老谋深算的李嘉诚别有所图？难道李嘉诚胃口大到要将整个置地吞落肚皮？莫不是小李欲擒故纵？凯瑟克着急了，黄皮肤黑头发的李嘉诚葫芦里究竟卖的是什么药？打的什么小九九？

李嘉诚欲擒故纵，使急不可耐的西门·凯瑟克如坠云里雾中，百思不得其解。李嘉诚犹如姜太公钓鱼，稳坐钓鱼台。

西门·凯瑟克终于按捺不住性子，沉不住气了。毕竟，他还是太年轻了些。按照老祖宗的话来说，太嫩了点儿。当然，最主要的还是身不由己。或者说，势不由人。

中国人有句俗话，姜还是老的辣。李嘉诚是个不折不扣的老姜。

1985 年 1 月 21 日傍晚七时，西门·凯瑟克主动派员前往李嘉诚办公室，商议转让港灯股权问题。非我求蒙童，乃蒙童求于我。这一次是置地自己主动求上门来，送货上门，正中李嘉诚下怀。一切都在李嘉诚的神机妙算之中。

真诚以待，凯瑟克开门见山，直奔主题，出售港灯。虚晃一枪，李嘉诚避实就虚，欲拒还迎，质疑港灯。彼此之间，心照不宣。知彼知己，不言而喻。

由于港灯市价已上升，李嘉诚提出较市价低百分之十三的条件，且该次交易包括港灯的末期息。这一切，绝不是李嘉诚一手导演的空城计。胜负早已经揭晓。

港灯——这个英人长期把持的、握有专利权的厚利企业，终于被李嘉诚不动声色收入囊中，易帜换主。

大约 16 小时之后，李嘉诚决定拿出 29 亿港元现金收购置地持有的 34.6% 的港灯股权。

礼尚往来，来而不往非礼也。第二天上午，李嘉诚在和黄行政总裁马世民陪同下，前往康乐大厦四十八楼怡和主席办公室，与怡和方面就收购港灯股份签订协议。结果李嘉诚通过和黄以 29 亿港元价格收购置地名下 34.6% 香港电灯股权，每股作价为 6.4 港元，仅是港灯市价的八成半。

在这么短的时间里匆匆忙忙拍板此项大生意，足见李嘉诚早已成竹在胸，胜券在握。港灯摇身一变，由英资股过户为李嘉诚的囊中之物。

此一时也，彼一时也。

想不到不足三年，李嘉诚便以和黄买起港灯，每股作价仅六元四角，比当日港灯的牌价七元四角五分大幅折让一成三，置地可谓"连息都蚀"。对于一个盈利前景稳定可观的企业，通常其收购都是溢价完成，李嘉诚居然能反其道而得之，折价收购，而且还是送货上门。李嘉诚的韬略与功力由此可见一斑。

相信当时置地想起自己买入港灯的价格较市场价高出三成，三年时间却要贬值四成出售，也会感叹自己"时运不济"。

事实上，港灯在 80 年代已经两度易手，1982 年年初香港仍未出现九七信心危机，怡和对香港的信心爆棚，故虽然当时股市和地产不景气，怡和仍大举投资香港。

1982 年 4 月，怡和便通过置地购入港灯的控制性股权，满以为可以独霸香港"武林"。

人算不如天算。岂料买入港灯仅短短三年，怡和便要被逼变卖产业，李嘉诚于是轻易尝得甜头。

鸿硕先生曾专门探讨过李嘉诚的"幸运"，其书颇值得把玩。他在《巨富与世家》一书中提到："1979 年 10 月 29 日的《时代周刊》说李氏是天之骄子，这含有说李氏有今天的成就多蒙幸运之神眷顾的意思。英国人也有句话：'一盎司的幸运胜过一磅的智慧。'从李氏的体验，究竟幸运（或机会）与智慧（及眼光）对一个人的成就孰轻孰重呢？"

鸿硕先生接着发表宏论："由此可见，李先生认为勤奋是成功的基础仍是自谦之词，幸运也只是一般人的错觉。从李氏成功的过程看，他有眼光判别机会，然后持之以恒，而他看到机会就是一般人认为的幸运。"

收购港灯，李嘉诚开出的是一张总值 29 亿元的支票。和黄当年以 29 亿港元现金收购港灯，当年被形容为"香港有史以来最大的交易"。后来，李嘉诚也承认，过往从未试过一次签发一张如此大面额的现金支票。交易达成，收购过程无"战"发生，烟消雾散，买卖双方都各得其所。

置地忍痛割爱，可以借此套现，纾缓债台高筑的苦况。和黄顺手牵羊，亦乐得执平货，而且在前途危机出现时做巨额投资。既稳定了香港人心，又赢得了北京信任。更为和黄集团增添了一个赢利前景广阔的业务。一石三鸟，何乐不为。

李嘉诚以行动投下香港信心一票，也令中、英、港政府刮目相看。有分析家指出李嘉诚购入港灯，亦是一项向北京示好的政治决定，因为在如此风雨飘摇之际以如此大手笔为香港未来投下信心一票，今后大可以大陆为媒，建立长远的战略关系。

李嘉诚对这个揣测极为不满，他不单郑重否认，且多次强调不会影响港灯的公司政策和决定，而港灯的任何商业决定亦绝不会以任何政治考虑为前提。

多少年后，有人怀疑能够一次拿出这么巨额的现金收购港灯的李嘉诚，可能会得到北京资助，甚至由此怀疑李嘉诚是共产党员。李嘉诚听罢也只是哈哈大笑。试问，又有谁相信这一本身已足够荒诞的质疑呢？

"超人"就是"超人"。李嘉诚不愧是李嘉诚。

当年，置地以比市价高 31% 以上的价格抢入港灯，现在李嘉诚掌舵的和黄以低于市价 13% 的价格拣了置地的便宜，而且还是被人主动送上门。事实上，目前港灯每年的收益已经大大超过了当年李嘉诚所支付的收购价。

这正应验了李嘉诚所说，自己去找生意，比较难，让生意找上门，就比较容易做。以当时的市值计算，李嘉诚为和黄省下 4.5 亿港元。也就是说，李嘉诚三年内，以静制动，不发一兵一卒，吃掉 4.5 亿港元的差价。和黄已完全控制港灯。

∽ 港灯易主

同年（1985 年）3 月，包玉刚收购了大型英资洋行会德丰。此时，四大英资洋行中的两家——和记黄埔、会德丰先后落入华资手中。怡和仍是最大英资洋行，但昔日风光不再，其属下的九龙仓和港灯分别被华资两大巨头控制。四大战役，彻底扭转英资在港的优势，这是香港历史上划时代的大事。李嘉诚、包玉刚声名鹊起，引起全球商界的瞩目。

置地是怡和的核心业务，虽然有不少华资财团，包括长实的李嘉诚垂涎，但万万卖不得，港灯呢？商圣李嘉诚爱你没商量。

李嘉诚曾经说过，收购公司不是买古董，他并无非买不可的心理。"我心匪石，不可转也。我心匪席，不可卷也。威仪棣棣，不可选也。"他也坦承襄王早已有意。

> 假如我不是很久以前存着这个意念和没有透彻研究港灯整间公司，试问又怎能在两次会议内达成一项总值达到二十九亿港元的现金交易呢？

这就是李嘉诚收购成功后，向新闻界透露的心声。

两次会议，不见硝烟的战争，不见交锋的抗衡，不见面红耳赤的争论，也不见充满敌意的沉默。甚或，不见商战中的钩心斗角，尔虞我诈。历时仅短短 16 小时，便成就了中英会谈完结后第一宗划时代的大规模的收购。

马世民每每提起港灯收购，对李嘉诚都是发自内心的赞叹："一共花了 16

小时，其中，8 小时是花在研究建议方面。"

《孙子兵法》云："故善战者，求之于势，不责于人，故能择人而任势。故善战人之势，如转圆石于千仞之山者，势也。"收购港灯一蹴而就的关键，在于李嘉诚恰如其分地把握了"势"。

这次收购行动，有关的股票并没有全日停牌，而是在中午十二时左右，买家和记黄埔，卖家置地和港灯自动要求四家交易所停止买卖。由于当时四家交易所各自为政，收到停牌的申请后，各自暂停交易的时间并不是完全一样，故有部分投资者非常不满，认为当局的决定不公平。也有一项消息指出，其中一个交易所的负责人接到消息后，先即时吩咐经纪在市场中扫货，待扫货完成后才中止有关交易。

港灯的收购行动并无对三只股票带来任何利好消息，或许是因为流传收购的消息太久，和黄、置地和港灯在复牌后俱告下跌。况且，和黄以低价买入港灯，反给市场造成错觉，当然难寄望市场有良好反应。当然，最主要的还是，香港当时的悲惨的市场气氛。

怡和西门"痛失爱子"卖子救母，等于送出一个大便宜，为进一步改善经济状况，他再将电话公司卖给英国大东电报局，至此他才算勉强化解了资金周转的困局。

将数项非核心业务卖掉后，西门奋发图强，重组怡置系，采取一系列的脱钩行动。首先置地以配售形式减低持怡和股量，然后再将部分股权转售给怡和证券，为解除怡置互控关系做准备。

1986 年年尾，怡和宣布"动大手术"，重组怡和置地，成立怡策，与怡和证券合并。困扰了怡置系数年的收购危机渐行渐弱渐行渐远。

整项 29 亿元的交易，和黄只需向银行借款 15 亿元，李嘉诚表示若市场环境平稳，和黄可在两年内偿还清欠债。

准备港灯收购行动一个多月后，李嘉诚接受一英文财经杂志访问，他强调港灯集团是"真正理想的投资对象"。首先港灯收入稳定，增长也正常。此外，港灯未来很可能成为国内另一间电力公司的顾问和计划经理，甚至有机会与中国其他电力公司合资经营。

李嘉诚收购港灯，其实"醉翁之意不在酒"，他在意的是港灯的地盘。李嘉诚收购港灯后，想方设法将电厂迁往南丫岛。李嘉诚运筹帷幄，获得了两处可用于发展大型屋村的地盘。

1988年1月，全系长实、和黄、港灯、嘉宏四公司，向联合船坞公司购入茶果岭油库后，即宣布兴建两座大型屋村，并以八亿港元收购太古在该项计划中所占的权益。这样，李嘉诚又获得了发展两大屋村的地皮。两大屋村最后盈利100亿港元。

虽然交易涉及29亿，李嘉诚却付钱付得很"爽手"，由于和黄由23日提前至1日还款，以解置地燃眉之急，置地于是答应支付这提前22天的利息，而2月1日至2月23日间的不足一个月利息，已达1200万元，和黄也只收三分之一计400万，其余800万都退还给置地。李嘉诚此举等于变相蚀了800万元，可是他的确觉得港灯很"便宜"，区区800万元蝇头小利，已是微不足道，在所不计，不足挂齿。

当年置地购入港灯，向小股东交代这是一项长线投资，岂料不足三年港灯便待价而沽售部分股份。同样在李嘉诚手上的港灯，易手后约半年便被配售。李嘉诚在1985年8月将港灯一成股权配售，集资11亿，仍紧控股港灯24%股权。

事隔半年，港灯的配售价为8.2元，比李嘉诚的购入价6.4元，激升近三成，这次配售行动令和黄额外得到2.4亿。当然，这次配售，多多少少引起港灯股民的不满。好在，港灯在李嘉诚手中，为股民带来了更大的收益，这点插曲也就不了了之。

市场揣测和黄亦用来减少银行债务。不过也有人怀疑他在短短6个月便将港灯股权让售三分之一，似乎他和收购时所做长线投资的承诺相违。今时今日人们才后知后觉，李嘉诚其实是趁当时的地产低潮期开始集资。

1986年10月，港灯发行新股一亿多，每股作价10元，集资10.3亿，收购长实拥有的希尔顿酒店。同时将新股配售给海外基金，变相高价出售。

此类资本运作一直如火如荼进行，至1987年3月，李嘉诚更决定重组港灯集团。

港灯趁股市大好时机扩展公司业务，大受股民欢迎。李嘉诚将港灯一分为二：一为港灯，主营电力业务；二为嘉宏，主营地产、酒店、石油等业务；重组后的港灯，原来集团的电力业务仍归港灯持有，其余非电力的业务，则交由一间新成立的上市公司嘉宏国际持有。

　　嘉宏国际于 1987 年 6 月独立上市，市价高达 100 亿港元。港灯分拆后，投资者便可自由选择不同业务投资的机会，例如若股东不愿承担较大风险，便可出售以地产发展、股份投资、石油和天然气等为主的嘉宏股票。

～ 嘉宏国际的私有化

　　有人怀疑港灯分拆，是受到港府的压力，例如分拆前港灯宣布与和黄合资 27 亿投资加拿大赫斯基石油公司，但此举曾引致立法局议员许贤发的质疑，认为港灯作为享受政府专利专营的公用事业，事关全港民生，不应参与海外有巨大风险的投资计划，以免因一旦投产失败而打击港灯专利发电业务。

　　李嘉诚对这些传闻一概加以否认，他只强调重组建议是由港灯主动提出，基于港灯业务的运作发展，并且已经完全取得港府支持。此时此刻，面对此景，让人不禁想起唐代诗人崔护的诗："去年今日此门中，人面桃花相映红；人面不知何处去，桃花依旧笑春风。"无论如何，此时的李嘉诚，轻舟已过万重山。

　　李嘉诚多年来的叱咤风云，自始至终能够兼容并蓄，中西并举。

　　美国亨利·福特二世对于职工问题十分重视，他曾经在大会上发表了有关此项内容的讲演："我们应当像过去重视机械要素取得成功那样，重视人性要素，这样才能解决战后的工业问题。而且，劳工契约要像两家公司签订商业合同那样，进行有效率、有良好作风的协商。"

　　"生产率的提高，不在于什么秘密，而纯粹是在于人们的忠诚，他们经过成效卓著的训练而产生的献身精神，他们个人对公司成就的认同感，用最简单的话说，就在于职工及其领导人之间的那种充满人情味的关系。"

　　李嘉诚对此体察犹深。

　　谁都知道人力资源在全球竞赛中很重要，为了创造更丰盛的生活和更大的成就，大家都沉溺在竞争中。在一片追求财富、成功的声浪中，我们要活得出色快乐，毅力和心力同样不可或缺。如果你认为毅力是每分每秒的"艰苦忍耐"式的奋斗，我觉得这是很不足的心理状态，毅力是一种心态，毅力不是一种生活。

　　真正有毅力的人清楚自己人生的目标，且愿意承担责任，有颗坚强、非凡的决心又充满着希望的心。知道什么是原则、事实与正义，有极大的勇气和谨慎。

　　心力是理性和理智心灵的发展，通过终生思索和追求学问的人一定不会掉进时间的迷宫，在营营役役中黯然失去生命的光彩。

　　善于学习的人能领会和掌握未来，好学的人懂得把观察、经验和知识转化为智慧并使用得当，不仅能把梦想持之以恒，更懂得如何事半功倍。

　　中国人民大学葛荣晋教授认为，现代儒商应当是德、智、体三位一体的商人。中华商道的精髓就是"人学"，以人为本的学问，也叫作"修己治人之道"。

　　弘扬传统文化，重塑中华商道，需要当代企业家能够把有为而治、无为而治，把共治一炉，把刚性管理、柔性管理糅合其中，做到无为与有为的相结合，刚性与柔性管理相协调，功利和道德管理相统一。

　　1987 年 3 月 2 日，李嘉诚分拆港灯非核心业务。李嘉诚将这些业务包装并上市，这就是嘉宏国际集团公司。嘉宏从李嘉诚手中购得港灯 23.5% 的股份，直接成为港灯的控股公司。马世民出掌嘉宏国际集团主席。

　　根据重组协议，嘉宏未来的总发行股本为 24.61 亿，嘉宏将以每 10 股港灯股份换取 28 股嘉宏股份的方式向和黄购入其持有港灯的 23.5% 股权。而和黄在完成这次分拆后共持有嘉宏 13 亿股，相当于嘉宏 53.8% 的股权，另外的 46.2% 的嘉宏股权则由原来港灯股东持有。分拆后，和黄将不再直接控股港灯，而只是通过嘉宏控制性股权持有港灯同等股份，嘉宏则变成港灯集团之最大股东。换言之，港灯虽然为香港公用事业类公司，但其控股公司为后来私有化的嘉宏国际。

　　根据李嘉诚及长和方面的解释，这样做的目的，一方面给予投资者选择不同业务投资的机会，譬如，港灯股东如不愿投资地产风险的，便可以选择出售嘉宏，保留或转向港灯投资。另一方面分拆后各自独立经营，架构更为科学，管理更为精确有效，运作更为畅顺，发展更为灵活。

　　李嘉诚强调，整个重组计划是由港灯主动提出，并且已知会港府，且已经获得港府支持。"分拆以后，港灯的业务盈利将收到利润管制计划保障，而拥有非电力业务的嘉宏国际在将来之盈利潜力得以无尽发挥,可收一举两得之效。"

至此,李嘉诚名下已有四大上市公司,包括长实、和黄、嘉宏和港灯。

1987年9月,李嘉诚首次四剑合璧,集资103亿元,为未来发展大计做部署,集资计划后来一举成功,大东电报局的5%股权又成李嘉诚囊中物。而李嘉诚亦顺利开展卫星电视等投资项目。再后来,嘉宏国际的私有化,又引起轩然大波。

1991年2月4日,和黄宣布私有化嘉宏国际,和黄建议以每股4.1元的价格全面收购嘉宏小股东手中的股份,这项收购共涉资118亿元,由于和黄持有65.28%的嘉宏国际股份,实际动用资金41亿元便可成事。

市场议论纷纷,质疑李嘉诚私有化嘉宏的真正动机。证券分析人士认为,嘉宏资产估值在6元左右,李嘉诚私有化建议仅4.1元,大幅折让两成半,显然对小股民不公。李嘉诚只好出面解释,嘉宏国际受业务局限,盈利能力在看得见的将来,都是十分有限的,最主要的是,嘉宏与和黄、长实业务重叠,不利集团内资源的合理配置。李嘉诚并轻描淡写地说,如果有人肯出5元收购,他本人及和黄愿意悉数让出持有的65.28%的嘉宏国际股份。

事实上,当时的香港,无人能挑战李嘉诚,无人敢与其争锋。嘉宏国际主席马世民更态度强硬地表示,集团绝对无意提高收购价格。马世民的傲慢不羁与固执霸道,引致小股东口诛笔伐,直接导致了收购私有嘉宏的流产。看来,这位自称香港通的洋人也有水土不服的时候。

分析人士认为:"流产的原因,是收购价偏低,收购方对嘉宏的评估与实际业绩的差异。和黄出价太低,远不及1987年上市供股价4.3元水平。李嘉诚素来关心小股东的利益,而和黄的收购建议对小股东照顾不够,有失李嘉诚一贯的作风。"

据传,在收购过程中,一个英国基金乘机吸纳嘉宏国际,刺激小股东的利好之心,看好嘉宏前景的小股东焉能忍痛割爱?

事过一年后的1992年5月27日,和黄再提私有化嘉宏国际。只不过,这次嘉宏国际在市场的艳阳天中,股价已有不小升幅。和黄遂建议5.5元收购,较当日停牌价溢价36.62%。小股民欢天喜地。

7月10日,嘉宏私有化方案在股东大会上顺利通过。和黄实际动用资金50.84亿元。这次收购获得成功,关键是李嘉诚吸取上次教训,最大限度地考虑小股东的利益。而且，一年来，嘉宏国际股价大幅上涨两成，就算是再贪心的小股东，也该心满意足了。

《孙子兵法》强调，在战争中要判明敌情，从而制定取胜的计划，这样就能一举击垮敌人，获得重大的战果。《地形篇》指出："料敌制胜，计险厄远近，上将之道也。"

收购港灯，李嘉诚手法高明干净，决策干脆利落，行动雷厉风行，结果皆大欢喜，发展出乎意外，风格举重若轻。自此，华资财团势力已压倒英资，九龙仓、会德丰、和记黄埔等英资老牌大行先后落入华资之手，20世纪90年代又有中资财团进军香港，英资财团或迁离香港，或已成强弩之末了。

谈论索罗斯、李嘉诚、比尔·盖茨这等巨无霸，如果完全套用西方的价值观念与商业理念，确实难以认识或理解。那种理想主义的、人道主义的，甚至平均主义式地温情地善待社会的大鳄的浪漫说道，实在是过于理想化人性化而难以令人信服，也不符合商业伦理和资本扩张内在的市场游戏规则，更不符合香港资本运作的残酷无情的现实。唯有潜入资本的内核深处，窥探资本运作的机理机制，甚至需要把握资本运作的潜规则，才能晓得其中的无穷奥妙，才能体验其中的无穷乐趣。

也正是在这里，李嘉诚的存在对世人的传统智慧传统思维传统习俗提出了强有力的挑战与质疑。那就是他们不仅有效制造出了当代社会乃至规范普罗大众的生活框架与思维方式，并且反过来在一定程度引导并规约了大鳄们的生活内容与思维定式。

尚名、尚金钱、尚成功、尚简单的拥有感。

超人、超时空、超历史、超社会的成就感。

在资本和技术的无情冷酷的法乎其中，势乎其外的强力运作下，时而风平浪静，时而波涛汹涌，时而屏声息气，时而喧嚣张扬，不仅全世界的目光为之吸引，而且千千万万个体生命的情感和行为也为之规定，为之拘束并随之起舞，并按指定的方向推进演化。现实若此，莫之奈何。

∿ 逼减电费事件

潮起潮落的香港也因此举世公认为"文化沙漠"。生活和事业的目的一旦为简单的拥有感僭越迷惑，甚至为简单的谋生求生所左右支配，用文明中最深厚的道理来解释，就不仅有违人情，而且直干天和。遵从传统，难道仅仅意味着萧规曹随，抑或东施效颦？

在长和系中，港灯因为其公用享有专利特质而属于比较保守的公司，很少有大的投资动作。但是，2003 年 10 月，港灯却宣布以 7 亿港元入股泰国电厂专案，跻身为该项目的最大股东，从而成为长和系逆市投资的最新案例。

港灯发言人强调，这次投资的回报率高达 15% 至 16%，而且未来若有合适项目，该公司不排除会继续投资泰国。有证券分析员指出，以港灯年盈利 30 亿元，在目前资金缺乏出路的情况下，港灯选择投资回报率较高的海外专案是顺理成章的明智之举。

2002 年 11 月 13 日，继数码港、港珠澳大桥之后，李嘉诚家族又面对香港多家大房地产商联手相拼的尴尬场面。

此次李嘉诚面对的是香港七大房地产商要求李嘉诚旗下的港灯集团减电费，同时被针对的还有嘉道理家族的中华电力公司。

对此港府在立法会上表明立场，希望各方都能够依据市场运作的现实决定经营。由新鸿基地产、太古、九龙仓、恒隆、置地、希慎及鹰君七家大房地产商组成的"电费关注组"，频频与李嘉诚旗下公司要员掀起骂战。

面对来势汹汹的压力，身兼和黄董事总经理及港灯副主席的霍建宁更轻描淡写地指出，这班房地产商们的要求"很可笑"。

如果说经营困难，如果说他们的出发点不是考虑自己公司的盈利，而是为旗下租户着想，那么，为什么没见他们减租呢？如果说环境恶劣，为什么没见他们自己开源节流？如果说电费太贵，为什么没见他们计算考虑电价成本上扬？每年缴交 10 亿港元电费的七大房地产商，要求港府介入电费问题，促请港府制定公平而透明的电费机制，以及批评利润管制计划过时，须在 2008 年期满时予以修订。

和黄董事总经理霍建宁却反指，关注组只要求别人减电费，自己却不向旗下商场租户减租，他们才是真正牟取暴利。

长实执行董事赵国雄表示，电费是每家企业的基本营运开支，要改善盈利就应改善本身运作效率，降低运作成本，而并非对其他公司"打主意"，更不应该将营运成本试图转嫁到其他人身上。若此，莫非港灯也应该威胁原料供应商，逼其减价？甚至逼使员工减薪，或者，干脆逼使港府提高核定管治利润？

霍建宁强调，港灯电价的核定是根据营运成本精确计算出来的，显然是公开透明的，而且是在与港府协议范围内的价格，集团目前看不出有进一步下调电价的空间。

霍建宁更意有所指地说，如果因为市场变化，而要求经营者减价，那么，所有地产商是否应该向买楼的小业主减价退款呢？长和不希望看到这样的结果。香港是个法制社会，一切都应该协议进行。要尊重法制，就必须维护协议的法律精神与地位。

此次事件反映香港经济的严重不景气，不但导致民生困境，甚至大集团之间也出现利益冲突。

由于七大房地产商旗下的商场空置率急升，不能像过去般将高昂电费转嫁至承租之小商户，为免继续"挨贵电"，因此不惜联手对付，以图把经营成本强行分摊到其他人的头上。

2002年11月中，港灯连续两天于香港各大报章先后刊登半版及全版图表，推出一"箩"资料，力陈电车、巴士、小轮、的士、地铁、租金、燃油及电话通信服务等公用股，由1983年至今的加幅，个个都比电费增幅大。资料以外，港灯还在字里行间"暗寸"对手之一、新地旗下的九巴车费加幅，远超于电费。而他所指的电车和小轮，明显针对七大财团中的九龙仓，因电车及天星小轮由九龙仓所拥有。

港灯反击第二招是骂战。港灯副主席霍建宁首先发炮，他指责那些叫阵的地产商才是赚取暴利，港灯并没有这样做。

李嘉诚也不失时机地亲自披甲上阵，他出席旗下和黄的运动日时表示，"大家要守规矩，遵守合约精神，凡事要讲道理。"强调港灯完全依照与港府定明的合约行事。李嘉诚亲自开腔解释，表现出他非常重视这次遭七大财团合力围攻。

围攻事件始于2003年5月。当时，宿敌英资太古首先派人到各大学和投资分析机构找军师，欲多拿资料，借助媒体压力，向港灯开刀。

彼时，有人出谋划策要拖中电落水，针对一个行业而不是针对一家公司，由对人巧妙变成对事，表面上看来似乎会更公正，这样才易获得公众认同。而且，要拣在年底高调出招，因这时正值每年政府跟两电商讨来年电费事宜，社会普遍对电费特别关注，天赐良机，鼓动舆论反对港灯，至少会压逼港府不会同意下年度大幅度加价。

七大地产商每年合共要把10亿元电费"进贡"李嘉诚的港灯，而港岛小市民也因贵电的缘故，进退维谷。港岛53万住宅用户亦因电费增加，而受"双重打击"。例如李嘉诚旗下的海怡半岛居民除负担电费过去两年两番加价，管理处开支亦因电费上调而大增182万，管理费加价迫在眉睫。

为了壮大声势，太古密晤各大地产商，甚至连地铁、马会、海洋公园，在港岛区没有物业的九铁，太古也不放过。虽然信和、南丰、华懋与合和最后没加入，但太古拉来九龙仓、置地、鹰君、希慎、新地和恒隆六个巨头，他们大多在港岛区有大量物业，每年电费合共10亿，单是太古便要付3亿，"肉紧"之余，当中更有不少财团与长实有千丝万缕的"新仇旧恨"，以便同仇敌忾，一致抗电。

太古本身与李家积怨不少，1999年港府未经公开招标就把数码港批给李泽楷的盈科拓展，太古公开带头指责有关决定私相授受，违反公平原则，当时太古也伙同数大发展商亲到政府总部"讨个说法"，事件更惊动了中央，最后并演化成倒董的主要理据之一。

至于被港灯反咬的新地，过去和李嘉诚冲突主要集中在楼盘销售上，双方在价钱上互不相让，而且还互相踩场。长实属下在1999年曾随意指新地的豪宅礼顿山望坟景，令新地甚感不快，指对方恶意诋毁。而过去地产商多次结盟信口指责政府偏帮李嘉诚，新地都是活跃分子，但今次明刀明枪在广告上互撼，还是头一次。

拥有电车、天星小轮和铜锣湾时代广场的九龙仓，其主席吴光正素来与李嘉诚多积怨，由早期的抢购九龙仓开始，到90年代初、有线收费电视及和黄卫星电视之争，1993年两大财团争夺发展深圳盐田港，及至1999年长实计划发展北角邮轮码头，也是与九龙仓的海运码头正面交锋。一路来都是李嘉诚步步紧逼，吴光正招架之余步步退让，心中恶气如何能吞落肚。此外，吴光正原拟参选特首，李嘉诚则登高呼吁，卖力支援董建华，实在令吴光正不忿；吴光正政治野心大受打击，他和李嘉诚的怨忿显然已是干戈相见。

七大发展商联盟原本声势浩大，但鹰君突然指事件太政治化，中途退出联盟阵线；更明确指集团高层没有参与今次事件，摆明划清界限，自己给自己台阶下，此举令已结成统一战线的盟友大失所望。

显然在超人的声威余烈面前，许多叽叽喳喳的商家还是有所避忌，毕竟低头不见抬头见，始终还要打交道做生意，若不留情面，以后恐怕难堪的还是自己。况且与李嘉诚过往的生意往来，他们也确实获益匪浅。

原来鹰君罗家跟李嘉诚素有交情。鹰君集团副主席罗嘉瑞担任联交所创业板上市委员会主席时，破例批准 TOM 上市，后来市民认购 TOM 股票出现混乱，全城批评，罗发表言论替其护航。

港灯并非因蚀钱而收贵电费，反而，港灯利润 2001 年高达 65 亿元，比上年多 18%，回报率达 22%，而港灯的回报率不但较中电的高，也胜过欧、美、日等多用电地区。当然，如果计算李嘉诚旗下的公司之利润亦较其他公司为高，那么连这一数字游戏也可免了。只是港灯虽然是一家公用公司，但绝非一家公益公司，作为公司决策，首先必须确保在合约允许的盈利框架范围内，为股东谋取最大利益，并且在此前提条件下，谋求与公众利益的平衡，而不是为了可以寻求平衡而牺牲股东的利益。

同样被指垄断的李嘉诚旗下的港灯，向港岛区及离岛区居民收取的电费，比九龙及新界区住户电费贵一成；而工商用户电费更贵，港岛区商户比对岸的商户，每月平均要交多一至四成的电费。因此不少商户宁愿搬往九龙，省回大笔电费，费用之巨，相等于租金。更有人指拥有 50 万用户的港灯，近年利润在逆市中不断上升，2001 年盈利达 65 亿；而用户有二百多万的中电则赚 70 亿。其实对香港情况稍有了解的读者都知道，港岛商户与住户的含金量与九龙、新界相比明显为高，港岛区的一个大户年支出电费高达 3 亿，新九地区则根本不可能有这样的大户。且近年来香港工业已经日渐式微，用电之大户多为香港商业核心地段中环等地的商厦，很自然，港岛单位耗电量明显高过九龙新界。

至于港灯和中电两间电力公司联网，期待可解决垄断所带来的问题，届时中电可卖电给港岛区居民，港灯便不能控制价格，且两地电价势必划一。这虽然从技术上可行，但面对港灯与港府签订的专营协议，要到 2008 年才能到期的事实，如果两电提前合并，必然考虑从法律层面解决中止变更该和约带来的诉讼赔偿问题，若然港府因此须支付高额的违约金，相信这笔不菲的费用最终还是由纳税人承担，两害相较取其轻，港府多年来未能积极回应两电合并一事，相信棘手问题正在这里。

适逢彼时美、加东岸世纪大停电，一向低调的港灯集团董事总经理曹启森，对传媒解释："美加实施联网，只要一个供电网络出现故障，会迅即拖累其他地区。香港有大量商业活动，万一停电，经济损失极大！"

曹启森之言论，明显为联网泼了冷水。其实两电早在 1981 年，已开始技术性联网，主要靠海底的三条电缆，平时是不通电的，只有发生紧急事故，才会接上电源。

理工大学商业系副教授林本利说，二十年以来，两电联网并没太大进展，港灯现时最高用电量已达三千兆瓦，但联网可提供的电力，却只有六百多兆瓦，而且这只限紧急时使用，根本未能与时并进。

曾为港灯及中电工作的一名电力顾问解释，指香港加强联网，跟今次美加停电是两件事。他表示，美国采用的是"单边供电"的制式，简单来说，等于只用电芯，一处失灵之后，无后备电供应，联网内其他地方将如骨牌般倒下。香港两电采用的联网系统，与美国的不同，概念犹如"干湿两用电筒"，即使没有了湿电，干电会仍运作；只有两边同时失灵，才会出现停电。他表示，"香港的两间电力公司，在截断保护电力上，有多重保护，由屋企到一幢大厦，至电力公司，起码有六级保护。"

如果将来两电全面联网，即使南丫岛电厂发生大火，整个港岛区停电，全面联网后，中电可以即时截断与港灯突然停顿或不稳的电流，另一方面却从另一处立即提供足够电力予港岛区居民。而本港的公共交通，包括机场，医院，也有后备电供应，相信不会像纽约等城市在大停电时，全面停顿。

香港大学电子工程系教授吴复立表示，联网好处多："发电厂互相竞争，能令电费平抑。紧急情况下，两电又可互相帮助。"他表示香港只有港灯、中电两间发电厂，系统简单，整个联网崩溃的可能性并不大。他认为，现时港灯发电厂全设在南丫岛，如此集中，才是真正的"定时炸弹"。

南丫岛两组发电机相隔只有十几步之遥，假如其中一机组出现意外故障，邻近发电机组势难幸免。而中电则有三间电厂，分别位于踏石角、龙鼓滩和竹篙湾。其布局似乎更为科学。

李嘉诚在 1985 年收购港灯后，便向政府申请清拆投产只有十多年的鸭脷洲发电厂，将所有发电机组搬到南丫岛。随后港灯与和黄合作，将旧址改建为海怡半岛，结果劲赚 300 亿。

一名消息人士表示，"1986 年政府（由当时的经济司司长陈方安生审批）看紧港灯的申请，认为将所有发电厂集中在一个地区，不是很安全。但港灯大力游说政府，承诺将发电机组搬到南丫岛，会同原先在南丫岛的发电厂分开，分 A 厂同 B 厂，结果政府就批了。"

事实上，南丫岛本身地势狭小，根本就缺乏平面扩充之地，且在搬迁过程中，受环保、地质、气候、物流等多方面因素制约，港灯逼不得已只能就势取地，扩建电厂，并经专家多方面论证相邻电厂运行之安全可靠，在建设中亦做足安全防范措施，且二十多年的实际运行效率来看，亦一如当初设计之考虑，并无出现安全问题。

另外，港灯自 1979 年加入利润管制后，恰届内地改革开放，香港工厂纷纷北迁，决策层预料能够深港联网以解决珠江三角洲的缺电情况，于是，主要通过扩建厂房和加大发电量，以准备随时跨过深圳河。亦因此，港灯总资产激增至 17.9 亿元，较上一年多了 2.5 亿元。

例如，深圳天然气设备计划要 2006 年才落成，港灯却提前至 2004 年完成，无奈，电力属于国家垄断性很强的行业，其开放程度远未如预期快，所以，深圳的厂房自然而然丢空两年。而正是因为这两年的时间差政策误，就被某些别有用心的人指责为，港灯拟早点拿着这个 200 亿元的资产值，寻找特殊理由加价。

港灯多年来增产，多出来的备用电量，于过去 23 年平均高达正常用量的四成五。这些增发的电量显然是为了应对珠三角发展需求，只因形势差强人意，造成过剩。结果，政府在 1996 年勒令两电减低备用电量，但港灯备用电量保持在三成。而这一比率实质上与欧美发达国家的电力备用量比率相若，也是完全符合电力行业的规则的运作。

其实，多年来港灯的经营运作确曾招来团体一再诟病。

其一，港灯在连年巨额利润的情况下，未见降低电费，与民分享经济繁荣，而是连续多次加价，最多时加近一成。在没有突破利润管治协议的底线的前提下，这一指责是没有任何法理基础的，充其量只是劫富济贫的平均主义幻想。

其二，港灯以各种理由，拒绝与中电联网。港灯公开的解释是，港灯目前运作良好正常，亦从来未有发生突然停电的情况，公司不能确保联网后是否能够继续保持这一记录。联网与否，完全是市场层面的问题，而非指令式的行政操作，没有人能够担保联网后的电价不会出现技术性的垄断。就如同大多数市民所想象的那样，地铁九铁合并，原以为一定会减价，但事实上，地铁主席钱果丰在两铁合并前夕却反称会加价，不过，合并后的运作，还是象征性地减少了几毫。

其三，港灯坚持用尽专营政策所给予的最大利润率，造成香港一个城市，两种电价，目前港灯所收取的电价较九龙区的中华电力电价，平均高出15%左右，以至于2003年众多大商户联手，逼使港灯减价。在一个运行良好的自由经济体系内，出现这样的噪声本身就是不正常的，虽然不能说价格与服务完全成正比，但商品服务未必一定就是越便宜越好。

其四，环保团体多次批评香港两电漠视环保问题，尤其是港灯所处的南丫岛，紧邻市民生活区为害犹大，港灯虽然尽力解决环保问题，却以此为条件，在与港府商谈延续专营和约时，变相要求政府分担环保成本。环保问题是一个全球性的问题，南丫岛电厂的建成，亦是当时环保政策条件下科学论证的选择，不能以事后诸葛亮的姿态，去质疑当时客观条件下的决策。

另外，如果说南丫电厂存在污染，那么，哪里才是合适的厂址呢？无人能够代港府回答。不能因为铁路有噪声，就立刻让火车停驶吧。

看来，呼风唤雨的李嘉诚在强调平衡公司股东利益与社会公众利益方面，也是煞费苦心，左右两难。

∽ 不义而富且贵，于我如浮云

《说文》道，信者，诚也；诚者，信也。"诚信"二字大约可释为做人要诚实、诚恳、信用、信任。《中庸》言："诚者，天之道也；诚之者，人之道也。"其意为，诚信是上天的原则，追求诚信是做人的原则。

儒家把诚信视为"天地的法则"，是有其道理的。古往今来，很多事实告诉我们，一个人如果没有诚信，一切都无从说起，经商如果不讲诚信，就丧失了商人的信用和人格，事业也必定昙花一现。

一次，当李嘉诚决定并宣布出售香港电灯集团公司股份时，港灯即将宣布获得丰厚利润，和黄大班马世民建议李嘉诚暂缓出售，这样可以卖个更高的价钱，但李嘉诚坚持按原计划出售。李嘉诚说赚钱并不难，难的是保持良好的信誉。

诚信对李嘉诚为什么这么重要？只要我们回过头来看李嘉诚所走过的路，就可以找到其中奥妙了。

中国哲人孔子曰："人而无信，不知其可也！大车无輗。小车无軏。其何以行之哉。"意思是说，一个人如果不讲信用，不知他怎么立身处世！其好比大车没有套横木的輗儿，小车没有套横木的軏，那怎么可以行车呢？

先圣还强调，做人要"恭，宽，信，敏，惠"，"恭"就是对人要尊敬，有礼貌，要讲规矩、守纪律；"宽"就是对人要宽宏厚道，要大度，要以德报怨；"信"就是要以诚待人，忠诚老实，不讲空话；"敏"就是头脑要灵活，思路要敏捷，思考问题要周全；"惠"就是待人要友善，要多做好事，给人以实惠。可见，诚信之所以重要是因为，它是一个人达到"仁"这一做人最高境界的重要品质，它是作为李嘉诚立身处世的基本准则。

2005年10月，身兼长实副主席及港灯主席的麦理思宣布月底退休，并转任两家公司的非执行董事。港灯则委任霍建宁出任主席，代替麦理思的空缺。

麦理思是剑桥大学经济学系毕业生，任和记黄埔董事局副主席和长江实业集团董事局副主席，他成为李嘉诚的纵横捭阖的谈判高手，经常充当对外"大使"，南征北战，充当接洽收购的急先锋。

麦理思的任务之一就是负责在公司内部选拔德才兼备的职员，送到董事俱乐部去学习如何当董事，当他们取得公司董事文凭时，然后接受公司的选派，去集团投资的各项目子公司担任董事。李嘉诚早于三十年前便认识麦理思，即加以赏识。

长实同时宣布委任本公司执行董事叶德铨先生为副董事总经理，及甄达安先生为公司财务总监，生效日期均为2005年11月1日。

美国著名出版家哈伯德说过："诚实是建立信誉的最佳途径"，诚实是致富的"圣经"，这是十分深刻的。他认为在商业社会中，最大的危险就是不诚实和欺骗，那些用动人的广告来哄骗消费者，用投机取巧的方法来欺骗顾客，虽然暂时可以赚到一些钱，但商人的信用和人格丧失殆尽。

哈伯德得出结论：诚实信用的声誉是世界上最好的广告。与一个欺骗他人、没有信用的人相比，一个诚实信用的人其力量要大得多。做人和经商都应讲诚信。要让大家明白讲诚信的好处，不讲诚信的坏处。

《中庸》曰："自诚明，谓之性，自明诚，谓之教。诚则明矣，明则诚矣。"这就是说，由诚而自然明白道理，这叫天性；由明白道理后做到真诚，这叫做人为的教育。真诚也就会自然明白道理，明白道理后也就会做到真诚。

李嘉诚为世人提供了一面经世立身的镜子，并以自己的言行鞭策着这个世界。这或许就是超人得以封圣的内在原因。如果还想探究个中一二，不妨仔细品味商圣以下的肺腑之言。

问：长实能够取得今天的成绩，其根本原因是什么？

答：令事业成功的因素很多，例如有良好的管理经验，完善的组织和制度，出色可靠的管理层和长期忠诚服务的员工，与做重大决定前深入全面了解及详细研究等。

建立良好信誉亦是重要原因之一，与海内外的合作伙伴一向以来合作愉快。

问：你的人才观呢？如何挑选人才、留住人才、管理人才？

答：知人善任是必须的，对公司有建树，有归属感、忠诚努力的员工，应赏罚分明，使其有良好前途，并成为公司的核心分子，不分种族籍贯。要令属下员工喜欢你，对你心悦诚服。有好人才仍须有良好组织和制度制衡，以免不慎动摇公司基础。

问：如果可以回过头来，给几十年前的自己一句人生忠告，您会对自己说什么？

答：回头过来都是一句：不义而富且贵，于我如浮云。

问：有人说，为了成功可以不择手段，你是否认同？

答：绝不同意为了成功而不择手段，即使侥幸略有所得，亦必不能持久，如俗话说刻薄成家，理无久享。

问：你是一个乐观主义者吗？

答：我是乐观中保持谨慎，不会过分乐观。

问：商人最重要的素质是什么？

答：令别人对你信任。

问：有人说，你是世界上最俭朴的亿万富翁，你怎样来看待财富？将会为子女留下多少财富？

答：现在仍然用不少金钱与时间帮助有需要的人，如果懂得利用金钱多做有意义的事，则金钱可以发挥很大的作用，才会感受到金钱的价值，否则，若只会花费于锦衣美食，在物欲享受方面贪得无厌，最终只会成为金钱的奴隶。

留给子女最重要的财产，是值得继续经营和发扬下去的事业，至今无刻意安排。

生活简单，但很满足，乐见两子亦受熏陶，觉得这种生活很快乐。

问：如何看待名与利？

答：关于名，最好多看老庄的学说。一向不尚虚名，实至名归的荣誉，才最值得珍惜。关于利，当今世上很多事情非财不行，用正当方法得到金钱，做有意义的事，便是正确的价值观。

问：你一生经历风霜坎坷，面对坎坷、误解、阻力，你是如何调整自己、平衡心态的？面对不可逾越的障碍与麻烦，你一般持何种态度？

答：坎坷经历是有的，辛酸处亦罄竹难书，一直以来靠意志克服逆境。一般名利不会形成对内心的冲击，自有一套人生哲学对待。但树大招风，是每日面对之困扰，亦够烦恼，但明白不能避免，唯有学会处之泰然的方法。

问：拼搏这么多年，你感觉累不累？最欣慰的事情是什么？

答：经年累月辛苦，一般人当然有累的感觉，但能够令我维持热诚，思维清晰的原因，是我对名利得失有个人的看法，不会刻意钻营。在事业上我当然要令公司有足够的资金去扩张，维持竞争力。成功之后，利用多余的资金做我内心所想做的事，心安理得，方寸之间自有天地。

问：有人说性格决定命运，你是否同意这句话？你觉得自己性格的特点是什么？

答：不同意性格决定命运。20世纪50年代走做生意的途径，与我性格是相违的。我原想于数年内赚到金钱便会专心求学问，不再从事商业，后来因经济环境而改变主意。虽与我性格相违背，但事业也发展很好。当你感到一定要从事那样事业时，你必须令自己产生兴趣和专心投入，人要做自己喜欢的事，但更重要的是一定要做自己应做的事。

问：中国传统观念讲求修身治国平天下，如何处理好家庭与事业的关系？

答：家庭、事业之间的冲突是有的，因时间不足，极难兼收并蓄，良好安排是重要艺术之一。现在家中只有两个儿子，也热衷事业，故没有矛盾。

问：你怎样看待欺骗？如果有人欺骗你？你怎样对待？

答：一生碰到很多次，多事先发觉，在令对方不失尊严的情形下使其知难而退。但仍碰到有不少忘恩负义的事例，伤心痛心。

问：你如何看待爱情、亲情、感情？

答：互相爱恋，情投意合还不够，互相了解，互相体谅，和谐相处才是最重要。亲情是与生俱来，感情是要培养，但亦要讲缘分。

问：如果上帝允许你许个心愿，你许什么愿？

答：心愿是无烦恼。但要求似乎太高，亦不大实际。

"对我而言，管理人员对会计知识的把持和尊重，正现金流的控制，公司预算的掌握是最基本的元素。还有两点不要忘记，第一，管理人员特别要花心思在脆弱环节；第二，在任何组织内优柔寡断者和盲目冲动者均是一种传染病毒，前者的延误时机和后者的盲目冲动均可使企业在一夕间造成毁灭性的灾难。"

第九章

长江实业上市

▲ 李嘉诚高举他在主持汕大新医学院大楼启动仪式后获学生所赠的超人模型。这个超人公仔迄今仍摆放在李嘉诚的办公室桌上。

▲ 位处香港北角的城市花园，是李嘉诚地产王国的重要代表作，唯其开发发展给李嘉诚带来了许多意想不到的不快。

　　李嘉诚由塑胶花大王转做地产大王，乃是时势与危机造就。

　　1951 年至 1959 年间，由于政治等原因，众多大陆人潮水般涌向香港，香港人口由 200 万剧增至 300 万，也因此增加大量廉价劳工，但工厂兴建的速度赶不上需求，租金因而上升，开工厂的每每为找厂房而大伤脑筋。就算找到稍微称心的物业，业主也是甩手拧头，不肯减半点租金，而且还随时加租。

　　长江塑胶花厂辗转由西环搬到筲箕湾及新蒲岗，终于 1961 年，向政府投得北角英皇道 661 号地皮，自建十二层高的长江大厦，除自用外，把剩余的单位出租，这也是李嘉诚首次踏足地产业。

∞ "神奇小李"

　　到了 1970 年，长江单是每年的租金收入便有 400 万，利润较塑胶花还好，这也更加坚定了李嘉诚转战地产的信心，并奠定了李嘉诚由塑胶工业转进地产的必由之路。而令长江大展宏图的，是由于成功上市集资，令长江于 70 年代末时，已快速成长为一家颇具规模且声誉日隆，生机盎然野心勃勃的华资地产商。

　　长江终能上市还得拜李福兆打破股市垄断之赐。60 年代之前，香港公司上市，要通过香港会进行。这所向来为外籍人士所占据的"私人会所"，实行的是华人与狗不准入内的殖民歧视政策。逼于无奈，1969 年，以李福兆为首的华人经纪，组成"远东交易所"，为华资企业上市大开便捷之门。其后，金钱证券交易所、九龙证券交易所先后成立，构成香港早期证券交易的四强鼎立之势。

更重要的是，远东交易所放宽公司上市规限，允许交易时使用广东话，大大地提高了香港普罗市民参与股市投资的可能性，使得证券交易成为真正的融资工具，也成了平民百姓日常生活中的玩意儿。

1972 年 11 月 1 日，长江实业正式在远东交易所挂牌上市。

新股推出后，借重神奇小李的高知名度，市场反应空前热烈，超额认购 65.4 倍，要用抽签方法决定得主。在上市的首天，股价狂升到六元，暴涨了一倍还多。这次上市行动能够圆满顺利进行，李嘉诚实在花费了很大的精力及心血，而他的夫人庄月明女士，则一直从旁阅微知著，筹划运作与全力协助。

长实法定股本为 2 亿元，实收资本 8400 万元，分 4200 万股，每股面值 2 元，以每股 3 元价格公开发售 1050 万股新股，集资 3150 万元。当时，长实的规模和实力均明显不足，只有 35 万方英尺出租楼宇，多是旧式工业大厦，每年租金收入仅 390 万元；此外有七个地盘在兴建中，其中四个地盘为全资拥有。

长实上市时预期年度利润为 1250 万元，但由于期间地价、楼价大幅上扬，长实在上市后第一个年度获利 4370 万元，相当于预算利润的 3.5 倍。这个数目也不过是今日和黄董事总经理霍建宁一人正常年份的年薪而已。

长江实业自 1972 年 11 月 1 日在香港上市后，即利用股市进入牛市、股价上升的时机大量发行新股集资。1973 年，长实就公开发售新股五次，总数达 3168 万股，用以收购地产物业，以及泰伟、都城地产等公司的股权。其中，1973 年 12 月，长实以每股 6.3 元价格（比上市时每股 3 元上升逾一倍），发行新股 1700 万股，集资逾 1 亿元，用以收购都城地产其余百分之五十股权，即以 1700 万股新股换取皇后大道中励精大厦与德辅道中环球大厦，使长江每年租金收入猛增至 900 万元。

1975 年至 1983 年间，长实又先后公开发售新股八次，总数达 3.2 亿股，相当于公司上市时总发行股数的 7.6 倍，借以筹集大量资金去收购地产物业或公司股权。其中，1981 年 1 月，长实通过发行新股 665 万股，取得利兴发展 39.3% 的股权。通过连串供股、发行新股，长实的资产规模迅速膨胀壮大。

1972 年 11 月长实刚上市时，市值仅约 1.26 亿元，但到 1981 年年底，市值已增加到近 79 亿元，十年内公司资产增加近 70 倍，在香港股市中成为仅次于置地的第二大地产公司。

跟"长实"差不多同期上市的地产商，合称华资地产"四虎将"，包括新鸿基、合和、恒隆及大昌，当时长实的实力就远远不如这"四虎"，充其量不过是一头豹，长实的身家声势声望明显势单力薄，可谓弱不禁风。

李嘉诚眼见香港工业蓬勃发展令工人赚到钱而纷纷置业买楼，于是开始涉足住宅楼，且改变只租不卖的策略，以增加现金迅速回笼。看好香港的楼市，但是苦于缺少资金。为了尽快募集必需的发展资金，甚具国际视野的李嘉诚夫人庄月明高瞻远瞩，建议李嘉诚全力以赴，积极谋求推动长江实业海外上市。当时，作为英国殖民地的香港，最理想最快捷的集资渠道非英国莫属。

1973 年，由冯景禧的新鸿基证券投资公司穿针引线，聘请英国财务公司作为主承销商，长江实业终于在伦敦顺利挂牌上市。之后，得益于加拿大帝国实业银行的鼎力相助，长江实业遂于 1974 年 6 月在加拿大证券交易所安排上市。

两次境外集资，大大充实了长江实业的弹药库，为李嘉诚扩充收购奠定了坚实的基础。然而，就在这个关键时刻，世界性经济危机再次残酷无情地降临香江。长实上市集得资金后不到一年，全球遇上1973 年中东战争引发的石油危机，而香港地产一片萧条。然而正是这天赐良机，却成为李嘉诚拓展业务的绝好时机。

经济基础脆弱的香港，迅速受到波及。恒生指数一个月内急挫五成，到1973 年年底，恒生指数更探底见 433 点。1974 年年底，跌到历史低位 150 点。面对今天 23000 点的高位，香港人只恨生不逢时。

也就是说如果投资股市，投资者的资产在一年内已经蒸发了九成。如果当时投资股市，今天人人都是亿万富翁。香港沉浸在一片凄凄惨惨的苍凉痛苦慌困之中。面对困境，业界开始反省，呼吁港府断然采取有力措施托市救市。但是，证券商四大天王各自为政，港府纵然有心托市，却无从下手，又谈何容易。利益攸关，证券界逼不得已亦酝酿四交易所合并。

说来真是不易，今日上海深圳两个交易所谈合并谈了二十年，也未有丝毫进展。

1980 年，香港证券交易史上一个划时代的岁月。香港联合交易所正式挂牌成立。香港股市交投的四国混战局面一去不复返了。

1975 年，香港地产持续低潮，但以李嘉诚为首的长实，依然踊跃买地建屋，充分显示李嘉诚对地产市场的信心及独到的商业战略眼光。1975 年 3 月，李嘉诚为了加强长实的购买力，给公司注射了一支"强心针"，私人掏腰包 6800 万港元，买入共 2000 万长实新股，并不惜声明放弃 28 个月的股息，并同意在限期内不能流通买卖的条件。

同年长实把大老板李嘉诚拿出来的六千多万元资金，尽数购买物业及地皮，还用了 8500 万元，向太古地产购入位于北角赛西湖、占地 86.4 万平方英尺的高级住宅地盘，兴建住宅及商业楼宇。

长实首次参建的这个大型住宅楼盘，同年以每平方英尺 300 港元左右的价钱，全部售出，获利 6000 万元。如今这个楼盘仍维持在每英尺万元的高价。

食髓知味的长江，继而参与发展沙田第一城住宅专案。事实证明，李嘉诚对香港长远经济发展前景看好的判断，是百分百的准确。李嘉诚赚取了这笔可观的利润后，再次连环出击，在同一年，长实又发行 5500 万新股，集资 1.1 亿港元，并获得美国大通银行支援，在有需要时可得到多达 2 亿港元的贷款，清还期为 4 年。

有了充足"水源"支援，长实可动用的资金达到 3.1 亿港元，令其能轻轻松松继续在市场上横冲直撞。此时，李嘉诚开始实行收购外资机构的计划，通过长实动用 2.3 亿港元，以每股 12.5 港元的价钱，买入美资集团"希尔顿酒店"及"凯悦酒店"的控股公司永高公司，开创了华资在港吞并美资机构的先河。

到 1976 年年底，"长实"的纯利已高达 5997 万港元，以及非经常性收入 650 多万港元，仅收租所得收入就有 2192 万港元，比上市前的租金收入增加了五十多倍。李嘉诚成了名副其实的地产大王。

∽ 美丽华酒店

进入 20 世纪 90 年代，香港地产与股市再度进入一个疯狂的时代。炒楼炒股成了斗零市民闷声发大财的最好选择。在股市楼市节节上扬的时刻，个个市民争先恐后，喜笑颜开，心花怒放。街谈巷议，每个人都在做一夜暴富的发财梦想。香港社会突然间，好像疯了，地产行业几乎发展到了失控的边缘。港府有充足理由担心香港经济走向泡沫。

1991 年 11 月 6 日，新任财政司麦高乐辣手摧花，正式宣布，调高楼宇转让印花税，限制内部认购比例。

一盆凉水当头浇下来，业界不由自主地打了个寒战，也似乎清醒了许多。各界拭目以待。

然而，此时恰好是李嘉诚推售嘉湖山庄第一期，刚好撞正枪口。售楼日期一早排定，广告业已出街，人手预早调配。开售当日，炒楼的黄牛党依然肆无忌惮，十分猖狂，全当李嘉诚未到，更当麦高乐为纸公仔。

嘉湖山庄推售 3 日，竟然有超过 3 万人登记。坐在火山口边的人们，风景这边独好，哪理得这许多，管他是麦高乐还是麦高粱。这个数量是推售单位数额 1752 个的二十多倍。

明知不妥的李嘉诚，也觉得似乎大事不妙，但是，他真的无能为力。他可以引导市场，但他无法干预市场，更不能禁止或者奉劝人们不要排队买楼。因为推售日期、数量、价格、按揭、代理等程序是事先早已打出广告的，不可能临时改变，否则，李嘉诚岂不失信于民？

但是，麦高乐的洋脸挂不住了。他觉得李嘉诚显然是有意与官府叫阵。官老爷的脾气还是要发的。不然，怎么显示出至高无上的官威？ 11 月 13 日，港府透过银监会致函各大银行，将楼宇按揭大幅度加至七成。

道高一尺，魔高一丈。地产商面对港府高压，明修栈道，暗度陈仓，表面上接纳七成按揭约束，实质上通过自己旗下的财务公司提供二按，补足其余两成。即买楼者仍可以不受政府限制，只要支付楼价一成即可。港府眼看自己的招数被地产商见招拆招，唯有通过银行施加更大的压力。

11 月 22 日，汇丰银行大班包伟士与恒生银行主席利国伟高调警诫地产商，如果无视港府立场，一意孤行，很遗憾，今后将不会得到银行的充分合作。

穷不与富斗，富不与官争。地产商不得不放下身段，召开记者会，表明绝对无意与官对抗，将信守七成按揭限制，以推动香港楼市健康发展。见好就收，港府、银行、地产商谁也不希望搞得太僵。港府要靠地产商生存，地产商要靠银行赚钱，银行要靠地产商盈利。然而，这一冲突在表面上看来的风平浪静，却酝酿着更大的风暴。

1994 年 5 月 26 日，港府拍卖两块官地。出人意外的是，粉岭地皮以比市场预期的 28 亿元低三分之一的价格 20.4 亿元成交，元朗地皮则以 5.1 亿元成交，也大幅低于市场预期。更为离奇的是，往日拍卖场上的你争我夺，突然间变得冷冷清清，甚至无人应价。

地产商联手压价？好像查无实据。地产商有意针对港府？好像也看不出蛛丝马迹。地产商看淡后市？亦似乎言不由衷。总之，官府纳闷，市场惊奇。无论如何，这都不是香港人的福兆。不管怎么说，香港地产市道的高温虚火总算在港府的积极干预中慢慢降了下来。

美丽华酒店可谓是杨氏家族的祖业，但创始人却是一批外籍神父。20 世纪 50 年代初，九龙尖沙咀有一家教会小旅店，专门收容被驱逐的内地教堂的神职人员。

1957 年，中山籍商人杨志云，因一次偶然机会，购得这间小旅店。几经扩充，到 70 年代，美丽华已是拥有千余客房的五星级酒店。1985 年，杨志云逝世，其子继承父业，美丽华仍风生水起。到 1989 年，受中英香港前途谈判影响，香港旅游业空前萧条，入住率还未突破 50%。杨氏兄弟遭众股东指责围攻，集团元老何添出任美丽华集团主席。1992 年，邓小平南巡讲话，沿海改革开放风起云涌，大陆经济再度起飞，香港旅游业由此转旺，至 1993 年，美丽华已恢复元气，客似云来，门庭若市，渐入佳境。由此说来，美丽华众股东真应该多谢小平同志才是。

困境无钱有矛盾，顺境为钱闹纠纷。各大股东间的矛盾并未因此而消融。最致命的是，杨门兄弟也不是团结得如铜板一块的杨家将，大哥杨秉正作为杨家掌门，不愿背负变卖祖业的坏名声，决不放弃祖业，而其弟杨秉梁则无心恋战，去意甚坚，主张变卖套现，分家走人，海外发展。同床共枕，却是异梦各自。乘虚而入，更是天赐良机。

商场上的风吹草动，焉能让商圣李嘉诚走漏眼？

1993 年 6 月 5 日，长实与中信各占一半股权的新财团，正式向美丽华提出收购建议，每股作价 15.5 元（认股权证 8.5 元），共需资金 87.88 亿港元。

以李嘉诚的财力声势与荣太子的强悍进取，联手拍档，欲登美丽华大雅之堂，岂不是手到擒来。一位财经评论家说："满香港，再也找不到第二对这么强大的黄金拍档。"

山雨欲来风满楼。此时此刻，杨家将所感受到的，更是黑云压城城欲摧。

兵来将挡，水来土掩。生死一线，何患得失。美丽华集团于 9 日申请停牌，停牌前市价为 14.5 元。李嘉诚 15.5 元的收购价，溢价不到一成。市场普遍认为，李氏、荣氏的出手太低太孤寒，估计美丽华的资产净值应该为每股 18 元。

李嘉诚缘何出价如此低？有人说，李嘉诚从来都不会做非善意收购，在杨家举棋不定的情况下，李嘉诚自己更是心猿意马。涉资 90 亿，恐怕再也没有人拿得出这个价钱了。

此番收购，是美丽华的一名大股东主动提出洽商，该股东有意出售其所持股权，并且持股数不少。主动与李嘉诚接洽的股东，或许就是与李嘉诚私交甚笃的美丽华董事局主席何添。

何添所持的股权不及杨家的零头。李嘉诚欲成功，杨秉正方才是问题的关键。

杨秉正是否穷寇，姑且不论，但美丽华酒店确乎是高陵。

6 月 14 日，美丽华董事总经理杨秉正发表公开信，声称全体董事均未与长实、中信达成共识，美丽华物业发展潜质极佳，资产净值每股 20 元。信中还提到，6 月 8 日晚才接到李嘉诚、荣智健财务顾问的电话意向，而 9 日早上 9 点，收购建议书就送到美丽华董事局。言下之意，显然对李嘉诚与荣智健心有不满。

"这么庞大的收购行动，未给予当事人适当时间去了解，而突然采取行动，那当然算不得友好和善意。"一位分析员私下悄悄说道。很显然，这是强悍的荣太子的典型的行事作风。

杨秉正显然对李嘉诚的收购价格不甚满意，同时亦对李嘉诚、荣智健兵临城下，恃强凌弱，逼其就范的操作手法表示强烈不满。但是，通过这封信，看来杨秉正对李嘉诚之为人处世亦算相当了解。然而，一个星期之后的 22 日，杨秉正又刊登启事，称公开信可能有不当之词，容易引起公众对李嘉诚及荣智健先生造成不必要的误解，谨向两先生深表歉意。

山重水复，烟雾弥漫，内里乾坤，外人怎识得分晓。

市场消息称，在李嘉诚亲自致电杨秉正，诚意十足地向杨秉正解释收购意图后，令到杨秉正十分感动，所以，才有上面近乎道歉式的声明。也有人说，面对李荣两位志在必得的强大攻势，杨秉正担心一旦闹僵连还价的余地都没有，所以不得不出此下招，摇动橄榄枝，缓解气氛。也有人说，杨秉正此时已获业内高人指点，出手搭救，但先要来个缓兵之计，以麻痹对方，免得对方强攻破城。

∽ 二李角力

　　就在荣智健与李嘉诚踌躇满志，志在必得的关头，半路上杀出个程咬金。杨志云的老朋友李兆基两肋插刀，突然高调介入，表面平静的香江暗涌翻滚。鹿死谁手？刹那间，人们睁大眼睛，屏住了呼吸。谁会想象李兆基会公开公然从李嘉诚虎口中拔牙呢？不久前，他们才合资推出中半山豪宅嘉兆台，把两人的名字镶嵌组合成物业名，成为两人友谊友好的象征。不料，嘉兆台的金字招牌油漆未干，两人刚刚握过的手余温未散，却又在美丽华摆起了不太美丽华丽的擂台。看来，商场没有永远的朋友，只有永恒的利益下的朋友。

　　捍卫祖业义不容辞的杨秉正，面对李超人、荣太子的来势汹汹，逼人咄咄，担心力有不逮，招架不住，唯有急招救兵。这才有了李兆基披挂上阵，做起了与李嘉诚对阵的程咬金。

　　李兆基也是一个非常讲义气的商场大鳄。正可谓，"天下英雄，唯使君与操耳。"碍于李嘉诚的情面，囿于两人的过往，真是左右为难。因为，他不能不顾及与李嘉诚的特殊关系。现在老朋友杨志云遗孤身处险境，不帮又似乎于情于理于利都说不过去。况且又是杨老太亲自找上门来。

　　耿直笃厚、谨小慎微的杨志云在商界声誉卓著，深得同仁尊敬。或许过去在商场上会对李兆基照顾有加。

　　美丽华前景灿烂，谁不垂涎欲滴？

　　就算李兆基襄王无意，只要在关键时刻，能将李嘉诚荣太子大力压低的美丽华价码抬高，最后就算未能保住美丽华，杨家也可以以一个心目中的理想价位割爱，这对杨家来说不失为一个下下的理想结果。杨志云夫人更亲率四子四处奔走，杨老太亲口对李兆基的代表林高演表白："杨氏家族要出售的股份应该是价高者得。但是我们的情况比较特殊，因四哥和先生是好朋友，志云在世之时一直是恒基兆业的董事，有了这层渊源，就算是收购价一样，我也会毫无考虑地卖给四哥。"

　　于是，不想跟钞票过不去的李兆基与杨秉正签订君子协定。杨秉正以极优惠的条件，让李兆基的恒基兆业以高于李嘉诚 16.5 元出价的 17 元一股（这实质上也是给足李嘉诚面子），从杨氏家族购得美丽华股权。这是一个商业价格，也是一个友情价格，更是一个政治价格，对三方面都能够有所交代。

李兆基保证只做股东，不当老板，管理权仍为杨氏家族所控。由此解除了杨秉正的心头之患。至少，保全了老牌豪门的面子。可以说，杨家保住了面子，李兆基顺手牵羊拿下了里子。

第二天，香港报章竞相报道：李兆基斥资33.57亿元成功收购了美丽华34.78%的股份。

煮熟的鸭子又飞走了，真是岂有此理。

一贯不抱买古董心理的李嘉诚，一反常态，也将16.5元的收购价提高到17元，与李兆基的同等收购价对撼。

一位证券经纪商称："头脑冷静的李嘉诚，也会情绪冲动，在古董拍卖会上竞价了。"

别忘了，身旁的太子爷荣智健野心勃勃，击鼓催兵。实际上这位经纪看戏只是在看热闹而已。

《星岛晚报》当日的标题是："长实中信如何应付？"

《快报》干脆拿这单新闻为自己卖起了广告："欲知后事如何，请阅快报！"

李嘉诚将收购价提高至17元，与李兆基之收购价相同，在无法获取大股东杨秉正所持有的股份的情况下，这一收购必然会破局。显然，李嘉诚此举，名义上给足了荣智健面子，表明在全力收购，实质上给足杨秉正与李兆基里子，这是在不情不愿下的收购，你们好自为之，如果你们未能尽力死守，那么，也就莫怪我李嘉诚出手无情。

深明大势的李嘉诚，若然有心全力收购，出手肯定不会是17元。李嘉诚的走钢丝技法，神乎其技，玩得得心应手，更是天衣无缝。

7月12日，以杨秉正为首的八名董事，仍拒绝百富勤（长实与中泰委托的财务顾问）的收购建议，他们还控有7.61%美丽华股权。以何添为首的五名董事持有5.37%股权，他们主张接受收购。7月16日，收购截止期，李嘉诚与荣太子只购得13.7%股权及9.2%认股权证，股权未购满50%以上，承认收购失败。而李兆基通过市场吸纳，使其所持股权增至34.8%。因未过35%全面收购触发点，无须发起全面收购，却保持第一大股东地位。

证券分析员说："李兆基攻守兼利。如果李嘉诚再要发动全面收购，李兆基可从杨秉正等股东手中买入股份，超过半数不太难，李嘉诚又可能徒劳无功。

如果李嘉诚按兵不动，他也不动，稳可控制整个集团。"

两李决斗，轰动全港。这一格斗成为香港商场争斗中罕见的精彩连续剧。

众所周知，李嘉诚和李兆基曾经是形影不离的高尔夫球友。两人老友鬼鬼，挨肩搭背，无话不谈。但是，就是这两个朋友之间，却曾经一再展开过几乎是你死我活的商业竞争。然而，山呼海啸般的争执过后，两人又若无其事地挥杆击球，谈笑风生，看得一众市民一头雾水，不明其所以然。

商人之间表面上和和气气，实则都是市场竞争的对手。商人的功底往往体现在他在竞争中的谋略上，而商人的强弱也因此而分出。李嘉诚与李兆基可谓棋逢对手，将遇良才。

李嘉诚在与同行打交道时往往是照顾别人的利益，与竞争对手共谋发展，通过让利实现真诚合作，并尽可能地避免与对手，甚至是以往的合作伙伴正面冲突。

锋芒毕露的李兆基，通常是在保证自己利益的前提下才考虑别人的利益，可以与竞争对手共谋发展，分享利润，不主动与对手争执，但遇到任何挑战，绝不回避。这位号称亚洲股神的资本大鳄，在一项数十亿元大的投资中，能够把利润精确到小数点以后，其战略眼光与心算精确绝非一般常人所能比拟，其眼光独到之处绝非巴菲特所能专美，更非普罗大众所能望其项背。至于其在股市上的翻江倒海之韬略谋略与指点江山，虽然有时不可避免地被外界视为操控股市的弄潮者，这也不排除其成为某些投资家顶礼膜拜的偶像，当然，更多的是成为众股民饭后茶余津津乐道的话题。

就在美丽华酒店收购战烟消雾散，解甲休兵未几，两位商场好友又披挂上阵，展开了新一回合的惨烈厮杀。只不过，这次是移师新界。

李嘉诚的长实与李兆基的恒基，在新界马鞍山均有大型商住楼盘，长实楼盘为海柏花园，恒基楼盘为新港城，说来也巧，两个楼盘仅隔一条马路。正是这条并不宽阔的马路，成为两李对阵叫阵布阵的又一染色江湖。

较量的第一回合，始于1994年年底，眼见李兆基新港城推售在即，李嘉诚先声夺人，减价推出海柏花园，短时期就卖出八百余个单位，致使李兆基的新港城门可罗雀。

李嘉诚抢占先机，大胜第一个回合。见势不对，李兆基急忙还招，也来个减价售楼。

1995 年夏，恒基推出第四期最后一座楼。7 月 13 日，恒基宣布以先到先得方式开售 248 个单位，尺价 4100 元，比马鞍山同类型楼二手价还便宜。恒基还推出九成按揭，买主只要交一成的楼价就可以入住。恒基为吸引客户不惜落重本举办幸运抽奖，十分之一的中奖率，中奖者可得十足黄金。买屋得黄金，傻瓜都动心。

装修示范单位，也是亦步亦趋，效仿长实的一贯做法。但恒基另搞新意思，更超前一步。聘请著名设计师萧鸿生推出八款欧陆风情装修，可供买家任意选择。

8 月 10 日，恒基安排看楼。公司安排免费巴士不停往返沙田火车站至新港城之间。私家车买家，可获三小时免费泊车，以吸引更多有实力的中产阶级前来看楼买楼。买家免费享用早餐晚餐。一家大小齐齐参加大食会，其场面犹如热热闹闹的嘉年华，大大地吸引了买家的眼球，很快就引起了市场的关注。

"孙子曰：凡战者，以正合，以奇胜。故善出奇者，无穷如天地，不竭如江河。终而复始，日月是也。死而复生，四时是也。声不过五，五声之变，不可胜听也；色不过五，五色之变，不可胜观也。味不过五，五味之变，不可胜尝也。战势不过奇正，奇正之变，不可胜穷也。奇正相生，如回圈之无端，孰能穷之？"

李嘉诚的奇正回圈，又怎么能够穷尽焉？企业界常说：人无我有，人有我优，人优我多，人多我走。经营秘诀，其核心就是出奇制胜，也就是我们今天人人耳熟能详的创新。作为企业，要想生存与发展，最忌讳的就是步人后尘。

著名艺术家齐白石有句名言：像我者死！不要仿效，不要模仿，不要跟随，要不断地创新！精明的李嘉诚，做了一个非常精明合算的安排。

13 日晚，长实获悉恒基的楼价后，马上把海柏花园定价传真给各传媒，每平方英尺售 4040 元，较新港城的平均楼价要低 60 元。14 日，火速请名师高文安设计监做示范装修单位模型，马不停蹄，连夜施工，赶及 15 日中午向买家开放。两强对撼，水火相处，在售楼现场更呈剑拔弩张之势。各自的经理声嘶力竭，竭力游说，甚至动手动脚拉客。买主游走两边，真正过了一回顾客就是上帝之瘾。到 16 日，恒基造出的声势步入高潮，与新港城相连的八佰伴商场开张，商场全线新张货品折价发售，人流如潮。17 日起，就有买家提前排队，等 18 日正式发售。

长实见势不妙，于 17 日晚 11 时左右，就在排队等候参观新港城示范单位的人龙前（已有一百八十余人连夜排队），挂出一条醒目的长幅"海柏花园每英尺仅售 3275 元起”。

　　这大概是同业竞争最恐怖最惨烈最悲伤的情景——竞相压价倾销顶烂市。虽然竞争双方你不情我不愿。这也确实是李嘉诚李兆基都始料不及并最不愿意看到的局面。如果两人此时此刻相视，一定是尴尬加苦笑，无奈加难堪。哥们，玩啥也别玩这招呀。损人不利己。一时间，新港城排队的人龙好像变戏法一样缩了一大截，大部分客人都被吸引到海柏花园地盘。买楼者的心态，越贵越抢，越平越等，每个人都在等待期待，可能明天会更便宜，再等等看吧，结果是两败俱伤。

　　这次马鞍山比拼，长实总算一挫李兆基处处争锋比肩的气势。尽管二人在商场上彼此厮杀，毫不客气，击鼓擂兵，肃杀声声，但是并没有影响彼此间的关系，在公开场合，二人仍然称兄道弟，揽头揽臂，把盏言欢。

　　不关我事，都是那些小子自把自为搞的鬼。

　　惺惺相惜，彼此彼此。你好我好，大家都好。

　　实际上，马鞍山争夺战，有这样一个特殊背景，那就是，在刚刚落下帷幕的美丽华酒店收购战中，踌躇满志的李嘉诚携手野心勃勃的荣智健，罕有地以志在必得之势收购美丽华酒店，就在两人张开大口准备吞噬这只看来煮熟的肥鸭之时，被半路杀出的程咬金李兆基杀个措手不及。

　　如果马鞍山一役再次受挫，难免会令市场对李嘉诚产生负面的看法：廉颇老矣，尚能饭否？虽然不会即时对长和股价造成直接压力，但以后集团安排融资，都有可能造成额外的成本负担。

　　产业多元化、业务全球化、策略性保持稳健财务状况和“不为最先”策略，是李嘉诚及其长江集团多年来在经历过数次危机后，仍能平稳发展的四大法宝。以收购实现业务全球化，达到多元化经营；策略性保持稳健财政状况，降低财务危机风险、保持充裕实力的同时，保证成功收购；当一切准备就绪，不为最先策略寻找较佳切入点增加成功的机会。

　　整个长江集团市值超过 5000 亿港元，为华人公司之最。业务多元化及国际化，成员公司目标业务分明，具有大型国际企业的规模及架构。

　　1986 年 9 月，长实通过其旗下全资附属的长江实业财务有限公司，发行 10 亿元浮动利率票据认购权证。同时发行认购权证，持证人可于 1986 年 10 月 1 日起 9 个月内认购另外港币 5 亿元之相反利率浮动之票据，均于 1989 年 1 月 19

日到期。目的是作为海外及香港业务拓展之需。该款由传统浮动利率票据、认购证及反相浮动利率票据组成的商业票据发行，标志着香港金融市场水准的进一步发展与完善提高。

长江实业由此成为全港第一家商业机构以低于银行拆息的利率筹集资金而载入史册。

10月，李嘉诚宣布长实与港灯达成协议，港灯发行新股1.3亿，每股作价10元，集资10.3亿元，收购长江实业拥有的希尔顿酒店。这是长实系内的一次资产大转移。

李嘉诚在70年代以2.5亿元购入希尔顿酒店，此次出售希尔顿酒店，长实获非经常性特殊盈利7.8亿元。

11月，李嘉诚又宣布长和合组一家公司，委托银团在欧洲发行总值7.8亿港币的可兑换国泰航空公司股份债券。该等债券持有人可以5.75元之价格换取和黄与长实持有的国泰5%的股权。

该等债券每张面额50万元，五年期满，固定年息，每年付息一次，并于1987年1月全部快速售罄，实际发行额为7.62亿元，扣除买入价，李嘉诚这次变相批售国泰股份，短短半年内获利2.5亿元。

面对李嘉诚如此大规模集资，市场再度传言李嘉诚正在筹集资金，进行庞大的收购计划，更有甚者，传说李嘉诚将收购某一英资机构。

2001年1月5日，李嘉诚在出席长江实业集团周年晚宴时，高瞻远瞩地讲到了长实集团未来发展的三个基本策略。

今天，知识对社会经济发展的重要性是史无前例的，全球已进入一个以知识为经济基础的新时代，我们将面对更大的挑战，集团今后的三个基本策略是：

第一，不断加强发展我们多年来已建立的全球性良好业务，并加入创新意念和新知识以配合世界新趋势，使我们的固定核心业务每年都能够不断创造新的纪录。

第二，我们要明白昨天的成就，并不代表明天可以延续，正如我接受《财富》杂志访问时说，"知止"是一个大学问，看看世界去年的互联网和电讯行业所受的冲击和财务的压力，而我们在这方面的核心业务所受影响相对较小，便可反映进取和稳健之间在时间上适当掌握是何等关键。

在座同事当然亦会了解我的座右铭："发展中不忘稳健，稳健中不忘发展"的重要，根本上整个集团所采取的基本方针是极少负债或全无负债，例如和黄便是绝无负债，即是所有附属公司及联营公司总债务低于我们的总现金储存。

第三，我们要保持敏锐的触觉，留意国际政经形势的发展，世界经济强国中的美国和日本今年将会面对放缓的问题，虽然美国已宣布减息，但香港亦可能受到影响，我们一定要提高警惕，凭借经验和智慧，在既有的良好基础上，不断自我提升和增值、加强创意、紧贴经营行业和时代的转变，提高竞争能力。

在回答记者有关可能进行大规模收购的提问时，李嘉诚回答道："截至目前，长实并无收购置地股权的意图，而且长实有足够的土地储备发展，无须急于购买土地，何况，目前地产市价过高，并非买地的适当时机，所以，在遇上合理的价钱时，才去考虑买地。"

每天早晨，李嘉诚都能在办公桌上收到一份当日的全球新闻列表，根据标题，他选择自己希望完整阅读的文章。通常，这些关于全球经济、行业变迁的报道，是启发李嘉诚思考的入口与市场锲入点。

"他是一个很有危机感的人，让他平衡危机感和内心平和的方式就是，提前在心里头创造出公司的逆境。"知悉李嘉诚的人士表示，"他看到各种报道，然后设想自己公司的状况，找到那些松弛的部分，开会去改变。等他做好准备，逆境来的时候反而变成了机会。"

截至 2002 年 10 月，李嘉诚个人持有长实 36.53% 及和黄 32.01% 的股份。

∽ 没有一个行业会永远兴旺下去

形象百变的长实执行董事赵国雄，每次见传媒都手舞足蹈，滔滔不绝，讲起楼盘同经济大市，以至个人收藏嗜好太阳眼镜等，有次在港台回应主持提问，第一次通过大气电波，讲集团领袖李嘉诚。

对于老板李嘉诚，赵国雄赞不绝口。他话："李嘉诚很平易近人，有什么事大家都可以坐低慢慢谈，不怎么闹人，又愿意听人意见，不会等问题出现先去了解事件，而是事前处理……"

话说被誉为楼神的赵国雄当年想跳槽时，首先找长实前营业部执行董事洪小莲，之后由洪小莲引荐给超人。李嘉诚一坐下来，劈头第一句就毫不客气地直截了当同赵国雄讲：我呢度唔呃人（我这里不会骗人），所以诚信非常重要。

赵国雄说，当年李嘉诚所讲的话，他到今时今日仍然放在心中。赵国雄并强调，做任何事都要勤力，一定会有人赏识。

李嘉诚每一次大进大出，几乎都能准确地把握时机，预测股市未来的走势。

1986年，李嘉诚斥资6亿港元购入英国皮尔逊公司近5%的股权。该公司拥有世界著名的《金融时报》等产业，并在伦敦、巴黎、纽约的拉扎德投资银行拥有权益。该公司股东们对李嘉诚大举收购英资的行动早已如雷贯耳，异常忌怕，因此他们对李嘉诚早有戒心，担心他得寸进尺控得皮尔逊，不甘让华人做他们的大班，于是便处处防范，组织反收购。

李嘉诚见势不妙，便随机退却，半年后抛出股票，盈利1.2亿港元。

《孙子虚实篇》指出："夫兵形象水，水因地而制流，兵因敌而制胜。故兵无常势，水无常形，能因敌变化而取胜者，谓之神。"

《九地篇》进一步强调："践墨随敌，以决战事。"这就是说，带兵作战时一定要随着敌情的变化而临事决策，以变应变，方能趋利避害，巧妙地取胜敌人。

李嘉诚绝不是凭主观想象，跟着感觉走的决策者，而是密切注意市场的动态，"践墨随敌"，做出应变的计划和措施，才能使资金日益扩展，实力不断增强。

1987年，李嘉诚以闪电般的速度投资3.72亿美元，买进英国电报无线电公司5%的股权。尽管李嘉诚成为这家上市公司的大股东，却进不了董事局，原因在于该公司掌握大权的管理层，同样提防这位大名鼎鼎，令人生畏的"汪洋大盗"①，随时会发动兵变，颠覆财权，提防英国电报无线电公司大意失荆州，成为早年英资和记黄埔的翻版。

① 源自德国电影《汪洋大盗》。

于是，1990年，就在欧洲市场普通股民幻想李嘉诚会进一步增购，甚至会发起全面收购，竞相入货之际，虚晃一枪的李嘉诚趁高抛售，净赚近1亿美元。

你稳坐泰山，我钞票落袋。你未必输，我肯定赢。当然，这也许就是在任何情况下，各方都期盼的双赢。李嘉诚此役，确实赢了不少。

1992年3月，李嘉诚、郭鹤年两位香港商界巨擘，通过香港八佰伴超市集团主席和田一夫的牵线搭桥，携60亿港元巨资，赴日本札幌发展地产。李嘉诚的举动，震动了亚洲经济巨龙——日本商界。其时，日本经济如日中天，日本商界个个脑满肠肥，正想方设法将手中的闲置资本投资出去，李嘉诚居然摸上门来，牙缝里挑肉，东洋人莫不目瞪口呆。

李嘉诚频频成为股市和地产大灾难中的大赢家，有什么秘诀呢？

有人说李嘉诚是赌场豪客，孤注一掷，侥幸取胜。或许只有李嘉诚自己心里清楚，他的惊人之举究竟有无赌博成分。客观地讲，任何投资都带有赌博的成分，关键在于如何把握其中的风险。

客观地说，李嘉诚的行为是带有冒险性的，说是赌博也未尝不可。但是，李嘉诚的赌博是建立在对全球经济政治形势的密切关注和精确的分析之上的，绝非盲目冒险。那么，他的判断依据是什么呢？

企业核心责任是追求效率及盈利，尽量扩大自己的资产价值，其立场是正确及必要的。商场每一天如严酷的战争，负责任的管理者捍卫企业和股东的利益已经天天精疲力竭，永无止境的开源节流，科技更新及投资增长，却未必能创造就业机会，市场竞争和社会责任每每两难兼顾，很多时候，也只能是在众多社会问题中略尽绵力而已。

好的管理者真正的艺术在其将新事、新思维与传统中和更新的能力。人的认知力由理性和理智的交融贯通，我们永远不是也永远不能成为"无所不能的人"，有时我很惊讶地听到今天还有管理人以劳累为单一卖点。"天行健、君子以自强不息"。自强不息的方法重要，君子的定义也同样重要，要保持企业生生不息，管理人要赋予企业生命：这不单只是时下流行在介绍企业时在Powerpoint打上使命，或是懂得说上两句人文精神的语言，而是在商业秩序模糊的地带，力求建立正直的方针。

李嘉诚认为，任何一个产业，都有它的高潮与低谷，都有它的顺境与逆境之时。在低谷的时候，相当大的一部分企业都会选择放弃，有的是由于目光短浅而放弃，还有的是由于资金不足等各种各样的原因而不得不放弃。

这个时候就应该静下心来认真分析思考一下，是不是所从事的这个产业目前已经到了穷途末路，是不是还会有高潮来临的那一天，是不是继续坚持下去还会有重出生天的可能，而这种坚持是否是自己的力量所能承受。

《孙子·九地篇》指出："为兵之事，在于顺（通）详敌之意，并敌一向，千里杀将。此谓巧能成事者也。"

孙子在这里阐述一个在作战时"巧能成事"的诀窍，就是要谨慎再谨慎地审察敌人的意图动态，然后集中兵力指向敌人薄弱而容易攻破的一点，这样即使奔袭千里，也能擒杀敌将，取得预期的重大战果。

李嘉诚正是靠着这种难得的机会快速发展扩充壮大的。当然，这取决于自己的科学周详的分析判断能力与超人的运筹帷幄决胜千里的决策决断。

什么是台风警报？对于李嘉诚来说，就是时时提醒自己，保持一种警觉意识，避免被台风刮走吹倒。

> 我年轻的时候，最喜欢翻阅的是上市公司的年度报告书，表面上挺沉闷，但别人会计处理的方法的优点和漏弊，方向的选择和公司资源的分布有很大的启示。
>
> 对我而言，管理人员对会计知识的把持和尊重，正现金流的控制，公司预算的掌握是最基本的元素。还有两点不要忘记，第一，管理人员特别要花心思在脆弱环节；第二，在任何组织内优柔寡断者和盲目冲动者均是一种传染病毒，前者的延误时机和后者的盲目冲动均可使企业在一夕间造成毁灭性的灾难。

由于股市一片利好之势，自 20 世纪 60 年代末至 70 年代初，香港各界产生了一股"要股票，不要钞票"的投资狂潮，掀起了一阵比一阵更高涨的"上市热潮"。在这股强劲的"炒风"之中，香港市民个个骚动不安，发疯发狂发癫发痴发梦。普通股民纷纷卖掉自己好不容易买下的金银首饰，业主也卖掉了自己的工厂、土地、房屋，甚至有的商人还卖掉自己的地产公司，将楼宇建造所筹集来的贷款，全部投到了股票市场，大炒特炒，梦想着牟取一夜暴利，快速致富发家。

在每日的进进出出中，忘却烦恼，忘却痛苦，忘却危机，忘却灾难即将来临。香港股市处于空前的疯狂状态之中。1973 年 3 月，恒生指数竟突然升至 1775 点的历史高峰，一年间升幅竟在 5.3 倍。这更使许多人乐得眉开眼笑，得意忘形，数钞票数得完全忽视了潜在的巨大风险的存在。

然而，李嘉诚在这个"炒风刮得港人醉"、"满城尽带红马甲"的疯狂岁月，丝毫不为炒股暴利所动，依然在稳健地走他早已认准了的正途——房地产业。

李嘉诚把从股市上吸纳的资金，投放于收购大量的廉价物业。这样，就在人们用低价卖出物业所得的钱去购买股票时，李嘉诚却人弃我取，统率他的长江实业一边发行着股票，一边将发行股票筹集到的资金成批地去收购那些低价出卖的物业。

李嘉诚的长和系王国，除了业务遍布全球外，原来由于其近年通过分拆业务上市或做出收购等，已成为自 2000 年以来，投资银行于亚洲区（日本除外）的最大"客仔"。

李嘉诚也充分发挥其善走平衡木的资本运作技巧，自始至终地在各大投资行中保持平衡，以与各方保持良好的合作关系。这六年来，长和系付给投资银行的佣金便高达近三亿美元。

赚得最多的则是美林，由 2000 年至 2008 年，其与长和系有关的费用收入便达到 9380 万美元（约 7.3 亿港元）。其次便是高盛，收入也有 6630 万美元（约 5.17 亿港元）。

有银行界人士认为，李嘉诚很懂得平衡，以及与不同的投资银行保持良好关系，更加懂得奖励"忠实伙伴"的投资银行。就以和黄是次分拆意大利 3G 业务上市为例，李嘉诚便起用了多达七间的投资银行。

当中除了长和一向的合作伙伴高盛、汇丰、摩根大通等外，还包括了两间当地银行 Banca IMI 和 Banca Caboto，显示李嘉诚亦十分懂得顾及当地银行的面子，从而建立长久稳定互信的良好关系。

有银行界人士说，从长和系懂得让各间投资银行获得平等业务机会，便可见李嘉诚拥有很多亚洲集团缺乏的老练老道老成。

从长和系的发展历史来看，自 1977 年开始，长实的负债比率一直下降，近年维持在一个较平稳的水平，介于 0.2 与 0.3 之间。比起同业的新鸿基，大部分时间里长实的负债比率也较低。至于集团另一成员和黄，其负债比率也一直维持在稳定的状态，介于 0.4 至 0.6 之间，而且比起同业的怡和、太古，也明显较低。

长江基建的负债比率 1996 至 2001 年间则介于 0.2 至 0.5 之间，财务状况尚算平稳，比同业的合和、新世界基建，则明显地比较优胜。因稳健财务状况而为长江集团带来好处。

如果集团除了地产外仍有其他业务，例如和黄的港口业务与零售业务，表面看来，彼此不大相关，地产不利因素就不会对港口业务有大的影响，在集团地产业务转差不景气时，港口业务与零售业务仍可保持稳定的现金流，不断贡献盈利以保证集团业务发展而不至于出现资金危机。

不难发现，从理论上讲，从事越多不同地域的不同业务，越可以降低整个集团的业务性盈利风险。这就是东边不亮，西边亮，黑了北方有南方的浅显道理。不同的业务有着不同的回报期，对当前经济状况敏感度自然而然也不同。比如，地产业属于高敏感度的行业，而港口业则属于低敏感度的行业，"9·11"恐怖袭击后，全球股市楼市应声下挫，但航运港口则持续半年，甚至更长时间才渐现阴影，因为这类业务通常都是早在半年前预先规划，甚或一年前落单。而当港口业务阴影重现的时候，地产与零售等业务已经开始起死回生再见曙光。

通常回报期短的业务，对当前经济波动状况及外围环境气候较为敏感，这些业务的长处是在经济向好的时候，不失时机地获得较为丰厚的利润，而现金流量也较为稳定理想，例如零售和酒店。最理想的是结合各种长度的回报期的业务，以实现回报期上的风险分散，资金错峰。李嘉诚操作的长和系的资本架构，就具有这样规避风险的灵活的资本特质与结构。

据统计，到 1994 年 2 月为止，长实共斥资 70 亿元购入 38 家上市公司股权，股权从 0.5% 到 31.2% 不等，包括广生行、太平协和、合和实业、亚洲电力、熊谷组、东方海外国际、华人置业、国浩国际、力宝集团，以及中资的越秀投资、首长国际、首长四方、第一上海投资、三泰等，其中，14 家是购入该公司的普通股，23 家是购入可换股债券，到 1994 年 2 月 14 日，长实在上游公司的 70 亿元的投资已经带来超过 60 亿元的账面盈利。

长实在香港股市的投资组合，不仅为集团带来了客观的经营盈利，大大加强了与各行各业的关系，加强了长和系龙头产业在相关行业的产业垄断主导地位，而且亦加强了集团在香港股市及整体经济运作中的影响力，而这又是商家可望不可求的潜在利益。

长江实业以多元化分散风险，比较突出的一个案例就是 1997 年对和黄、长江基建和香港电灯的重组，重新搭建集团新的经营管理架构。

重组计划于 3 月 10 日完成。重组之后：

（1）长江所持的和黄集团权益增至 48.95%；

（2）和黄集团所持的长江基建权益增至 84.58%；

（3）和黄集团把港灯集团 35.01% 权益转让予长江基建。

重组后架构更为简单，连环控股的意图与策略也比较明显。任何对长江龙头控股地位的挑战，都可能意味着对长和与港灯、长建四家股权五千亿资产的围剿，相信除了盖茨、巴菲特之身家，无人可以做此美丽幻想。

其实这一次重组有其规避风险的管理策略的一面。长和集团业务可分成两部分来看：长实与和黄、长江基建和香港电灯。当然，对于投资者来讲，更便于依照自己的投资愿望所好选择不同的业务进行投资。

∽ 忠诚犹如大厦的支柱

李嘉诚被逼入市，且抽身不得，并发现商场别有洞天，一样可以实现人生多种需要，而终扎根于市场，在商场如鱼得水。明白了这一点，我们就能了解李嘉诚何以在商场上拼搏了一辈子，何以终身如此勤劳勤勉。李嘉诚曾总结说，一为挑战自我，一为让股东满意。

> 人才取之不尽，用之不竭。你对人好，人家对你好是很自然的，
> 世界上任何人也都可以成为核心人物。

在出身认同不太紧要的香港，他对自我实现的要求更为强烈，他要在自创的王国里的成功也极为强烈，更具野心，有着一种近乎完全超越现实，超越历史的个人使命感，有着一种完全不能自己的似乎来自神灵支配下的别无选择的挥洒与自如。最终，超越了自己的极限，超越了常人的极限，超越了凡人之所能。

在长江实业集团工作了二十六年的洪小莲说："李先生常说的一句话是不懂便要学。"看着自己的老板由最初从事塑胶工业，转移做地产，及后再发展港口、电讯、石油、互联网、航空等行业，每一门生意技术上的细节，他都能掌握得一清二楚，洪小莲说这一点是由衷地佩服老板李嘉诚。

"我觉得香港人在工作上多多少少会歧视女性，但幸好有个好老板和家人支持我！"这句短短的说话，已经包含了现时身居要职的洪小莲多年来工作的辛酸不易，亦说明了她和家人及上司李嘉诚的和谐关系。

事实上，洪小莲由一个负责日常事务的秘书，成为独当一面的房地产精英，也全赖李嘉诚的提点扶正斧正。话说早年有一日，洪小莲于午餐休息时候看报章的娱乐新闻，碰巧李嘉诚路过，便提醒她不要浪费时间，应争取机会学习有用的东西。

那时洪小莲的反应是老板竟然连自己用来"松一松"的时间也要管，真是岂有此理的大城小故事。然而她经过反复思量后，确实觉得叹今是而昨非，十分有道理，便开始利用工余时间来吸收多方面的知识。结果没有接受过建筑师训练的她，也学会看绘图，而负责的事务范围也由细读绘图开始，到印刷售楼资料、设计广告策略、定价、发售过程中的行政管理，以至现时连交楼后的物业管理都包括在内。

当有记者问起李嘉诚如何统率集团时，李嘉诚不假思索地回答道：

> 最重要是了解你的下属的希望是什么。第一，除了生活，他们一定要前途好；第二，除了前途好之外，到将来他们年纪大的时候，有什么保障等，需要顾及很多方面。
>
> 这方面我很幸运，每间公司都有些高层职员都很忠诚地为公司服务，我自己也经常去想想他们的环境并不断改善。所以，我的机构内，行政人员的流失率很低，可以说，微不足道。公司内一切事情，我虽然在百忙之中，但都可以从容应付得来，也很少因为公事上的事情而失眠。

李嘉诚进一步分析道："用人要看他的忠诚度和可靠程度、归依企业的程度，希望能够跟企业结合一起的意向有多少，如果这三样东西都是对的，我们企业会给他非常大的机会去发展。"

《韩非子》说："凡治天下，必因人情。人情者有好恶，故赏罚可用。赏罚可用，则禁令可立，而治道具矣。"虽然洪小莲已是众人熟悉的成功人士，但大众对房地产发展行业的误解仍使她唏嘘不已。

洪小莲指出，只要公司买入一块土地，员工便要花心思进行许多细节筹划，甚至楼盘全数售出后，他们也要分析买家的资料以便为未来发展计划做部署；这些都是人们看不到的工作。

洪小莲参与长江业务的二十多个年头里，可谓亲历了香港房地产界的起伏变迁。她坦言，令其难忘的事情多不胜数，除了香港房地产界经典——长达数十载的嘉湖山庄发展计划外，便是丽港城发售时的"排队党"。当时纵使有警方协助，但事件始终对负责销售的她仍构成相当大的压力，不但要在晚上到场巡视同事的安排，回到家也要频频以电话发号施令，更要不间断地接受媒体的电话骚扰，因为任何一次对媒体不经意的怠慢，都有可能白变成黑，前功尽弃，尤幸获得家人体谅与关怀。

这位自我描绘为"颇为好胜，上进心强，但野心不大"的房地产界女强人有一句格言，就是"不论对家庭或事业，我当时担当什么角色，就做好那个岗位的本分"。她时常强调对任何必须的分内事情的专注投入的精神非常重要，而对工作采取敬业乐业的态度，也能令许多事情事半功倍。

同时，这位没有进过大学校门的房地产界女强人，直言读书多和是否有才能是两回事。如果年轻人毕业后故步自封，不持续进修更新，那数年的大学教育不会令人有多大改变。反之一个人若有上进心，不断充实自己，培养灵活的头脑，他所得到的就会更多。所以，她认为年轻人要多留意身边的事和社会趋向，好像在这个年代不愿意认识资讯科技，就会很容易被淘汰。她表示自己现在也要跟随时代进步，认识资讯科技。总之，洪小莲给人的感觉，就是洪小莲如她自己所书："我是一个好努力的人！"

> 人才缺乏，要建国强国，亦徒成虚愿。反之，资源匮乏的国家，若人才鼎盛，善于开源节流，则自可克服各种困难，而使国势蒸蒸日上。从历史上看，资源贫乏之国不一定衰弱，可为明证。

　　李嘉诚自己也说过，第二个1000万比第一个1000万元要容易，到目前，钱对他而言已经没有了早先的意义。钱对李嘉诚而言，只不过是会计报表与统计学上的数字符号而已，最多只是多一个零与少一个零的区别，或者是一个小数点点前点后的差异。

　　但他依然那么执着，是使命吗，还是责任，抑或执迷不悟？或许，人在江湖，身不由己。

　　对于人的生命可能极致的迈进与不知疲倦地自我挑战，是多数国人难以理解的。而其所达到的境界，有时连李嘉诚自己也是不能理解不能想象的。但李嘉诚实实在在地在多个领域里做了无限的成功的有益的尝试。在常人看来，这是挑战极限的尝试。

　　中国的传统素有知命之说，李嘉诚在生活事业上渐渐意识到了这一点。李嘉诚确确实实知晓：人不仅属于自己，不仅属于一个家庭，甚至不仅属于一个家族，不仅仅属于一个民族，不仅仅属于一个社会，不仅仅属于一个国家。更大的程度上，不仅仅属于一段瞬息即逝的历史。肯定不仅仅属于香港这样的弹丸之地的弹指一挥间的历史。

　　当然只有李嘉诚，也只有李嘉诚这样的超人，才能真正领悟到。这需要超凡入圣的慧根善根。超人李嘉诚亦是凡人。难道李嘉诚真如亚洲所说是投资界的超人吗？一个不需要答案，甚至不需要回答的问题。因为，问题本身就是准确的答案。因为这个问题，要问，也只能问李嘉诚一人。

　　事实上，大多数的亚洲企业大亨，无论他在本国本地区是多么叱咤风云，他也逃离不了一个宿命：不过是家族企业的延续延展与发挥发展。不过是在水一方。甚至乎，不过是小国寡民的孤家寡人。但是李嘉诚却是个实实在在的例外。

　　这倒不是因为他掌控着香港的经济——经营世界上最大的港口；垄断着全球的第三代移动电话；享有着来自顶级地产商和零售商的美誉。更重要的是，拥有任何人所无法比拟的庞大的人脉关系。而是因为唯有他能够在他的领域中频繁地被世界所感知，甚至进而影响全球这一行业的未来，并且持续不断地成为全球投资的焦点。

　　犹如先知先觉，更如天助神佑。上下交而其德业能成也。李嘉诚强调，作为一个商人，最重要的是要令别人对你信任。

　　没有硝烟的战争，没有疆域的王国，没有喧闹的聒噪，没有面红耳赤的争执，没有讨价还价的精彩对白。李嘉诚沉湎于其中乐此不疲。

　　除了精准的商业眼光、高超的经营手段，选人、用人绝对是李嘉诚的超人之处。在李嘉诚身边的将才，无一不是李嘉诚用心血、心机、赏识、重用来培育成长的。当然，他们也都充满感激地回报了李嘉诚的知遇之恩，为李氏大业立下了汗马功劳。

　　这是李嘉诚所信奉的用人之道。他说：

　　　　如果是一个跟你共同工作过的人，工作过一段时间后，你觉得他的人生方向，对你的感情都是正面的，你交给他的每一项重要的工作，他都会做，这个人才可以做你的亲信。如果一个人有能力，但你要派三个人每天看着他，那么这个企业怎么做得好啊！

　　那么，究竟谁是李嘉诚最得力的亲信？恐怕非袁天凡和霍建宁莫属了。同时代的包玉刚曾经讲过"只要这个人有本事，薪水再高也要请他来。你给他两万元，他却能给你赚几百万元，为什么不请他呢？"

　　虽然人称投资奇才的袁天凡是在1996年才投到李嘉诚旗下的，但李氏对袁天凡的赏识，却可追溯到1986年。当时长和系四大公司轰动一时的百亿集资行动，是由花旗银行唯高达香港有限公司负责包销，袁天凡就是其中的关键人物。

　　李嘉诚看中袁天凡之后，可远远只三顾茅庐这么简单。

　　1991年10月，荣智健联手李嘉诚等香港富豪收购恒昌行，李嘉诚游说袁天凡出任恒昌行政总裁。袁天凡于是辞去联交所要职，走马上任，年薪六百万港元。

　　1992年2月，袁天凡与老同事杜辉廉、梁伯韬主持的百富勤合伙创办天丰投资公司，袁天凡占51%股权，出任董事总经理，并兼旗下两家公司的总裁。李嘉诚义无反顾，依旧支援袁天凡，即时认购了天丰投资的9.6%的股份。袁天凡曾公开表示，"如果不是李氏父子，我不会为香港任何一个家族财团做。"袁天凡说，"他们（李氏父子）真的比较看重人才。"

　　韦尔奇曾说过"在挑选人才的时候没有非常理想的做法，而且也不见得最杰出的人才就是最适合你的。我认为四点非常关键，就是4E：第一是精力旺盛、充满活力。第二是激励。可以充分调动别人的积极性。第三，有下决策的勇气。

第四个就是决策后的实施能力。"从韦尔奇的这番分析，我们是否从另一个角度去感悟李嘉诚的人才哲学呢？

∽ 发展中不忘稳健，稳健中不忘发展

而从长实集团业绩来看，地产专案仍是该集团的最主要盈利来源，占整体盈利的五成以上。长实近年也在积极增加土地储备。

香港地产界人士分析认为，长实的土地储备约有百万平方英尺，但不少是位于新界地区的农地，发展时会面对环保团体很大的阻力，因此需要增加土地储备以应对需求。

香港地产有泡沫吗？与李嘉诚的预测相左，投资银行摩根士丹利在李嘉诚天价拍地一周后出具报告，认为香港地价的急速反弹之势难以持久。

摩根士丹利董事总经理兼亚太区分析师谢国忠指出：香港房地产市场强劲增长所依靠的薪资和人口大幅增长等基本面并未出现；同时，毗邻的广东地区带来的竞争压力，将继续对香港市场形成通缩压力；香港有可能需要在3个月内，步美国联邦储备局后尘，将抵押贷款利率上调百个基点。

基于上游判断，大摩认为香港地产价格最近大幅上扬又是一个"迷你泡沫"而已，是2003年因SARS疫情和伊拉克战争被压抑的需求得以暂时释放，加上利率水平处于历史低位等特殊因素造成。对此，特区政府房屋及规划地政局局长孙明扬明确表态：香港楼市并未出现泡沫。他说，楼价要有承接力，而现在楼价其实不是升得很高，而且上升的只集中在高价楼，低价楼的升幅并不多。

有人说香港成也地产，败也地产。盛也地产，衰也地产。确实如此，过去香港的地产业是香港经济繁荣的重要动力和标志。亚洲金融风暴前，地产市道十分畅旺，楼市升值造成的财富效应令香港出现一片繁荣昌盛的景象。

金融风暴后，楼市狂跌带来持续的负资产效应，对香港消费意欲带来重大打击，也令香港百业萧条，失业率狂升，港人跳楼烧炭寻死的新闻不断。

2003年下半年起由于中央政府实施"自由行"，大力挺港及政府停止卖地，刺激楼价上升，香港因而出现经济复苏的景象，失业率下降，港人重现笑脸。

李嘉诚曾在回答记者的提问时说："正像日本商人觉得本国太小，需要为

资金寻找新出路一样，香港的商人也有这种感觉。说一句大家都明白的道理，那就是不要把所有的鸡蛋放在一只篮子里。"

李嘉诚在 1972 年将旗下的地产业务上市，但是这并不意味着他对香港地产的前景一片乐观。长江实业集团上市后不久，他已经着眼将公司的投资分散到其他业务，问他为什么有这样的安排，他开玩笑地说："可能我看错了。"

假若他单单从事地产这个行业，一切都会来得较简单，而他也可以赚到更多的利润，因为在过去二十多年，没有一个行业的利润高于地产，但是李嘉诚有自己的一套想法。

作为一家上市公司的负责人，我要为股东长远利益着想。地产以外，应该做多方面分散投资。当地产遇到低潮，或是以后土地供应增多，旧楼利润减少时，有其他行业的收入，公司所受到的影响会最少，这样做当然要付出更多精力，也较辛苦，因为五分钟前开一个会，五分钟后讨论的可能已经是另一种业务的会议，但我认为这一条路是正确的。

"发展中不忘稳健，稳健中不忘发展。"骤听起来好像是放诸四海皆准的一句口号，但偏偏李嘉诚却能将它持之以恒，作为他做生意的座右铭，而且实验证明，确实可行。平常心确实在某一方面失去了，然而又实实在在地从另一方面不期然显现出来。

纵然李嘉诚以投资为出发点，在凡人眼中，他仍有投机的行为后果。投资与投机只有一字之差，但却远非一念之异。超人与凡人，也仅仅是一字之差。但，又岂是一字之别？

据一位摄影记者讲述，有年过农历年时，早晨要到香岛道高尔夫球会，拍摄李嘉诚打高尔夫的雄姿。塞车迟到，李嘉诚一早已经进入去，他见到一大班摄影师在那里偷笑。一问之下原来李嘉诚新年派利是，五百大元一封，人人有份永不落空。这位记者就只好叹自己迟到。

怎知当李嘉诚打完球搭车返公司，出到球会门口之际，一眼见到这位记者，就即时叫停司机。跟着下车走近这位记者身边说："怎么刚才见不到你？步步高升！"这位记者当场成个呆子！以李嘉诚 77 岁之高龄，竟然可以如此眼尖兼好记性，真是应了香港名人的名言"想不发都难"。

2000 年 5 月 19 日，受到摩根士丹利资本国际公司调整 MSCI 香港指数成分股影响，尤其是在剔除的十只股票中，长实也包括在内，香港股市在大量沽盘涌现下，恒指当日收市报 14322 点，下跌 505 点，跌幅达 3.41%。

摩根士丹利资本国际公司 (MSCI) 执行董事佛诗翰表示，MSCI 香港指数剔除长实，是因为应客户近年的要求而做的，因为长实目前持有和黄股权 49.9%，与和黄出现指数重叠的情况。长实当日收市报 72.75 元，跌 7%，而最低报 70.25 元，单股单日成交金额高达 41 亿港元。

长实执行董事叶德铨则表示，长实持有和黄逾 40% 已有一段时间，这是历史事实，这一事实绝不是今天或昨天才发生，不明白为何以此理由，剔除长实于指数之外，莫非大摩刚刚读完陶渊明"觉今是而昨非"后，即幡然悔悟，痛下决心。他认为剔除名单长远对长实没有什么影响，但短期则由于基金需跟随指数沽售股票，而令股价受压。

目前，以和黄市值计算，金额高达 2085 亿港元，但长实本身总市值只有 1643 亿港元，李嘉诚所持有的 34.9% 股权仅占市值 573 亿港元。换言之，李嘉诚目前是以小控大，只用 573 亿港元资产便可控制市值达 4125 亿港元的长和，令长实容易成为狙击目标。因此，李嘉诚确实需要巩固控制权至 51% 才可安心。因为，一旦受到阻击，失手的就不仅仅是长实，而是由长实控股的和黄，由和黄控股的港灯与长江基建。

BNP 百富勤研究部有关人员表示，由于李嘉诚多年来都未有再增持长实股权逾 35% 水平，行动惹来市场极度关注。他认为，这次行动显示李嘉诚非常看好长实前景，不排除在不久将来，长实会有出人意料的大动作出现。

2004 年 8 月 20 日，长和系公布中期业绩。

李嘉诚表示，随着中央政府实施的各项特殊优惠政策持续发挥成效，全球经济又正稳步改善，渐入佳境，预料本港经济亦会加快复苏步伐。

受惠楼市复苏而获得 2.7 亿元物业回拨，长实宣布，中期纯利为 77.5 亿元，增长 94%，属市场预期内；其中摊占和黄溢利为 63 亿元，较去年增长 53%。每股盈利为 3.35 元，派中期息 0.38 元。

长实期内物业销售增长达 2.09 倍，带动公司营业额上升 81% 至 89.31 亿元，营业溢利则上升 65.73% 至 17.65 亿元。物业销售方面，上半年营业额为 82.5

亿元，较去年同期增加 39.4 亿元。

自 1958 年踏入地产以来，李嘉诚主导长和集团，先后完成的住宅物业有：

赛西湖大厦、伊利莎白大厦、城市花园、爱都大厦、银禧花园、青怡花园、文礼苑、丽城花园、乐信台、丽都花园、丽港城、汇景花园、嘉兆台、嘉湖山庄、海韵花园、海韵台、怡礼苑、海柏花园、翰林轩、海逸豪园、鹿茵山庄、听涛雅苑、盈峰翠邸、盈翠半岛、雍艺轩、高逸华轩、星辉豪庭、翠拥华庭、碧涛湾、瑞丰华庭、汇星壹号、翰林苑、海逸湾－海逸豪园第四期、翠堤湾－海逸豪园第五期、海名轩、盈晖台、映湾园第一期－赏涛轩、港景峰、泓景台、凯帆轩、普顿台、都会轩、慧景轩、朗逸峰，等等。

已完成的工商楼宇有：海富中心、环球大厦、万国宝通银行中心、新港中心、会德丰大厦、信德中心、康宏广场、万诚保险千禧广场、新宝中心、摩登仓、潮流工贸中心、创富中心。

"我感到高兴和引以为荣的，不是我们的公司市值，亦不是我们的集团排名在全世界最大的一百名公司的位置，而是我们有一群对公司有归属感、有责任心、忠诚、创新、工作出色和具有领导能力的管理阶层，与一群训练有素、年轻上进、工作勤恳、各司其职、合作无间的同事，所有这二十五万多名员工是我们集团的最大资产。"

第十章

和黄大发展

▲ 李嘉诚预祝汕头大学南极科学考察探险项目老师学生团队一切顺利。

▲ 李嘉诚出席和黄运动会。

　　2006 年 1 月 6 日，李嘉诚出席集团周年晚宴，席间向一千三百多名董事、管理层及同僚等致辞。他预期 2006 年的油价应徘徊于去年水平，利率升势将放缓，但香港继续受惠于中国内地经济，可保持充沛动力。李嘉诚呼吁属下要有全景思维，全力以赴，面对全球的竞争与挑战。

　　李嘉诚对世界经济前景仍然保持审慎乐观，但密切留意内外形势的变化，做出因时制宜的部署；且深信以集团良好的管理团队，具备全景思维和追求卓越的企业价值观，必能克服种种已知和未知的困难，令到长和系迈向新的辉煌。

　　荣膺 2000 年"全球千家盈利最高公司"名单榜首、盈利能力一度超越 GE 和万国宝通的和黄，连续十年平均每年为股东带来 27.3% 的回报。和黄现时已是全球最大的港口经营商，营运全球 15% 的海上贸易，所拥有的港口遍及上海、深圳、厦门、缅甸、雅加达、巴拿马、鹿特丹、马来西亚、以色列、英国及中国香港等地。或许港口业的前景并没有电讯业那样辉煌，但港口业的利润较为稳定，来自港口业务的经营利润占和黄经营利润总额 30%，2002 年更增至 40%。

　　由于和黄的 3G 电讯业早期持续亏损，因此其所占利润贡献比重只有 3%，另外，由于和黄采用互联网进行网上货物物流交易，削减成本，港口的盈利会逐步上升，和黄董事总经理霍建宁更表示港口业为和黄带来稳定的现金流量，以确保集团有充裕的资金进行必需的持续不间断的投资扩充。

李嘉诚在港口方面的战略投资与世界经济的起伏及经济中心的转移，特别是中国内地改革开放带来的经济起飞有着密不可分的直接关系。

正如李嘉诚自己所说：

> 不敢说一定没有命运，但假如一件在天时地利物理等方面皆相背，那肯定不会成功的事，而我们贸然去做，至失败时便埋怨命运，这是不对的。

∽ 坚守香港

1982 年，中英前途谈判展开，香港爆发信心危机，楼市、股市齐齐受挫，英资财团犹如惊弓之鸟，纷纷变卖资产，怡和更宣布迁址，对香港前途投下不信任之票。

早知北京心意的李嘉诚，却抓紧这个时机，发展大型住宅区，不但显示对香港的信心，事后也证明为长实带来以百亿计的庞大利润的战略投资在决策上的英明与正确。

李嘉诚此时此刻的投资，绝不是纯粹的事业决定与投资，而是凭多年的阅历，凭着自己执着的爱国情感与乡土情怀，对大陆改革开放投下的信心保证。从某种意义上讲，或者对北京中央政府来说，这一投资的政治含义远大于商业利益。

1986 年，李嘉诚所统率的和记黄埔在全球征战中捷报频传。在李嘉诚的强势运作中，在中西合璧之精湛的高智能管理之下，和记黄埔成为除银行业之外的香港最大的多元化投资控股及贸易公司，是香港乃至亚洲规模最庞大、获利最丰厚的经营集团之一。

正如李嘉诚在 1986 年度和记黄埔的业务报告中所言及的："本集团坚持不渝之目标是不断茁壮成为一家基础广大，而主要业务以及控股权利中心仍牢固植根于香港的国际性集团。"

这一年，和记黄埔属下的和记电话，通过 28 处无线电发射、接受台通达全港各地，成为香港分区讯号系统式手提及移动电话的最大经销商。同时，早在1986年就着手收购的和记传呼有限公司，以两亿港元收购香港二十家传呼公司，成为占有率达40%的全港最大的传呼公司。

长江实业集团是李嘉诚事业的核心，而和黄集团则成为李嘉诚冲出香港，拓展海外，所向披靡的航空母舰。

早在80年代初，面对山雨欲来风满楼的香港政治局面，人心惶惶，大批公司纷纷海外注册以求自保。当时的集团总裁李察信闻风而动，极力游说李嘉诚，希望李嘉诚能够为集团着想，为集团十几万人着想，早走早好。

李察信说："大陆虽然现在开始搞改革开放，但是，未来的局势无人能够料到会有什么变化，况且香港回到共产党手中，随时会被杀富济贫，惨遭共产，到时我等惨为鱼肉，人为刀俎，岂不任人宰割。"

李嘉诚很清楚李察信的言下之意，他反驳道："不可能那样，我们长实集团不打算迁册。若论个人在公司的利益，我比你拥有的更多，我是经过慎重考虑才说这种话的。现在中国政府欢迎海外企业家来华投资，也就根本不可能对香港私人资产采取行动。"

在80年代香港信心危机的冲击下，和黄洋大班马世民，为应否迁总部一事与李嘉诚意见不同，甚至针锋相对，李嘉诚坚持不动，并非常幽默地反问，如果要迁，那就要看看有没有办法先迁动李嘉诚这个主席位，如果没有，以后就最好不要提这件事。

李嘉诚在这一问题上的决绝令人为之侧目。在这个问题上，洋人马世民又如何能够体察老板李嘉诚的良苦用心。结果和黄没有像怡和一样迁册，而是植根香港。但同期和黄的海外发展步伐，明显较前加快。

李嘉诚把他赴内地参观的观感，及海内外舆论的评论，不厌其烦、苦口婆心地讲给李察信听。将信将疑的李察信听到李嘉诚的这番说话直摇头。李嘉诚无法说服李察信，两人分歧日益扩大，以致无法协调集团工作。1984年8月，一意孤行的李察信不得不卷起铺盖走人。

接替李察信的是英国人马世民。马世民未正式加盟前，李嘉诚就与他"在看好香港前途问题"上初步达成共识。这成了马世民能够在长和系青云直上、权势赫赫的主要原因之一。

1987年5月，美国《财富》杂志这样写道："在太平洋上空的一班航机上，坐在阁下旁边那位风尘仆仆的华人绅士可能正赶赴纽约或伦敦收购你的公司。由香港到雅加达，这些精明的华籍企业家近年赚得盘满钵盈，东南亚已再不能容纳这些并非池中之物了。

"在有家族联系的中国，他们已成为最大的海外投资者。时至今日，这些名列世界富豪榜的亿万富豪为了分散风险而在西方国家投资。

"58 岁的李嘉诚先生是最具野心的收购者。在 50 年代初期，他以制造塑胶花开始他的事业。现今，他准备了 20 亿美元（约折港币 150 亿）收购他认为是超值的西方公司。"

当然，如果说素来对政治敬而远之的李嘉诚，当年对香港前途完全没有忧虑，又似乎是过于理想的空话。面对如此持续动荡的政治局面与萎靡不振的经济状况，以及由此而来的大规模的移民潮撤资潮，李嘉诚也相应地做了分散投资海外的战略部署。

李嘉诚正是在 20 世纪 80 年代中期大举进军海外的。在大规模行动前，李嘉诚已在海外投资小试牛刀。1977 年，首次在加拿大温哥华购置物业；1981 年，李嘉诚在美国休斯敦，斥资二亿多港元收购商业大厦；同年，他再次斥资六亿多港元，收购加拿大多伦多希尔顿酒店。

在短短数年中，李嘉诚个人或公司，在北美拥有 28 幢物业。讲李嘉诚以港币 2.3 亿元收购希尔顿酒店所属的永高公司一事，更可以显现出李嘉诚快刀斩乱麻的决断力与魄力。

李嘉诚对台湾商业周刊记者忆述道：

> 能买下希尔顿是因为有一天我去酒会，电梯里有两个外国人在讲，一个说中区有一个酒店要卖，对方就问他卖家在哪里？他们知道酒会太多人知道不好，他就说，在德州，我听到后立即便知道他们所说的是希尔顿酒店。酒会还没结束，我已经跑到那个卖家的会计师行（卖方代表）那里，找他的稽核马上讲，我要买这个酒店。他说奇怪，我们两小时之前才决定要卖的，你怎么知道？当然我笑而不答心自闲，我只说：如果你有这件事，我就要买。
>
> 我当时估计，全香港的酒店，在两三年内租金会直线上扬。（卖家）是一间上市公司，在香港拥有希尔顿，在巴厘岛是凯悦饭店，但是我

只算它香港希尔顿的资产，就已经值得我跟它买。这就是决定性的资料，让这间公司在我手里。

至于这起生意难道没有别的竞争者？李嘉诚答道：

一、因为没有人知道；二、我出手非常快。其他人没这么快。因为我在酒会听到了，就马上打电话给我一个董事，他是稽核那一行的，我一问，他和卖家的稽核是好朋友，马上到他办公室谈。

李嘉诚在汕头大学的一次演讲，谈及自己的读书习惯，讲了一段很有趣的话。

我多年来一直要求自己每个晚上都看几页书，只可惜，白天工作太忙，累了，躺在床上读书，读一下便把书放在胸前，自己的脑筋仍然清醒，但书本却睡着了，一躺便起不来，直到天明。

听者无不哈哈大笑，外表严肃认真的李嘉诚，原来也有风趣幽默的一面。个别有心人，更暗自发问，李嘉诚每天都在看什么书，是什么样的书有资格陪伴李嘉诚悄然入睡？是什么样的内容成为李嘉诚安然入睡的安眠药？答案虽然不尽准确，但可以肯定一定不是娱乐八卦。

孙子在《始计篇》就说："主孰有道？将孰有能？天地孰得？法令孰行？兵为孰强？士卒孰练？赏罚孰明？吾以此知胜否。"

1987 年，纽约华尔街大股灾。10 月 19 日，美国股市狂泻 508 点，造成香港股市闻风而挫，下跌 420 点。10 月 20 日，联交所主席李福兆宣布停市四天。10 月 23 日，李嘉诚向证监会提出一个稳定股市方案，拟动用 20 亿元资金，吸纳长和系四公司的股份，以便协助本港股市的稳定。唯一的条件是，希望联交所豁免冲破 35% 全面收购的规限。当时，李嘉诚家族已持有长实不低于 35% 的股权，持有和黄近 35% 的股权。

按照证券收购条例，已持有某公司股份 35% 的人士，若增持该公司股份，就必须提出全面收购。长实、和黄市值已是巨无霸，全面收购代价不菲，李嘉诚无意将公司私有化，故此，要求证监会豁免增持限额。

　　证监会基于证券条例，拒绝李嘉诚的有关建议。不过，面对持续崩盘的大市，法外开恩，允许李嘉诚增持长和股份，不受全面收购限制，但是，李嘉诚所增持的股份，第一必须随时公告，第二所增持的这部分股份，必须在一年内配售出手。

　　李嘉诚对证监会的放宽措施表示欢迎。但认为又放宽又限期出售的规定显然是自相矛盾，不能从根本上消除股市危机，对解决问题并无太大实质意义。

　　10 月 26 日复市，港股犹如惊弓之鸟，当日恒指暴跌 1121 点。在如此晦暗萧瑟的股市气氛中，许许多多的人抽身都来不及，哪里还会飞蛾扑火。所以，很多人都以为李嘉诚这次很可能赔了夫人又折兵，蚀得连渣都没有。因为，过往经验，每次股市大跌，至少两三年才能起死回生。香港一家报纸更幸灾乐祸地写道："李嘉诚原想酿的美酒变成苦酒，现在不得不喝下去。"

　　李嘉诚独木力撑，放手扫货后股市仍持续下跌，但股市如过山车，次年即强劲反弹，1988 年 4 月 14 日，恒生指数已经接近 1987 年的水平，收报 2684 点，李嘉诚非但没有蚀本，而且小赚数千万元。幸运之神再次义无反顾地眷顾商圣李嘉诚。

∽ 霍建宁和盛永能

　　年届五十的霍建宁，于 1979 年加入长实，任会计主任，凭着其金融财务方面的才干和踏实的作风，一路晋升。1984 年升为和黄执行董事，1985 年任长实董事。1993 年登上和黄董事总经理之位，2005 年更荣升港灯集团主席。

　　从马世民手中接掌和黄，有人说，这是接下了一个"烫手的山芋"。因为，和黄在 80 年代后期，受海外业务亏损特别是持续扩大投资的 3G 业务拖累，令股价长期处于偏低水平。

　　香港盛产"打工皇帝"，世界华人首富李嘉诚旗下和黄集团董事总经理霍建宁，年收入更独占鳌头，2003 年达 1.25 亿港元，平均每天收入三十四万港元，蝉联超级"打工皇帝"宝座。

　　从 1997 年开始，霍建宁便一直是香港"打工皇帝"。他的老板李嘉诚在公司的年薪只有五千块港币，靠旗下企业的股票获利。香港前特首董建华月薪 27 万港元，在各国政府官员中已属偏高，但也只够霍建宁的零头。

　　年过半百的霍建宁，为李嘉诚打了半辈子工，印证工字也可以出头，而且出头的工字未必就是土。年轻时在香港大学取得文学学士学位，考取澳大利亚特许会计师资格，20 世纪 70 年代，他加入李嘉诚旗下的长江实业集团，出任会计主任。凭借其金融财务本领，他在李嘉诚集团内一直平步青云。

　　事实上，霍建宁最高收入是在 1997 年至 1998 年香港经济发展的高峰期，当年总收入超过 4 亿港元，缴税 6000 万港元。

　　歌德说："因为不管怎么说，毕竟还是物以类聚，只有本身具有伟大才能的君主，才能识别和重视他们臣民中具有伟大才能的人。"

　　"替才能开路！"这就是拿破仑的至理名言，这或许也是李嘉诚的王者气度。

　　传媒称霍建宁是一个"浑身充满赚钱细胞的人"，长和系的投资安排、股票发行、银行贷款、债券兑换、交易谈判等，都是由霍建宁一手一脚地策划或参与抉择。

　　"伏龙、凤雏二人得一，可安天下。"李嘉诚幸得马世民与霍建宁矣。

　　霍建宁的平均年收入在 4000 万港元以上，而人们的评价依然是霍氏的贡献，物有所值。目前，霍建宁身兼和黄董事总经理、香港电灯主席、长江基建副主席、长江实业执行董事等职，可谓两人之下，十万人之上（长和系员工约为二十五万人）。

　　在香港打工皇帝排行榜上，霍大班稳占前席。仅 1999 年卖橙一役，霍建宁就独得花红一亿六千四百六十万元。

　　一次，在长江实业中期业绩记者会上，当记者问起一个很普通的问题时，李嘉诚顺水推舟将闪光镜头推向自己的爱将霍建宁。

　　"让霍生答啦，他的人工这么高。"霍大班嘿嘿一笑，蜻蜓点水："虽然和黄坐拥千亿元现金，但不是把全部花红分给我。"见惯风雨的霍大班趁机圆场道："李先生每年只收五千元，我确实收得很贵。"大班就是大班，说话的水准确实不同一般，一句话表达两个特别含义，最主要的是，李嘉诚听到很开心。虽为宾主，亦分上下，但是，可以看到，两人关系非常融洽和谐。

　　霍建宁在长和系的吃重角色，经过多少年来的打拼，不单为老板李嘉诚所赏识，亦为外界所普通肯定。当然，有得必有失，由于和黄业务的全球性及由此必然产生的时差，忙碌的霍大班不知度过了多少个不眠之夜。

　　有年轻人问李嘉诚，用什么办法才能吸引人才？李嘉诚认为知人善任、唯才是用是关键。他强调说：

> 亲人不代表亲信。比如说你有个表弟，当然是很亲了，但如果只是因为这样，你就重用他，事业就可能出问题。而一个人和你共事一段时间，如果思路、人生方向跟你比较一致，那就可以委以重任。
>
> 我不是一个聪明的人，我对我的员工只有一个简单的办法：一是给他们相当满意的薪金花红，二是你要想到他将来要有能力养育他的儿女。所以我们的员工到退休的前一天还在为公司工作，他们会设身处地地为公司着想。因为公司真心为我们的员工着想。

精于用人之道的李嘉诚深知，不仅要在企业发展的不同阶段大胆起用不同专长的人，而且要在企业发展的同一阶段注重发挥人才的不同专长，恰当合理运用不同才能的人。因此，他的智囊团既有朝气蓬勃、精明强干的年轻人，又有一批老谋深算的栋梁之材。

在过去五年，和黄集团旗下各公司及管理人员获海内外各大报章及杂志赞誉，并获得各种荣誉称号，霍建宁可谓功不可没。

李嘉诚非常重视知识开发运用的重要，就好像给人鱼吃，不如教人捕鱼，给人黄金，不如教人炼金术。

> 决定大事的时候，我就算百分之一百清楚，我也一样召集一些人，汇合各人的资讯一齐研究。因为始终应该集思广益，排除百密一疏的可能。这样，当我得到他们的意见后，看错的机会就微乎其微。这样，当各人意见都差不多的时候，那就绝少有出错的机会了。
>
> 我很不喜欢人说些无聊的话。开会之前，我会预先几天通知各人准备有关资料。到开会时，他们已经预备了所有的问题，而我自己也准备妥当。所以在大家对答时，不会浪费时间。因为如果你想精简，而你的下属知道你的想法，也就能够做出好的配合，从而提高办事效率。

为李嘉诚工作了 14 年的前和黄集团财务董事盛永能，讲到他加入公司的经过时，这位早在70年代就认识李嘉诚的加拿大人说，他永远都不会忘记这一天，1984年7月的某一个星期五，晚上10点左右，他接到李嘉诚从香港打来的越洋电话，诚心诚意邀请他加入和黄工作，谈好工作范围和待遇条件后，李嘉诚接着说："星期一是你的生日，我在此预祝你生日快乐。"

盛永能说这是他收到最好的一份生日礼物，不到两个星期，他便飞到香港在和黄返工，而且一直做到退休。

明朝人何去非曾曰："汉王之智盖疏矣，以其能得真智之所在，此所以王。汉高帝挟其在己之智术，固不足以定天下而王之，然天下卒之归者，能收人之智，而任之不疑也。夫能因人之智而任之不疑，则天下之智，皆其资也。此所谓真智也。"

李嘉诚说管理之道是知人善任，但不要忽略一个基本原则，那便是要让员工对公司有归属感，让他们喜欢你。

> 你对人好，人家便会对你好；做起事来心悦诚服，工作自然卖力。

具体来说应该怎样做呢？

> 人没有办法做到十全十美，但想到的便尽量去做。
> 统帅只有明白整个局面，才能做出出色的统筹和指挥下属，使他们充分发挥最大的长处，以取得最好的效果。

李嘉诚表示，公司在十多年前已开始在海外进行大规模投资，因为此乃适合整个和黄集团的发展之战略决策。

> 现在我们的员工并无任何麻烦，好似公司在印度亦有经营无线电话，一样可以做得很好，而当地便有一个印度人跟了我很久，主理印度的业务，又如在欧洲亦请了一个德国人主事。
> 一般来说，我不会先问人家的国籍，就好似自己中国人一样，我不会理他是来自什么省份或其他的……

对于如何分辨员工是有否胜任所司职务，商圣李嘉诚坦言：

> 一定要有时间给予员工做出表现，以观察是否对公司有所贡献，有成绩、做得好。
>
> 领导的全心努力投入与热诚是企业最大的鼓动力，透过管理层与员工之间的互动沟通、对同事的尊重，这样才可以建立团队精神。
>
> 人才难求，对具备创意、胆色和审慎态度的员工应该给予良好的报酬和显示明确的前途。

李嘉诚一再强调，公司的最大资产并不是拥有庞大的资金，而是：

> 靠一个组织，公司的一千多个行政人员班底，是我们最大的资产，公司不是靠一个人，而是靠整个组织。
>
> 公司的主要负责人，都和我一起工作了很多年，大家都知道要忠诚、能干……可以说，和黄拥有非常好的行政人员和组织，所以我们在外国什么地方，做什么发展，都有能力和对手竞争。

除了知人善任和一视同仁外，赢得属下的归心，可以说是李嘉诚能够成功管理旗下庞大多元业务的另一个最重要因素，这可以从管理层极少出现离职的情况而得到印证。

李嘉诚说，最欣慰的是：

> 有一班忠诚的伙计，外国也好、中国也好，这么多年行政人员中只有一两个人离去，以管理阶层来说，流失比例在世界任何国家的企业来说，都应该是最低水平。

将心比心，以诚待诚，便是最佳管理之道。松下幸之助曾经指出，有一种领导者，运用超人的智慧与领袖气质，有效地领导部属达成目标。他自认能力不足，自己又体弱多病，所以不同上述的领导方式，他的方式是向部属求助，请求部属提供智慧。

一句话，也就是利用员工的智慧。他常对部属说："我做不到，但我知道你们能做到。"

松下曾经说过，经营者必须兼任端菜的工作。这句话的意思并不是说让经营者要亲自去端菜递水，而是应该随时怀抱此种谦逊的态度，对努力尽责的员工，要满怀感激之情。只要心怀感激，在行动之中便会自然地流露出来，这么一来，当然会使员工振奋精神，因而更加努力去工作以作为回报。

松下的管理哲学，充分表达了东方文化中指儒家宽厚待人之"柔性管理"的精髓。

李嘉诚的管理哲学，又何曾不是令到每个员工心悦诚服。

"故圣人云：我无为，而民自化；我好静，而民自正；我无事，而民自富；我无欲，而民自朴。"司马迁的此番说话，在漫长的历史岁月中，自始至终焕发出一个不可磨灭，不会湮没在历史灰尘中的具有现实借镜意义的文明闪光点。

不计李嘉诚父子，其余六位执行董事（高层管理人员）中，四位在四十八岁左右，其他两位担当使命也始于四十五岁左右，管理班子的丰富创意得以充沛精力的支撑，使得和黄业务拓展和回报屡有出人意料的惊人之举。

因应发展战略的需要，整合业务和调整架构同时并举，集团层面上到1996年已基本形成了结构型人才搭配，从而提高了公司对外部环境的快速反应能力，进一步优化了内部的资源配置，也推动了核心业务的高速膨胀发展。

宋人苏辙的话，可能对我们加深理解李嘉诚更有帮助。他说："古之圣人驱天下之人而尽用之，仁者使效其仁，勇者使效其勇，智者使效其智，力者使效其力。天下之人虽杂，然皆列于前，安得仁人君子而后任之？且虽有天下之善人，与之处而不知其情，御之而不中其病，则虽有好善之心，而不获好善之利。何者？彼不徒为吾用也，而况乎天下之英雄，欲收其功而不制其心哉。"

李嘉诚认为：

> 高度竞争的社会中，高效运作的企业无法容纳滥竽充数、唯唯诺诺、灰心丧气的员工，同样也不欢迎以自我表演为一切出发点的"企业大将"。挑选团队，忠诚是基础，光有忠诚但能力或道德水平不高的人迟早会拖累团队、拖垮企业，是最不可靠的人。

建立同心协作团队的第一条法则就是聆听沉默的声音：团队与你

相处有无兴趣可言？你是否开明公允、宽宏大量，承认每一个人的尊严与创造力？你是否有原则与坐标，而不是矫枉过正、过于执着。

80 年代末期，因应全球经济复苏浪潮，和黄再次进入全面发展快速扩张。

∽ 知人善任

目前，和黄在内地的总投资约在 1000 亿港元，虽然已经垄断了超过 25% 的货柜业务，但内地投资仍不能算作李嘉诚的主要资产，只占了庞大的和黄商业帝国中资产的很小比例；但内地作为新兴市场所带来的未来商机，李嘉诚又焉能坐视不理，内地具有增值前景的策略性投资始终是黄皮肤黑头发的李嘉诚未来投资的主要选择之一。

1991 年，和黄收购全英国最大港口——菲利克斯托码头；自 1994 年以后，在世界各地，如荷兰、斯里兰卡、美国、澳大利亚和巴拿马，建立和黄的货柜码头业务。今天，和黄全球拥有 84 个泊位，占全世界货柜码头业务一成五以上。

李嘉诚在谈到集团运作畅顺，业绩蒸蒸日上时，再三强调：

> 其中一个重要因素是我对所有同事不分国籍，只要具有良好工作表现，对公司忠诚和有归属感，我都认为同样属于我们大家庭的一分子，荣辱与共，不分彼此。这样的政策，是我的一个永久基本政策，所以我认为我们集团的业务和前途是没有国界所限。这套政策正如中国古语说放诸四海而皆准。

> 古语尚有一句无信不立，相信你们多年来和我共事都深知道我对信这一个字的重视，上述的政策是绝对不会改变的。今天在我们的大家庭内高高兴兴共聚一堂的时候，深信我们明天一定会更好。

李嘉诚的成功，离不开他根深蒂固蓄势待发的人才战略，离不开长和的多方面的专业人才的和衷共济。《慎子》说："有权衡者不可欺以轻重，有尺寸者不可差以长短，有法度者不可巧以诈伪。"

荟萃中西文化精粹的李嘉诚，既有重情义、讲仁德、倡博爱、论人情、厚儒雅、多包容的孔孟之道的谦谦君子，恭恭有礼的斯文若质的一面，又有其拼强手、抢先机、争高下、计分毫、肯舍得、强争雄、谋称霸之玉树临风，叱咤风云的另一面。这种融合的多元的复合的有效的经营方式和处世理念，在当代企业家中殊为罕见，尤其是在华人企业家中更是凤毛麟角。唯其如此，才有当之无愧之商圣桂冠。

> 我在1979年收购和黄的时候，首先思考的是如何在中国人流畅的哲学思维和西方管理科学两大范畴内，找出一些适合公司发展跟管理的坐标，然后再建立一套灵活的架构，确保今日的扩展不会变成明天的包袱。

李嘉诚自小就受到深厚的儒教熏染，使得他对儒学有自己的独到见解，他说："我看很多哲理的书，儒家一部分思想可以用，但不是全部。"《吕氏春秋·举难》曰："故君子责人则以仁，自责则以义。责人以仁则易足，易足则得人，自责以义则难为非，难为非则行饰。"朱熹则注曰："责己得厚，故身益修；责人薄，故人易从，所以人不得而怨之。"责己得厚的李嘉诚，任何时候任何情况下，都是故身益修。

李嘉诚是香港乃至全球商界呼风唤雨的弄潮儿。出身寒微的李嘉诚通过半个世纪不懈的努力和奋斗，从一个普通人成为商界名人并取得了令人瞩目的成就。其中固然有他的勤奋和聪明，但每当提起他的成功之时，李嘉诚却坦然告知，良好的处世哲学和用人之道是今日成功的前提。

白手起家的李嘉诚，在其长江实业集团发展到一定规模时，敏锐地意识到，企业要发展，人才是关键。一个企业的发展在不同的阶段需要有不同的管理和专业人才，而他当时的企业所面临的"人才困境"自始至终是一个战略问题，而非昨日今日的战术问题。

由于当时社会的综合因素，工人文化水平差，多数人只有小学文化程度，技术管理方面的人员更是奇缺，那些会和他一起出生入死打天下的元老重臣的知识结构和专业水平，远远落后于企业发展的要求，面对越来越激烈的商业竞争，要单靠老旧守残抱缺的原班人马冲出重围，走向世界，再创辉煌显然是不可能的。

　　李嘉诚克服重重阻力，晓之利害，劝退了一批创业之初帮助他一起打江山的忠心苦干的"难兄难弟"，果断吸收起用了一批年轻有为的专才，为集团的发展注入了新鲜血液。

　　在李嘉诚新组建的管理层中，既有具有杰出金融头脑和非凡分析本领，眼光敏锐的财务专家，也有心思缜密，精于算计的经营房地产的"老手"，既有生气勃勃、年轻有为的港人，也有作风严谨善于谋断的洋人。这正如马世民津津乐道的老中青三结合。可以这么说，李嘉诚今日今时能取得如此巨大的成就，他的集团能成为纵横东西的跨国集团，是和他回避了东方式家族化管理模式，无分国籍地大胆起用洋人分不开的。

　　胡雪岩认为："会读书不如会识人，会识人不如会择人，会择人不如会用人。"李嘉诚起用的那些洋专家，在集团内部管理上把西方先进的企业管理经验带入长江集团，使之在经济的、科学的、高效益的条件下运作。而在外，尤其是在西方，这些洋人不但是李嘉诚寻求目标，接洽收购的先锋，而且是集团进军西方市场的向导与先锋。

　　《孙子兵法》云："故三军之事，莫亲于间，赏莫厚于间，事莫密于间。非圣智不能用间，非仁义不能使间，非微妙不能得间之实。微哉微哉！无所不用间也。"孙子此处之"间"，我们不要理解为传统的离间与权术，而是作为统帅，在驾驭调控集团内部人才时之必需的明察秋毫的心机。

　　"不要以为只是中学为体，西学为用"，李嘉诚引用清末张之洞的名言，畅谈自己的管理心得："中学也有为用之处。"李嘉诚表示必须赏罚分明，但也要知人善任，然而更重要的是组织上的"制衡"。

　　　　要让不同业务的管理层自我发展，互相竞争，不断寻找最佳发展
　　机会，从而带给公司最大利益。
　　　　完善治理守则和清晰指引可确保创意空间。企业越大，单一指令
　　行为越不可行，因为最终不能将管理层的不同专业和管理经验发挥。

　　李嘉诚更举出国际财团霸菱的例子：数年前该集团在新加坡的运作出现纰漏，让一名操作员利森亏掉5亿美元，利森自己终陷囹圄，这除了是当事人犯错，也因为组织系统缺乏必需的制衡机制。也因此，他对员工在工作中的要求非常

严格。

"如果哪个员工出了错，李先生必批评不可，不是小小的责备，而是大大地责骂。他急起来，恼起来时，半夜三更挂电话到员工家，骂个狗血淋头的也有过。"不过，奇怪的是，通常都是李嘉诚重用或准备重用的人，才有幸挨过这样的骂。这些人在经过超人的千锤百炼后，通常都能升职，因为在长和系内，可以毫不夸张地说绝对没有阿斗。看来，能被李嘉诚怒骂或许也是一种求之不得的荣幸。人无完人，孰能无错。有时，被老板冤枉的下属，也会获得真心诚意的道歉。

李嘉诚亦十分重视组织必须配合人性化的管理。李嘉诚强调在自己企业内，人员的流失及跳槽率很低，主要是他重视员工向心力，让他们有归属感，"就算是退休的同事，大家都有难舍难分的感觉"。

李嘉诚有没有辞退过下属？答案是，有。在香港中环新建的长江中心大厦七十九楼的偌大办公室，李嘉诚不紧不慢地提到一件令他很痛心的事情：他说曾经有一位职位不低的主管，也是李本人很赏识的人，被发现多次以权谋私，做出一些无论于商业原则或法律都不能容许的事情，最后只好请他离开，因为这牵涉做人的基本原则问题。

∽ 恒昌收购战

1989 年，香港股市一度低迷。1991 年 9 月，李嘉诚斥资近 13 亿港元，购入中信财团 19% 股权。李嘉诚此举之意显然在于提携荣智健，也是为长和系大举进军内地搭桥铺路。

恒昌企业的实体为大昌贸易行，于 1946 年，由恒生银行元老何善衡、梁球琚、何添、林炳炎等人创立。经过数十年发展，大昌已成为香港的超大型综合性贸易公司。恒昌为大昌的控股公司，恒昌、大昌均未上市，然其规模及效益却绝不比已经上市的任何一家蓝筹股公司逊色。恒昌掌权的两位元老，何善衡九十高龄，十三名子女无一愿打理恒昌。梁球琚 88 岁，膝下犹虚。

1989 年，以美国为首的西方国家对中国大陆实行经济制裁，中国的主要进出口商埠香港深受其害，以国际贸易为主要业务的贸易商行大昌前景突然间一片暗淡。两位年事已高的老人遂生解甲归田退隐山林之意。这就造成了财团收购恒昌的天赐良机。

恒昌虽未上市，其股东却有四百三十人之多，是一家名副其实的公众持股有限公司。因此，有关收购之谈判交涉，完全按照上市公司收购及合并守则进行。这在香港公司收购史上确也十分罕见。

1991 年 5 月 2 日，财阀郑裕彤等委托财务顾问获多利（细心的读者，或许还记得为包玉刚收购九龙仓提供财务顾问的获多利公司）提出收购建议，恒昌作价 53.4 亿港元，每股 254 港元，收购期限 60 天，于 7 月 2 日截止。

1990 年大昌行营业额达一百亿零三百万港元，纯利 10.44 亿，其市值同盈利均可跻身于香港二十大上市公司之列，与郑裕彤名下之新世界不相伯仲。收购这家大型综合性贸易公司，两者间进行资源整合，可视为新世界走向强盛的最佳组合和绝好机遇。为收购恒昌，郑裕彤以占大股的格局于 1990 年 8 月组建起备怡公司，经过近一年的艰涩运作，最后关头却因提出将会分拆大昌，招致大昌元老一致抵抗，犯了协定收购之大忌，功败垂成之余，将机遇拱手让给了跃跃欲试的中信泰富荣智健。

见缝插针，浑水摸鱼，中信泰富主席荣智健正是在这个关键时刻盯上恒昌的。荣氏当时的财力实不足吞并这个庞然大物，不得不倚赖几位大富豪的拔刀相助。荣智健的特殊背景，令他有绝对条件登高一呼，应者纷纷。谁都知道，荣智健绝非一般的太子爷，他是太子群中的太子。

7 月底，荣智健会同李嘉诚等众豪商议成立收购恒昌的旗舰大牌（GREAT STGLE）公司。该公司的九名股东是：中信泰富 36%、李嘉诚 19%、郑裕彤 18%（郑原为参与获多利收购，后倒戈加盟）、百富勤 8%、郭鹤年的嘉里贸易 7%、荣智健个人仅占 6%。百富勤既是这次收购的股东，又是财务顾问。大牌公司的出价是每股 330 港元，涉资 69.4 亿港元，比恒昌重估的资产 393 港元一股大幅度缩水 60 亿港元。

收购财团信誓旦旦，保证收购后不会将恒昌拆骨，不会辞退老员工，恒昌老一辈开创的事业在他们手中将会得到发扬光大。收购后的恒昌还是过去的恒昌，一切都照过去方针办。公司运作方式不会改变，公司人事亦不会做大的改变。而且整项收购以全数现金交收，绝不以股份支付。

何善衡、梁球琚仍嫌出价太低，但觉得对方不失拳拳诚意，似乎可以坐下来慢慢谈。当然，最主要的是，财神李嘉诚的名字位列其中。至少，恒昌的经营运作与盈利在相当程度上有了确实的可靠保障。而且这班老人相信李嘉诚的为人与诚信，对上述承诺深信不疑。

市场人士认为，大牌公司投其所好的策略初步奏效。关键是恒昌创业元老兼大股东何添许诺将所持的恒昌股份让出。另外，小股东对恒昌在老人的控制下不敢放胆博取的暮气沉沉的消极保守经营作风有所异议。认为出价尚可，表示可出让所持的股票。实际上，此次收购战中，自始至终最吸引人的地方是李嘉诚这面旗号。富豪也罢，恒昌股东也罢，都是冲着李嘉诚而来。

9月3日，经过近一个月极其艰难的谈判，双方达成协定，恒昌的财务顾问宝源投资建议股东接受收购建议。大牌公司财务顾问百富勤宣称，已得到持有恒昌股份44.4%股东的接受收购承诺。

9月5日，百富勤宣布已有52.24%的股东接受收购，收购已获成功。

到1991年10月22日收购期届满，百富勤代表大牌公司宣布，获得97%恒昌股权。大牌公司股东按权益分配恒昌股份，中信泰富为首席大股东，荣智健出任恒昌主席，行政总裁为与李嘉诚关系密切的前联交所行政总裁袁天凡。

促使李嘉诚、荣公子等人买起整家恒昌的原因，是看中了恒昌庞大的现金收益及遍市全球的贸易网络。中信泰富为首的财团收购恒昌时，恒昌坐拥20亿现金及七亿多元股票，并有市值50亿港元以上的物业。若将恒昌部分非核心物业及股份出售，随时可套取二三十亿现金。另外，恒昌的汽车、粮油、食品等贸易业务，有庞大的流动现金。如此计来，整项收购几乎折让两成，荣智健挟天子以令诸侯，轻而易举地捡了个大便宜。

那么，该如何请这些曾鼎力帮助过自己的众富豪"出局"呢？迫不及待的荣智健深知请神容易送神难的简单道理。当然，对他来讲，想送神其实也不难。看到恒昌前景如此诱人，感到众多富豪阻手阻脚，坐上恒昌主席位未几，屁股未热脸先热，荣智健已经迫不及待地考虑这一十分棘手的问题。

杯酒释兵权。似乎用不着荣智健烦心。这似乎难不倒荣智健，他摸准了李嘉诚、郑裕彤、郭鹤年等人的心理。12月底的一天，荣智健特邀李郭二君到深水湾高尔夫球场打波。一宗涉资30亿港元的交易就像挥杆击球一样容易，当场敲定。

为应付全面收购，中信早于年初配售11.68亿新股，集资25亿港元。同时，一贯做开好人好事的大好人李嘉诚，积极出面做众富豪的工作。李嘉诚晓之以理，诉之以情，告之以义，动之以利。

1992年1月13日，除中信及荣智健外，李嘉诚、郭鹤年、郑裕彤、百富勤、何添家族、冯梁宝琛等七名股东宣布将所持的恒昌股份主动售予中泰。

收购完成后，中泰及荣智健共持有恒昌97.12%股权，共涉资金30.06亿港元，恒昌成为中泰全资附属公司。

前后四个月，李嘉诚把手中的股份售出，总价值十五亿多港元，李嘉诚净赚2.3亿港元，低进高出，关键在于扣紧市场脉搏，眼光准，出手时机适宜。据传，李嘉诚曾反复强调，价格是经双方反复估算的，是公平合理的符合股东利益的商业交易，不存在彼此之间的有意让利。当然，就算是众富豪在关键时刻出手帮了荣太子一把。

李嘉诚从中得到的，绝不仅仅是2.3亿港元的商业利润这么简单。如果用一句成语放长线钓大鱼来形容，或许更能明白其中之端倪。

在这收购出让之中，还有一个引人入胜的小插曲。荣智健请君入瓮，逼君走人的手法，令耿直的大管家袁天凡愤然辞职。

荣智健收购成功之处主要有以下五点：

1. 意图明确。荣智健选择香港作为发展基地，是十分具有战略眼光的，并在多个产业进行渗透发展，不断扩大自身的实力。恒昌正好为荣智健大展拳脚提供了广阔舞台。

2. 抓住时机。在决定了战略收购的意图后，就要看能否抓住收购的时机了。在郑裕彤等人低价收购遭拒，在恒昌内部摇摆不定之际，决然兴师动众。

3. 决策果断。在恒昌讨价还价之时，坚持不懈，从恒昌内部分化瓦解其阵营，造成恒昌不攻自破。在完成收购后，着眼经济利益，不计富豪感情得失，不失时机地劝众多富豪。

4. 联手强攻。荣智健在收购时会遇到强有力的竞争对手。如在收购恒昌时，就有林秀峰兄弟的竞争。但是，面对李嘉诚等众富豪的联手强攻，这班挑战者自然知难而退。

5. 分化瓦解。李荣阵营充分利用恒昌内部的利益纠纷与派系矛盾，分化瓦解，各个击破，在最短的时间内购得最大股份。

在这个时候，荣智健均倚靠香港的几位大富家帮助。与他们联合极大增强其竞购能力。无疑，举重若轻的李嘉诚的慷慨相助，是荣智健得以成功的最主要原因。其他的富豪很大程度上都是给李嘉诚面子而出资，给李嘉诚面子而撤资。

当然，到后来，未足一年，李嘉诚又动员富豪让出手中股份，多多少少有点过意不去，众富豪虽说情有不愿，但一来超人张口，二来太子面子，三来价格尚可，四来各有所图，五来息事宁人，六来来日方长，七来大势所趋，八来无意长期做小股东被人左右束缚，也就顺水推舟，做个人情算了。

对众富豪来说，哪里的钱不能赚，哪里的钱又赚不到，何必在这里与这位风头正劲红得发紫的太子爷斤斤计较。

∽ 只要肯努力一点，就可以赢多一点

李嘉诚左右手与"客卿"并重，其中最引人注目的是精明过人，集律师与会计师于一身的李业广和叱咤股坛的杜辉廉，后者为李嘉诚在股票发行、二级市场上的收购立下了汗马功劳，特别是在 1987 年香港股灾之前，为李嘉诚的集团成功集资 100 亿港元。

长期以来，第一届行政会议成员李业广被外界视为超人在官衙的代表。当年有人甚至亲口问过李业广有关传闻，唯李业广不怒反笑，十分平静地回应说："他（李嘉诚）是我的好朋友。他跟我提意见，假如我觉得这是好意见，我自然会采纳，情况一如我听到其他人的好意见一样。"

双李关系究竟深到什么程度？听李业广说，李嘉诚曾经对人说，他很信任李业广；假如李业广拿一张没有写银码的支票要他签，他也会签。但李业广补充一句："他（李嘉诚）这样说，因为他知道我不会这样做。"其实双李交情始于 20 世纪 60 年代。当年李业广取得会计师资格后，加入政府打其政府工，与经常亲自到该署做契的李嘉诚由认识至熟络深交。

李业广后来再修读法律，长江上市也是由他担任法律顾问。

四十年交情，说来委实不易。李嘉诚是平凡的、普通的，然而也是集大成的，是为人的综合。他温情而不过分，厚爱而不过溺，强势而不偏听。他动辄捐给社会千千万万，而给一个求助者只以言传并济以少许钱物。也许正是这种拿捏得法伸缩自如的分寸感，使他能在社会人生的诸种方面取得空前成功。

即使到目前，他似乎也没有失去这种恰到好处的分寸感。他的眼光依然足够敏锐，可以随时捕捉到不为人察觉的任何商机任何异兆。他的头脑仍极为灵活灵异，这使得他每有举措总能令世人大跌眼镜，或者大开眼界。他的行为绝对有为人想象不到之处，而这行动的成功结果又总如风起云涌骤然变幻一样蔚为壮观，叹为观止，神奇地充实了平凡人为的广阔无垠的超视距视野。每每到头来，人们才发现，原来如此。只能是自叹弗如，甘拜下风。最多不过是恍然大悟，后知后觉。

李嘉诚在南征北战中，十分注重与中资的合作关系。多年来的密切合作，使得李嘉诚如鱼得水，自由驰骋。

马世民回忆道，李嘉诚会走进一个挤满人的房间，然后说句，大家好，我叫李嘉诚。就好像人们都不认识他一样。接待登门采访的记者，也会主动说：你好，我是李嘉诚。

除上面提到的中信泰富外，与首都钢铁公司的合作，也值得一提。

李嘉诚选择首钢作为合作伙伴，可谓机缘巧合。当然，如果了解全部事件脉络，又可以说是水到渠成。话说香港有一家上市公司叫东荣钢铁。这家公司以经销钢材为主，大凡建筑、五金等用材，皆由它一手包办。其业务几乎占有香港市场的三分之一。

东荣钢铁为李明治家族控制。李明治在股市的翻云覆雨，左倒右买，招致监管机构的严厉查处。李明治眼看生财之路为证监会所堵塞，唯有金盆洗手，拍屁股走人。意兴阑珊的李明治开始在市场寻求合适的买家。所谓合适，无非是价钱而已。李明治不是吃斋念佛之辈。

1992年10月23日，首钢、长实、怡东财务与东荣钢铁在北京签订有关协议，以每股九点二八毫，斥资2.34亿元收购东荣。其中，首钢占51%，长实21%，怡东3%。东荣收购一役，首都钢铁借李嘉诚之桥，顺利进入香港市场，既可以通过东荣销售渠道，将首钢产品销往香港及海外，又可以在香港市场融资扩股，变相在港上市。也因此，李嘉诚与邓小平身边的红人，首钢掌门人周冠五成了朋友。

按照中国的传统观念，子承父业天经地义。李嘉诚的观念分明已经超越了传统，超越了伦理，超越了千丝万缕的人情，超越了血浓于水的亲情，充分显示出他理性智性的一面。从这里可以看到，李嘉诚发掘了更为实用的西方商业文化的文明进步的博大精深的内涵。李嘉诚摒弃家族式管理，而采取将中西方的优点糅合在一起的运作畅顺的管理机制。李嘉诚常说："唯亲是用，必损事业。"

20世纪80年代，内地开放后，不少潮州老家的侄辈亲友，要求来李嘉诚的公司做事，遭到他婉拒。在长实有他的亲戚，也确实有他的老乡，但他们都没因这层关系而获得任何特殊的关照。另一方面，长实内部又确实重用部分潮州籍专才，当然是一些确有所长的人才。从这可以看出，在人才使用和管理上，李嘉诚确实高人一筹。

韦尔奇对此的回答是："我认为一个CEO的任务就是一只手抓种子，另一只手拿着水和化肥，让你的公司发展，让你身边的人不断地发展和创新，而不是控制你身边的人。"韦尔奇称自己"允许他们犯一些错误，但是错误不能太多。很显然，你不可能为所有的业务部门做一个最佳的决定，你需要找到人才，帮他们指明一般的方向，然后让他们发展壮大"。看来，韦尔奇并不需要为产权、制度之类的烦恼而费心，而这几乎是大部分中国企业家必须面对的无法回避的现实问题。

李嘉诚也概莫能外。问题接踵而来，"什么是你眼中的人才？"在位二十年的韦尔奇选择自己的接班人花了六年时间，从八十个候选人中选中了现任CEO伊梅尔特。

六年时间，说长也长，说短亦短，要知道，李嘉诚在这方面，所花费的时间，又何止一个两个六年。"如果你待在这个职位上不再有新的思想和新的血液出现，这是一个CEO或创始人最糟糕的情况。该结束的时候就要结束，让新的人上来做事，放手让他们做。"

李嘉诚统领的和黄集团2000年被美国《财富》杂志封为"全球最赚钱公司"，而美国《商业周刊》2001年则把李嘉诚誉为全球最佳企业家。

李嘉诚的成功秘诀，无疑是许多人都想知道的，更是许多人所乐意学习刻意模仿的，但是对于偷师学艺者而言，往往都是一知半解，浅尝辄止。

一次，李嘉诚位于长江大厦七十楼的办公室来了一帮特殊的客人——香港中文大学行政人员工商管理硕士课程的学生。李嘉诚和他们长谈了一个半小时，从为人处世到家庭生活，从管理作风到领导才能，有问必答、言无不尽地公开了他的成功秘诀。

有学生问，要成为领袖，必须要有眼光、有理想、勤奋和有奋斗精神。除此之外，怎样才能做得比别人好？

李嘉诚回答说：

> 要成为领袖，你提到的基本素质一定要有。要清楚，无论从事什么行业，都要比竞争对手做好一点。就像奥运赛跑一样，只要快十分之一秒就会赢。

他以自己的经历为例说道：

> 我年轻打工时，一般人每天工作八到九小时，而我每天工作十六小时。除了对公司有好处外，我个人得益更大，这样就可以比别人赢少许。面对香港今天如此激烈的竞争，这更加重要。只要肯努力一点，就可以赢多一点。

李嘉诚说，他没满二十岁就要担负家庭，"一心想向上，每到晚上便想着明天的事情。"他鼓励在座的学生：

> 只要自身条件优越，有充足准备，在今天的知识型社会里，年轻人更容易突围而出，创造自己的事业。

✑ 长江不择细流

李嘉诚如何领导下属，如何与下属相处，是许多学生关心的问题：李嘉诚从几个方面做了回答。

首先，他提出好员工的标准。李嘉诚坦率地说："在我公司服务多年的行政人员，有的已工作了很多年，有些更长达三十年，什么国籍都有。无论是什么国籍，只要在工作上有表现，对公司忠诚，有归属感，经过一段时间的努力和考验，就能成为公司的核心成员。"

他强调指出："忠诚犹如大厦的支柱，尤其是高级行政人员。"他还补充说：

"在我两个儿子加入公司前，我的公司内并没有聘用亲属。我认为，亲信并不等于亲人。"

第二，他强调好的企业一定要有好的组织。他深有感触地说："机构大必须依靠组织。在二三十人的企业，领袖走在最前端便最成功。当规模扩大到几百人，领袖还是要参与工作，但不一定是要走在前面的第一人。再大便要靠组织，否则迟早会撞板，这样的例子很多，一百多年的银行也会一朝崩溃。"

第三，他的管理模式融合中外，既讲科学，又重感情。他认为："美国科学化的管理有它的优点，可以应付迅速的经济转变，但没有人情，业绩不太好时进行大规模裁员。我们做不出，因为会令员工没有安全感，也会导致许多人突然失业。我们糅合两者的优点，以外国人的管理方式，加上中国人的管理哲学，以保存员工的干劲和热诚。我相信可以无往而不利。"

第四，有学生提出，企业经营中如何处理谨慎与进取的关系。

李嘉诚首先指出，他是一个"很进取的人"，从他所从事行业之多便可看得到。但是，他强调："我着重的是在进取中不忘稳健，原因是有不少人把积蓄投资于我们公司，我们要对他们负责任，所以在策略上讲求稳健，但并非不进取，相反在进取时我们要考虑到风险和公司的承担。"

第五，李嘉诚还进一步透露，他的原则是"在开拓业务方面，保持现金储备多于负债，要求收入与支出平衡，甚至要有盈利，我讲求的是于稳健与进取中取得平衡。船要行得快，但所面对的风浪一定要挨得住！"

第六，李嘉诚做出重大决策时最看重的是精确计算，科学分析的数据，最强调的是事前准备。

他指出：每一个决定都经过有关人员的研究，要有数字的支援。我对数字是很留意的，所以数字一定要准确。每次一开会就入正题，没有多余的话。他每次开会前，会接触和了解有关事务，仔细研究员工们的建议，加上各部门同事各有自己的知识和专长，所以当下属提出有用的建议时，很快便得到他的接纳。李嘉诚提到一次行政会议，他在两分钟内批准了所有同事的建议，"全世界没有一个行政人员能这么快取得总裁的批准！"

第七，李嘉诚不仅要求员工这么做，自己也身体力行。

他说："我虽然是做最后决策的人，但每次决定前我也做好准备，事先一定听取很多方面的意见，当做决定和执行时必定很快。"

　　李嘉诚的两个儿子事业也十分成功。李嘉诚在教育子女方面，又有什么秘诀？

　　李嘉诚首先认为，中国那句"富不过三代"的老话日后需要修改了，因为"今天的教育、组织不同，令事业可以继续"。

　　李嘉诚的企业对香港的经济影响力很大，学生们自然希望李嘉诚能给香港的竞争力把一把脉。李嘉诚也非常坦然地指出，这是他和所有香港人都关心的问题。

　　李嘉诚率直地说："面对今天的竞争，香港人需要抛开昔日自满的心理。"他认为，香港今天的问题"在于贫富悬殊日益严重"，"将来香港的情形会与今天的美国一样，受教育多、知识水平高又用功的，收入会向上，收入低者则越来越萎缩。这是社会的经济转型，我们已走进知识型经济"。

　　解决这一问题，李嘉诚认为要双管齐下。"短期输入一些高教育水平的技术移民对香港至关重要。而长期则要加强教育，提升香港大学生的水平。单是大学学历已不足够，希望有硕士、博士程度，才经得起考验，加上香港人一贯灵活和有拼搏精神的优点，便可与外国的强者竞争。"

　　话说有一天，拿破仑的情绪很好，高兴地捏捏机要秘书布里昂的耳朵，对他说："你也会永垂不朽的。"

　　布里昂："为什么？"

　　拿破仑："难道你不是我的秘书吗？"

　　布里昂："敢问陛下，亚历山大的秘书是谁？"

　　拿破仑拍手喝彩道："问得好！"

　　的确，拿破仑说得不错，那些和他一起生活工作过的人，后来很多都由于他的缘故而名垂青史。李嘉诚可能从来没有说过类似的话，甚或从来都没有产生过类似的想法，诸如霍建宁、洪小莲等人也可能没有机会问同样的问题吧。

　　拿破仑也曾经讲过，我从路边的渠沟里拾到了这顶皇冠，而人民则把它戴到了我的头上，让他们的决定得到尊重吧。对于超人的名头，李嘉诚又何尝不是这样。当然熠熠生辉的商圣，想来李嘉诚必是坚辞不受。

　　然而，单单一个文化层面的超人，仅仅是技术性地机械地反映出李嘉诚的某些方面。从历史文化社会政治经济民族国家层面来考虑，虚位以待的商圣，则是一种客观的历史的必然选择。

　　不过长实和黄集团的马世民、霍建宁、洪小莲、袁天凡等人，确实因为李嘉诚，在香港社会历史发展中，在斑斑青史刻下了他们的赫赫盛名。

2003年5月23日，亲自"踩场"，在上年向长和系主席李嘉诚赠送钻戒示爱的女股东，又卷土重来，并且提出多条令人哗然的问题，例如问李嘉诚是否已经破产，犹幸李嘉诚以超人风度应对，没有当面责难。

身穿紫色旗袍、自称罗润儿的小股东，不断举手要求发问，结果终于取得发问权，谁知一开口已经语出惊人，她说听闻李氏因为购买电讯盈科及长实股价大跌而破产。她又误解和黄年报内的或然负债及少数股东权益等术语，令在场各人一时间均不明所以。李嘉诚先表示多谢她关心集团运作，又说个人全无负债。并且透露他的理财哲学，是手头现金永远多于负债。

李嘉诚又让和黄董事总经理霍建宁解答会计问题，会计师出身的霍建宁，也尽展他的幽默作风，答完问题后即问李嘉诚答案是否合格，李嘉诚也不失幽默地笑说："合格，你以为钱这么容易赚。"

对于这名女股东提出的其他提问，例如和黄是否做假账、李嘉诚是否黑社会"大佬"，李嘉诚亦展示他的超人耐性，和气地说："今日特别热闹，好现象。"令在场人士从惊愕回复轻松，并且赢得哄堂掌声。

拿破仑曾说："一头狮子率领的一群绵羊能打败一只绵羊率领的一群狮子。"李嘉诚对拿破仑的这句话感受犹深。

第一，他坚持作为企业的核心人物必须全面了解核心外的决策群的想法，随时沟通，掌握动态，保证集团的决策一旦成立，能够毫无保留地去贯彻执行。

第二，他强调好的企业一定要有好的组织，好的架构，好的思维，好的运作。

第三，他的管理模式融合中外，既讲科学，又重感情，既依赖人才，又借重制度，既着重个人才能，又强调组织协调。

他认为："以外国人的管理方式，加上中国人的管理哲学，以保存员工的干劲和熟诚。我相信可以无往而不利。"

《韩非子》说："夫立法令者，以废私也。法令行而私道废矣。私者，所以乱法也"，"能去私曲就公法者，民安而国治。能去私行行公法者，则兵强而敌弱。"

业务多元化、业务全球化、策略性保持稳健财务状况和"不为最先"的策略，是李嘉诚及其长江集团多年来在经历过数次危机后，仍能平稳发展的四大法宝。

《管子》说："夫凡人之情，见利莫能弗就，见害莫能勿避。其商人通贾，倍道兼行，夜以继日，千里而不远者，利在前也。渔人入海，海深万仞，就彼逆流，乘危百里，宿夜不出者，利在水也。故利之所在，虽千仞之山，无所不上；深渊之下，无所不入焉。"

李嘉诚有别于一般中国商人，他既胜在经营，也胜在管理。特别是在人力资源管理方面，的确有他独到之处。为此，香港有人专门写了一本《李嘉诚人力资源管理魔法》加以评述。

在用人上，李嘉诚的核心理念是"长江不择细流，有容乃大"。他在诠释公司名字的由来时做了这样一番陈述：

> 长江取名基于长江不择细流的道理，因为你要有这样旷达的胸襟，你才可以容纳细流——没有小的细流，又怎能成为长江？只有具有这样博大的胸襟，自己才不会那么骄傲，不会认为自己样样出色，承认他人的长处，得到其他人的帮助，这便是古人说的有容乃大的道理。
>
> 假如今日，如果没有那么多人替我办事，我就算有三头六臂，也没有办法应付那么多的事情，所以成就事业最关键的是要有人能够帮助你，乐意跟你工作，这就是我的哲学。

李嘉诚不但拥有杰出的个人商业才能，同时，也是中国传统商业精神的推崇者和亲身实践者。但是，即使是这样，李嘉诚在传授中国传统的"管理的艺术"演讲时，也不忘提醒台下那些虔诚的 MBA 学员：

> 事实上，我是依靠西方管理的模式，不然也难以从五十年前的个人的小型公司，发展到今天全球五十二个国家超过二十万员工的企业。

李嘉诚的用人哲学并不是说说而已，而是具体体现在他的用人实践中。概括起来，他采用了三个结合，即"新老结合"、"中西结合"、"内外结合"。

首先是"新老结合"，这指的是处理好元老重臣与后起之秀的关系。李嘉诚认识到，创业之初，忠心苦干的左右手可以帮助富豪起家，但元老重臣并不能跟上形势。

到了某一阶段，倘若企业家要在事业上再往前跨进一步，便难免要向外招揽人才，一方面以补元老们胸襟见识上的不足，另一方面是利用有专才的管理层推动企业进一步发展。故此，一个富豪便往往需要任用不同的人才。

与霍建宁任同等高职的少壮派中的还有周年茂。周年茂赴英专修法律，回港后即进入长实，被李嘉诚指定为公司发言人。两年后选为长实董事，1985年提升为董事副总经理，负责长实系的地产发展，并代表长实参与政府官地拍卖。与霍建宁、周年茂一起，被称为长实系新型"三驾马车"的还有洪小莲。她原跟随李嘉诚任秘书，后来任长实董事，不到四十岁，就全面负责楼宇销售。长实的管理层在20世纪80年代中期，基本上实现了新老交替，各部门负责人，大都是三十至四十岁的少壮派。

李嘉诚统领的长江和黄集团，所有行政人员和非行政人员，在过去二十年内，变动是所有香港大公司中最小的，高层管理人员，流失率更是低于百分之一。为什么会这样呢？李嘉诚先生自我"揭秘"："第一给他好的待遇，第二给他好的前途。"李嘉诚先生把待遇放在第一位，可见待遇对留住人才的重要。

其次是"中西结合"。这指的是李嘉诚在参加国际化竞争的过程中引进了国际型人才。李嘉诚认识到，要管好在港控股的几家老牌英资企业，最有效的办法是以夷制夷，用洋人管洋人，这样更利于相互间的沟通。而长江集团走跨国化道路，雇用洋人做大使，更有利于开拓国际市场和进行海外投资，因为他们具有血统、语言、文化等方面的天然优势。

其三为"内外结合"，这指的是李嘉诚不仅善用公司内部的人才，还善于借助公司外部的智力资源，即所谓"客卿谋士"类的精英。

马世民生于英国，原名西蒙·默里，当时尚在李嘉诚对手怡和集团工作的马世民，来到长江集团推销办公室冷气系统，而且坚持要见李嘉诚，前台接待员经不住马世民的软磨硬施，便通告了李嘉诚。

李嘉诚不情不愿地放下了案头工作。马世民与李嘉诚就这样相识了。

马世民一上任，便为和黄赚了大钱，并辅佐李嘉诚成功收购港灯集团。马世民还是李泽楷的"太傅"，李嘉诚亦专门安排自己的儿子跟洋大班学艺。无奈心高气傲的李泽楷并不把这位洋太傅放在眼里，有时甚至在马世民的下属面前，给识途老马难堪，大有不把老马师傅放在眼里的架势。

虽然，李嘉诚一如既往地信任支持马世民，并放手让他施展自己的才干，但是，一山不容二虎，觉得有点窝囊的老马，渐生退意，并在大老板李嘉诚面前婉转提出了自己的要求。李嘉诚又如何能轻易放走他看中的人，于是这件事就这样拖了下来。

到了 1993 年年初，有关马世民离开和黄的传闻再度甚嚣尘上。奇怪的是，李嘉诚与马世民在公众场合都不曾辟谣。

1993 年 9 月，和黄突然宣布，马世民辞去和黄董事总经理一职。令人再度意外的是，接任人不是二公子李泽楷，而是副董事总经理霍建宁。

马世民后来披露，自己在和黄大班任上做了足足九年，是和黄历史上任期最长的大班。最后，在第一次请辞被李嘉诚拒绝后，马世民与老板做一次长时间的促膝谈心，自己再三解释了离开和黄的原因，并获得李嘉诚的谅解。马世民更夸赞老板李嘉诚贤明通达，体察下意，心胸豁达。此地无银三百两，马世民极力否认与李泽楷不咬弦。

其实，当初李嘉诚决定大举投资盐田港，遭到马世民的极力反对，马世民并以此为契机，劝告李嘉诚将投资重心撤离香港，转向海外，希望长和系染蓝而弃红，招致李嘉诚的强力反对，这才是马世民离巢的真正原因。

马世民曾经为此辩解道："我确实不赞成在内地搞码头，和黄在香港码头独大，如果在近在咫尺的盐田再搞一个，那岂不是用自己的左手打自己的右手，用自己的左脚踢自己的右脚。在这个问题上，我是纯粹从商业角度考虑的。我不像凯瑟克家族那样害怕共产党。"

但是，李嘉诚不这样认为，与其等待别人伸出脚来踢自己，不如自己先伸出脚去占领这个有利战略位置，等别人想踢我的时候，由于不得力，自然也就无伤大雅。这样做，虽然可能会分薄码头利润，但无非是将自己口袋里的钱转到自己另一个口袋而已，而不是跑到别人的口袋里。

李嘉诚不愧是李嘉诚，马世民也只能是马世民。不过，马世民绝非泛泛之辈。道不同不相为谋，这是一个基本的游戏规则。况且，对于马世民这一级数的人物。马世民是一个爱出风头的人，是一个政治嗅觉迟钝但又时不时爱玩政治的人，并因此给李嘉诚带来不少麻烦，需要李嘉诚频频善后的人物。

20 世纪 90 年代初，港督彭定康抛出香港政制改革方案，遭到北京及香港左派力量的全面围剿，一时间，香港充满了火药味，甚至过往风度翩翩的绅士也破口骂街，一种紧张不安的情绪笼罩香江，香港人对香港未来之前途再次忧心不已。

商界更是噤若寒蝉，敬而远之，尽可能保持沉默。而就在这个时候，在邓小平南巡讲话之后，内地再次掀起改革开放浪潮。李嘉诚亦借此大好时机，开始大举投资内地。与彭定康私交甚笃的李嘉诚，唯恐北京误解，对政治极力保持沉默再沉默，对肥彭也敬而远之。偏偏就在这个关键时刻，马世民不识时务，接受英国《卫报》访问，信口开河，公开支持彭定康政改方案。

马世民一夜间成了全城的焦点，连北京也忙着打听，马世民何方神仙。闹了半天，原来是李嘉诚的心腹。这还了得，新华社的热线电话即刻打到了李嘉诚的办公室。甚至李嘉诚回到家里，还要接听类似的政治电话，接受爱国主义再教育。李嘉诚真个是跳进黄河洗不清了。超人尴尬难堪至极。

马世民也曾为其政治热情高涨辩护。"李先生希望我在政治方面闭嘴。做生意的，若对当地政治发展无兴趣，会错失很多资讯，做生意的态度也受影响；话虽如此，我却无意在政治上多花时间。"面对去意甚坚的马世民，李嘉诚放下身段，再三挽留，李嘉诚会建议，由和黄投资建立新公司，交给马世民全权自主打理，被心高气傲的马世民一口拒绝。

2005 年 12 月 23 日，澳洲最大投资银行麦格里来港大展拳脚，宣布找前和黄大班、曾远征南极的马世民，出任该行的亚洲区企业融资业务主席。跳槽麦格里前，马世民曾出任德国银行亚太区执行主席。

如今，虽然他离开和黄已十多年，但大班形象仍深入民心。原来他年少时父母离异，生活艰辛，更要到非洲当五年兵。直至他来到香港，遇上李嘉诚才改变他的命运，经历人生光辉的十年。问他几时退休叹世界？他只回答："不，对生活疲倦的人才会想到退休！"答案与前老板李嘉诚不谋而合。

和马世民倾谈，的确充满大班风范，问他任何问题，即使内容略带尖锐，甚至尖刻，或许尖酸，他都面不改色徐徐地回答，答案都是那么精彩。马世民认为，他主政的年代，和黄无论投资在电讯、能源，甚至在港灯都只是新丁，现在和黄已经成熟，更有财力及经验，可以做更大的交易，承担较高风险，所以投资3G 也可以理解。

外间喜欢将他与继承者霍建宁比较，他也答得非常理智得体："任何东西都是一种比较，今早起来天气怎样，一杯咖啡好不好饮，都没有绝对的，只是和昨天比较。要将现在的和黄，与我效力时的年代比较，要比较我和霍建宁，都是不公平的，因为时代不同，环境不同。"

当时很多人以为和黄投资赫斯基石油是马世民的主意，但马世民澄清，这全是李嘉诚的主意。他说："李先生很早已留意石油投资，并且找到赫斯基石油这个项目，我只负责谈判。"马世民回忆当时谈判过程长达半年，并且经常需要往返香港与加拿大。

谈到李嘉诚，他依然对这旧老板赞口不绝，与他共事十年，他觉得李嘉诚成功之道，在于把握时机，并且懂得用人。而李嘉诚比他大十二年，依然不言退休，对他很有启发。"李先生也是一个永不言休的例子，他只是逐渐减少工作。因为他仍热爱工作，仍对公司有很大的贡献。他有很好的经验，无人可以代替。"

∽ 100% 的失败是因为贪婪

李嘉诚认为，企业起伏在国内国外都有，最要紧的是企业不论大小，一定要有核心业务，经济整体往下掉50%时，你的业务只掉10%，这就是核心业务。核心业务可以在经济起伏时起到很大作用。宏观调控虽然是国家的规划，但国家是不会让经济出现大的波动的，（钢铁）现在若不控制，将来问题不小，民营企业机会还有，现在不要放弃，困难时要多探讨多听意见，要更投入，要自己努力改变环境。

走偏路走歪门邪道的商人发展快掉下去也快，100% 的失败是因为贪婪。要知止，走正途最好。发展中不忘稳健，稳健中不忘发展。

长江集团是如何通过收购策略来达到风险管理的目的？而如何的风险管理可以使得集团整体保持平稳的收入和盈利之余，也能不断增长呢？

整个和记黄埔的货柜码头业务是由其在香港的旗舰公司香港国际货柜码头的运作开始的。和黄 1977 年成立后，一直将货柜码头作为其业务发展的重头戏。从 20 世纪 90 年代初开始，此项业务便开始不断向海外扩展。

李嘉诚今时今日的地位，对香港经济举足轻重，一举一动都惹人注目，每当市场传出李嘉诚入股某公司，这些公司的股价无不三级跳，跟李嘉诚买股，往往成为散户发财的捷径，不过，长和系入股的上市公司众多，投资者要跟也要跟得小心。

李嘉诚入股性质主要可分为三大类：上市时入股、现货现金吸纳、可换股债券。"比如和黄许多时入股，其实没有什么特别原因，纯粹因为资金多，用CB（可换股债券）入股，好过把钱放在银行。"梁伯韬指出，和黄这类跨国企业都会设有独立的财务投资部门，管理流动资金，入股一些公司往往只是为了增加资金运用效率。

> 每一个机构有不同的挑战，很难有绝对放诸四海皆准、皆适用的预制组件，老实说我对很多表面的、人云亦云的专家分析是尊敬有加，心里有数，说得俗一点，有时大家方向都正确，要的却是花拳绣腿、姿势又不对。管理者对自己负责的事和身处的组织有深层的体验和理解最为重要。了解细节，经常能在事前防御危机的发生。

和黄集团于1991年收购了英国最繁忙的港口费利克斯托港，迈出了全球化拓展的第一步。之后的数年里，和黄就已经将其货柜码头业务扩展至全球不同的策略性地理位置，包括中国内地、东南亚、中东、非洲、欧洲和美洲的二十个国家与地区。目前，和黄经营着全球30个港口，共170个泊位。集团到2001年年底已共处理了2700万个标准货柜。根据和黄1995至2001年年报资料显示，货柜码头业务的收入这几年仍然是稳步增长。

货柜码头业务的总收入能保持稳定的增长，主要原因在于其港口业务分散在不同地区，无论集团面临什么样的经济大环境，各港口受影响程度也不尽相同。所以，在不同的时期，表现好、盈利增长快的地区往往可以支援表现相对较差、盈利增长缓慢或呈负增长的地区，使集团的码头业务的整体盈利始终保持正增长。

为了对这一互补效应有一更深入的认识，比较香港地区、中国内地及欧洲最具代表性的三个货柜码头对集团整体业务的贡献。这三个码头分别是香港本地的国际货柜码头、中国内地的深圳盐田码头以及英国费利克斯托港。

三地货柜码头从1997年开始的吞吐量增长率。虽然三地码头在过去五年里吞吐量增长有快有慢，有正有负，各有千秋，但简单地加加减减后发现，整体业务始终保持着增长态势，且还相当稳定。

即便是遇到特殊情况，如2001年欧美经济持续放缓及当地货柜码头行业的竞争程度越发激烈，和黄在香港和英国港口进出口货物数量均下降，吞吐量呈负增长；但中国内地经济发展的一枝独秀，使深圳盐田港吞吐量始终保持大于

20% 的年增长率，从而令和黄整个集团的港口业务在 2001 年并未受累香港和英国方面的不景气而大幅下滑，而是持续保持平稳增长态势。可见，和黄由于实施了业务全球化的策略，使得其各种投资风险得以合理分散，并确保业务及盈利整体上保持稳定的放大增长。

1987 年 9 月 14 日，李嘉诚宣布，旗下四间公司集资 103 亿元，其中 29 亿元用来收购大东电报局 4.9% 股份，这是香港有时史以来最大规模的集资活动，对市场影响深远，引起市场轰动。

李嘉诚亲自向媒体解释集资行动，回答记者提出的各项问题。起先李嘉诚一律用粤语作答，但当翻译谈到 101 亿元时，李嘉诚即时抢过话题，迫不及待地用英语抢答，反映其春风得意的绝好心情。

这次庞大的集资案，长实承担一半金额，其余由包销商及股东负责。其办法是按当日市价折让两成，具体分配是：长实以十供一，每股供款 10.4 元的形式集资 20.78 亿元，和黄以八供一，每股供价 11.2 元的形式集资 37.53 亿元，嘉宏以五供一，每股供价 4.3 元的形式集资 20.78 亿元，港灯以五供一，每股供价 8 元集资 24 点 18 亿元。四家公司集资总额 103.27 亿元。

这次供股集资的特点是，采用连锁包销形式，即大股东与控股公司除了按所持股份供股外，还会再多包销一部分新股，使得他们承担了其中一半的包销任务。

至于其余一半新股，则由万国宝通国际、获多利、新鸿基、加拿大伯东融资及百利达亚洲负责分销。如所有股东接纳供股，长实系所吸纳资金可达 65.06 亿元。其他包销商则负责集资 51.06 亿元。

正常情况下，这点资金对五大包销商来说，不费吹灰之力。但是，就在几个大包销商签署包销协议之墨迹未干之际，市场逆转，受外围大市影响，香港股市调头向下，一路狂跌。最终，四大券商接获股东认购只占总数的 0.1% ~ 0.4%，接近五成的股份则由包销商独立承担。

面对如此熊市，券商叫苦不迭，现在又要根据合约背负 50 亿元的供股。就算他们有能力供股，也会在禁售期过后疯狂抛售，对市场构成沉重压力。因此，许多人游说李嘉诚，当机立断放弃供股集资。这也是券商的基本立场。但站在李嘉诚的角度，取消供股计划基本上是不可能的事情。因为，李嘉诚旗下四家公司在香港证券市场占有举足轻重的江湖地位，信誉一向超卓。一旦因为市场因素突然取消供股，会予人话柄，认为长和系投机圈钱，被市场牵着鼻子走。

李嘉诚对百亿集资计划解释得很清楚："这次集资，其中一半是由我认购包销的，和其余包销商的正式合同还没有签署，如果要暂时取消在法律上是可以的。但我不想给人批评为不守信用，因为股价跌落就取消包销，以避免损失，所以我个人承担的责任一定照数兑现。我希望维持长和系的合理股价，老实说，原因之一，也是在巩固长和系各公司的信誉。"况且李嘉诚动议的百亿集资计划，在资金的流向上已经有了明确的目标与部署，况且许多项目已经开始了前期投入，这显然是李嘉诚所不愿见到的。而且这些包销商一路以来都是依靠李嘉诚这个大财主找食的，如果得罪了李嘉诚，他们在香港还有饭吃吗。包销商权衡利弊，也不敢贸然开罪李嘉诚。而实质上，这班包销商又与过百个分销商签署了分销协议，最终 50 亿元，也未必全由他们四大包销商承担。

事实上，李嘉诚个人负责包销的近亿股新股，现金 10.38 亿元，仅仅是包销长实新股，李嘉诚就账面损失 3.5 亿元，更重要的是，根据发行新股协议，李嘉诚可以从已包销出手的新股按比例提取佣金，但是，李嘉诚分文未取。正是李嘉诚这样至诚的务实的作风，最终使得长和系百亿元集资计划大功告成。

正是因为这一集资计划，使得李嘉诚财团鹤立鸡群，在香港十大财团中的地位遥遥领先，其财政基础也更加稳健健全。

1987 年，长实除税后综合纯利达 15.89 亿元，较 1986 年之 12.83 亿元，激增 3.06 亿元，增幅达 23.85%。

话说美国宝洁公司多年前想进入中国内地洗涤剂市场，却始终不得其门而入。

1988 年，和黄帮助世界护理洗涤业巨头宝洁进入了它梦寐以求的中国市场，条件是以 3000 万的投资获取了合资公司 33% 的股权。原来，内地 13 亿人用的洗发水，都与李嘉诚有关，那些恍然大悟的人或许不得不说：又关卿事。

1997 年，宝洁与和记黄埔有限公司协议重组中国内地合资控股公司宝洁和记。根据该协议，宝洁可于 1998 年年初把所持之 69% 权益增至 80%，并可于 20 年内行使多项认沽／认购权，以便在 2017 年前把所持权益增至 100%。

十年前与和黄成立一家合资公司后，随即万事大吉，该公司董事长称，李嘉诚旗下公司，"是我们在中国生意上的宝贵合作伙伴"。这种合作关系到底有多宝贵，直到 1997 年年末人们才能掰着手指头算出来，李嘉诚当时把手中所持宝洁公司的 11% 的股份出让给美方合伙人，作价 6.5 亿美元，与当时仅为 3000 万美元的投资相比，短短五年间获利二十余倍。之后李嘉诚仍持有该公司 20% 的股份，价值估计为 12 亿美元。尽管竞争激烈，该公司仍然牢牢把持着中国洗涤护理行业的第一位置。

2004 年 5 月 12 日，和记黄埔香港公司宣布，作价 150 亿港元将手中持有的 20% 广州宝洁股权全部出售，一笔过赚走 137 亿港元，接近和黄 2001 年 143 亿港元的盈利。和黄董事总经理霍建宁形容这笔买卖是一个"让人牙根发软的肥鸡腿交易"，他否认出售宝洁是为了填补和黄 3G 业务的亏损，而主要是为股东创造价值。霍建宁笑呵呵地对记者说："我们要的就是'哗'的一声的感觉。"

在全球范围内，和黄精心构织着多元业务网络。面对今日全球经济增长放缓，质优价平的资产俯拾皆是，坐拥千亿实力的李嘉诚选择了加远实施其既定目标的战略，在淡市中加大拓展港口、电讯业务的力度，务求引领公司拓展新的领域，开辟新的产业，迈向新的目标，攀登新的境界。

继 2001 年在六个国家中收购八个港口业务后，2001 年以来和黄仍在并购方面大展拳脚，试图确保其世界码头业领导者的地位。从投资举动判断，发展中国家的航运业市场将成为拓展的重点之一。观察和黄投资方式，可以发现一个特点，即和黄入股企业，大多采取透过购入可换股债券（CB）进行。

据业界分析，采取 CB 战略收购的确有可取之处。对发行 CB 的公司来说，可带来即时的现金支援，易于引起调动市场的正面反应。作为 CB 的持票人，则可进退自如，因势随时行使，相对减低投资的风险。

截至 2001 年年底，和黄拥有千亿现金在手，净负债与净资本之比仅仅是 0.7%。但业绩公布后，竟因为拥有巨额现金而在财务方面遭人指点保守，这是稳健的和黄多年来首次出现的新气象。一家大型跨国集团，因为资金严重过剩而遭人说三道四，可谓空前绝后。

尽管在 2001 年的年报中显示，和黄的财资队伍及其出众表现可媲美任何一家银行，但公司在或然负债和获得特殊盈利的能力上，依然引起有关方面的强烈质疑。《亚洲华尔街日报》曾公开撰文批评和黄的透明度不足，没有披露公司或然负债的基本情况，就算是和黄小股东，也是不知所谓。

和黄在高调反击后，四月下旬，专门安排财务董事陆法兰接受了该报的访问，但所做的解释似乎仍然未能完全平息有关方面的疑虑。和黄2001年总负债为1390亿港元，比上年大幅度增加27.52%。陆法兰解释，子公司向NEC和摩托罗拉订购3G手机，和黄为此做出必需的财务担保而承担责任，购置手机的款项已准备妥当，一旦交易完成，相关的或然负债便会在短期内取消，这项担保符合惯常商业做法。陆法兰认为，如在年报中列出详细资料，则会太过繁杂，而且大部分股东都不会关注这些事项，股东关注的主要是和黄之投资方向与回报。

《亚洲华尔街日报》居然对此仍然做出质疑，再次把和黄同安然相提并论，指出安然股东同样对公司负债不感兴趣，结果招致沉重损失，最后全军覆没。很显然，该报完全以美国人的商业理念揣度东方人的经营哲学，难怪有如斯疑虑。

业界流传一种观点，认为和黄赚取特殊盈利的能力将会逐渐下降。主要理据是和黄太精于计数，对于自己投资专案的价值和价格有着极为精到的把握，一向善于运用高沽低买的策略，制造大量非经常性盈利。且低进高出的投资手法，将招致未来投资目标选取上的困难，更因为李嘉诚个人的投资风格，造成卖出时产生意想不到的困难。因为谁都知道，李嘉诚是高出。其实这完全是纸上的臆想，2007年和黄出售和电印度的策略，就丝毫未看出有这方面的障碍。

和黄在卖橙、卖Voice Stream[①]后，给公司带来可观的盈利和现金，大大降低了市盈率。不过，这些手法已逐渐为欧美企业所熟悉，导致日后李嘉诚所欲收购的目标，都会反思资产是否太过贱卖，并相应地调高收购价格，从而增加了收购欧美企业的难度与成本，使和黄赚取特殊盈利的机会也相应减少。

很简单，卖给第三者，什么价格都可以考虑可以商量，但是，遇到李嘉诚，再贵的价格也要考虑加码。这可能是现代商业操作中最为异想天开的天真的想法。这是典型的纸上谈兵，十年不成的秀才的高谈阔论。幸亏这家媒体的记者编辑没有去下海，否则，连自己的内衣裤都有可能被海水冲走。对于善为者，收购机会随时有，处处在，对于不善为者，收购机会常常擦肩而过。李嘉诚的理智，在于他在任何时候任何地点都没有买古董的心态。

---

① 美国的声流公司。

"做老板简单得多，你的权力主要来自地位，这可能来自上天的缘分或凭仗你的努力和专业的知识；做领袖则较为复杂，你的力量来自人性的魅力和号召力。"

第十一章

百佳超市

▲ 李嘉诚访问陕西咸阳市渭城区时与大石头村雷家老太太（左二）聊天，祝愿她身体健康和生活快乐。

▲ 2013 年 9 月 30 日，以色列特拉维夫。李嘉诚基金会捐资 1.3 亿美元，帮助以色列理工学院落户广东汕头大学，共同创办"广东以色列理工学院（TGIT）"。痴迷科学发展的李嘉诚详细了解—微型手术机器人的运作。负责研发的 Moshe Shoham 教授是全球首个微型手术机器人的发明者。

百佳超级市场，是李嘉诚和记黄埔旗下屈臣氏集团的零售业，1973 年在香港开设，已经发展成为亚洲区最知名的超市零售企业之一。

屈臣氏集团起源于 1828 年，时至今日，集团已成为全球知名的零售商，业务遍布亚洲及欧洲 19 个地区，经营超过 4500 间零售商店，制造和供应多款饮品，包括瓶装水、果汁、汽水，销售世界优质名酒和化妆护肤品。集团于全球聘用逾 6.4 万名员工。

全港现有 180 家百佳超级市场，约占香港零售市场四成；另有逾 100 家屈臣氏及 50 家丰泽电器。

1984 年，百佳在内地开设第一家分店，成为第一家打入内地市场的港资零售商，至今已拥有二十余年的内地零售经验。

超级市场的经营范围覆盖中国华南、华北、华东及香港、澳门等地，拥有九千余名员工，经营着二百五十余家超级市场，每周超过千万人次光顾百佳在国内的超级市场，在华南区被推选为"最受欢迎的品牌"。在香港，每个人几乎每周都会光顾百佳超市。

多年来，百佳超市以其积极进取的姿态，得以区域性垄断零售市场。业内人士估计，百佳占香港超市四成市场，整体食品零售市场，亦高占两成，其规模、影响确实牵涉香港千家万户的男女老幼。

∾ 树大招风

李嘉诚的百佳超级市场、屈臣氏大药房及丰泽电器雄霸集团旗下的楼盘靓位，全力配合房屋署在全港公共屋村商场推行的大型超市计划，与其他零售商互为补充，为全港市民提供全方位的零售服务，成为香港现代社会舒适生活的重要组成部分。

全香港 700 多万人，没有一个人能够否认自己的生活同李嘉诚息息相关。从颤颤巍巍的阿伯阿婆，到牙牙学语的乳臭小儿，从腰缠万贯的亿万富豪，到捉襟见肘的综援①小户，都与百佳结下了不解之缘。

过去几年，百佳大力发展可兼售湿货鲜品的大型超级广场，市场占有率升至首位，可供销售的商铺面积增加一倍，与惠康瓜分市场总销售额高达七成。

百佳大力扩充，销售商品的种类由八千种急增至目前的四万种，新鲜蔬菜、肉类、鱼类、卤味、烧味、预先煮好的菜……一应俱全、包罗万有，步入百佳，就可以随意选购解决家庭日常所需，甚至包括主妇的一日三餐。

除了货品的供应，还进一步包办货品的生产（虽多是由供应商代为制造）。正如和黄所说的那样，在香港超市竞争，市场蚕食的压力之下，"2001 年百佳盈利少于两个百分点，即一百元营业额赚不到两元"。

虽然消委会一再指本港多家大型超市违反公平竞争、小经营者不断被淘汰，手法包括向供应商施压，以令其停止提供货品予竞争者；利用市场影响力联手定价控制市场；甚至以误导手法，如声称货品以"最低价"出售，实情并非如此，等等。

但既然社区里的传统士多、办馆、杂货铺、米铺未见绝迹，而且越开越多，就连类似超市的裕记，在超市的重重包围中数年间连开超过百家街市铺。各种街市里面的大小铺头也似乎日薄西山，但从来都是开完又开，卖完又卖。真不知所谓垄断从何谈起。

不过，消委会调查报告称，部分超市售价全港最低，名不副实。而 2003 年上半年超市"一篮子"货品平均正价，更比上年同期上升 1.5%。

---

① 综援是指香港政府以入息补助方法，为那些在经济上无法自给的人士提供安全网，使他们的入息达到一定水平，以应付生活上的基本需要。

黎智英旗下之《壹周刊》及《苹果日报》会就消委会一份超市货品价格调查报告大做文章，直指百佳超市垄断市场，并断章取义地指百佳部分货品售价高于同业，对百佳超市做出极不公平的报道。每当出现哪怕是三数元的些小消费争执，依例大幅标题报道，刻意渲染，极尽诬蔑。

和黄旗下的百佳超市在港澳及内地拥有约二百五十间分店，属庞大的零售业务，某种品牌的商品在特定条件、特定地点、特定时间内出现售价略高过同行的个别情况，这在自由竞争的商业社会，完全是正常的商业现象，甚至任何一间店铺都有可能出现售价超过百佳、丰泽、万宁的情况，却从来没见该等报刊有类似标榜公平的报道指责。

事实上，上述刊物长期针对李嘉诚及其公司，经常做出不尽不实之报道。令人怀疑其背后之动机是否与"苹果速销"经营与结业有某种特殊关系。按照香港的说法，这其中不能不使人质疑其利益冲突，既然存在着利益冲突，又如何确保其中立立场呢。当然，该报老板会旗帜鲜明地断然声称，传媒从来就没有中立。

在香港九龙乐富，住在这里的居民几乎人人都是消费行家，只因乐富中心有吉之岛、惠康及百佳三大超市三足鼎立，与其他地区相比，竞争更为剧烈。想当年吉之岛超市每逢周三，推出购物积分优惠，抢去两大超市客源，惠康就罕有地只限乐富分店，逢周三推出全线货品九折特惠。

百佳在两大强手夹攻下，一度跟风推出九折，但没多久便主动放弃。

每逢周三，乐富区的吉之岛超市、惠康出现购物人龙，而百佳就门庭冷落车马稀。不过，像乐富这般竞争激烈的地区并不多见，大部分屋苑都只有一间超市。即便是有一两家的屋苑，比如美孚新村，百佳与惠康多年来也是相安无事，和平共处，和谐进退，共同发财。

百佳向来和供应商谈合约，都持一种开放态度，全因超市每日供应上万种货品，每种产品都有许多生产商，因此，除产品质量、价格外，还必须考虑该产品的市场知名度，也即受消费者的欢迎度。所以，会根据不同产品之不同情况收取不同之费用，除上架费外，还有一定的折扣及推广基金。

比如百佳几乎每周末都要在报刊刊登整版广告，最多时每日四版，按常常刊登百佳广告的该报之收费标准，四版广告大约为四十万元，若以最低标准计算，一年仅广告费就高达两千万元。

近年来，百佳超级市场董事总经理简力宏先生与零售董事曾金强先生等高层，在每年的农历新年等节假日，正值分店繁忙期间，走出办公室，到百佳超级广场等店铺，亲自参与店内的前线工作。

简力宏表示："在总部工作的同事，平日忙着筹备各项宣传、货品供应、营运等项目，通过这次机会，他们能放下手上的工作，走到店铺里，亲自参与处理日常店务，亲身接触不同的顾客，才能深入了解顾客需要。"他也指出，只有亲身到分店工作，才能明白前线员工日常面对的挑战和顾客的需要，当他们回到本身的工作岗位时，才能更有效地为分店做出相应的支援，一同为顾客提供至周全的服务。

曾金强更肯定，这是一个与员工沟通的好机会："我们亲身体会分店的运作，更重要的是拉近了跟前线员工的关系，对于日后制定各项措施时，两方都能合作得更愉快，更有效率。"

百佳一直是顾客信赖的品牌。在独立市场调查公司 Ipsos-Reid 的全球性调查中，百佳超级市场得到"最受欢迎品牌"的称誉；连续两年，分别荣获大型互联网站雅虎颁发"Yahoo！网民最信任品牌"和"Yahoo! 感情品牌大奖"的殊荣，更夺得由香港零售管理协会颁发的"2003 杰出服务奖"。

百佳管理者在日常运作中将李嘉诚的管理思想发挥得至臻至美。

管理者对自己负责的事和身处的组织有深层的体验和理解最为重要。了解细节，经常能在事前防御危机的发生。

其次，成功的管理者都应是伯乐，现代伯乐的责任不仅在甄选、招揽"比他更聪明的人才"，但绝对不能挑选名气大但妄自标榜的企业明星。

高度竞争社会中，高效组织的企业亦无法负担那些滥竽充数、唯唯诺诺、灰心丧志的员工，同样也难负担光以自我表演为一切出发点的"企业大将"。

要建立同心协力的团队第一条法则就是能聆听得到沉默的声音，问自己团队和你相处，有无乐趣可言，你是否开明公允、宽宏大量，能承认每一个人的尊严和创造的能力，有原则和坐标而不是费时失事矫枉过正的执着者。

百佳更推出家喻户晓的"新鲜卫生检定"及"至低精明眼",不但为顾客提供最高的食品安全及卫生标准,更保证价格全城最低,否则差额双倍奉还。百佳的这些举措广受市民欢迎。

∽ 钱要赚,但是原则也要讲

李嘉诚说他平时除了小说以外什么书都看。文、史、哲、政、经、科学等都是现代企业家必须掌握的知识,他认为如果能跟随社会进步,甚至跑前一点,那么判断未来的能力会更加准确。

大师本尼迪克特认为,文化是通过某个民族的活动所表现出来的一种思维模式和行为模式。一个民族的全部文化构成实际上就是一个民族的广义上的社会文化,当中包容体现出了一个民族生活的方方面面。

每一个民族的文化都有其特定的品质结构,每一个民族的大文化实际上就是那些不受疾风暴雨影响而长期存在的特质。中西文化中都具有诚信的素质,但两种诚信文化的内涵却存在明显的社会差异。

> 我认为要像西方那样,有制度比较进取,用两种方式来做,而不是全盘西化或是全盘儒家。儒家有它的好处,也有它的短处,儒家在进取方面是很不够的。

中国的诚信文化主要是一种约束人们社会行为的道德规则,这种道德准则演化到今天已经异化为外在的非本心的社会外在制约,而西方的诚信文化主要是一种商品交易的不成文的潜规则,这种道德规范自始至终是发自本心的,无须外力的非常自我的人本人文人性人道规约。

中国古人的诚信着眼于人与人之间的伦理关系,属于"正心、诚意、格物、致知、修身、齐家、治国、平天下"的道德体系中的一个重要组成部分。"为政以德,则不动而化、不言而信、无为而成。所守者至简而能御烦,所处者至静而能制动,所务者至寡而能服众。"

很多人都已注意到了李嘉诚们的幸运,天时、地利、人和等。也如很多人注意到，尽管每一代人都有可重复性，但李嘉诚在商业领域多方面的成功尝试却是空前绝后地演绎着几乎永远不可能再现的神话。

2005 年 9 月 25 日，李嘉诚专程来京出席长江商学院 EMBA/MBA 毕业礼暨学位颁授仪式。他在发表题为"强者的有为"的演讲中说，帮助他人对社会有所贡献，是每个人必要的承担。他勉励弟子坚持正确的理想和原则，贡献于自己深爱的民族，为它缔造更大的快乐、福祉、繁荣和非凡的未来。

李嘉诚还谈到，只有坚守原则和拥有正确价值观的人，才能共建一个正直、有秩序及和谐的社会；一个没有原则的世界是缺乏互信的世界。李嘉诚强调，没有精神文明、只有物质充斥的繁荣表象，是一个枯燥、自私、脆弱、冷酷和危险的世界，而只有通过对真理和公平不断的追求，才可建立一个正义的和谐的稳步发展的社会。

李嘉诚是香港商场诸巨人中少有的出身贫寒者，少有的常青树，在市场和管理的各个领域和各个层面，甚至在思想领域里都成功过的佼佼者。李嘉诚的成功正在于从少年创业到目前六十多年的从业过程里，他几乎抓住了命运赐福的每一个绝好机会，并借重自己的人格魅力与持之以恒坚持不渝的艰辛努力，在坚持诚信为本的原则下，将其发挥发酵发展发扬至完美。

李嘉诚成长、创业的年代，环境有着巨大的机会、巨大的诱惑，也有着巨大的风险。

时世造英雄，英雄造时世。这种机会，这种风险对每个人来说绝对是平等的，又似乎绝对是不平等的。每一次动荡都给人们的生活带来了压力，给无数的小业主带来了灾难，千千万万的小商人在时代的轮盘上转眼破产，输得精光。一无所有，一筹莫展。或者从头来过，或者销声匿迹，或者远走高飞，或者无所适从，或者一蹶不振。

李嘉诚让人叹服、着迷、羡慕之处，也正在于他有如神助，避过一次又一次的惊涛骇浪，实实在在地把握了机会。

> 精明的商人只有嗅觉敏锐才能将商业情报作用发挥到极致，那种感觉迟钝、闭门自锁的公司老板常常会无所作为。

人们常常不由自主地感叹李嘉诚的成功，但他的成功从另一个更为广义的社会层面上说，应该是中国传统文化的成功，因为李嘉诚把儒家文化的精髓恰如其分地运用到企业的每一个环节每一个层面上甚至每一个细节。

但又有谁能够清楚明白地解释，儒家文化怎样成为李嘉诚成功的法宝？在《大般涅槃经》中，佛说他从未想过要约束僧伽，他也不要僧伽依赖他。他说，在他的教诫中，绝无秘密法门。他松紧自握的拳中，并没有刻意隐藏着东西，或者暗示着什么，或者导引什么。

换言之，他一向没有什么刻意隐藏的"袖中秘籍"。李嘉诚有没有"袖中秘籍"？如果有，又是什么？

上帝亦会说过，天堂与地狱，全赖个人，由自己抉择。有时只是一念之差，更是一步之遥。

《远东经济评论》说："有三样东西对长江实业至关重要，它们是名声、名声、名声。""重信诺、重诚意、讲义气、宽待人"，这是李嘉诚成功的秘诀，这也恰恰是中国传统文化的诚信魅力，这也正是近代潮商成功的精髓所在。而这也恰恰是当代东方社会之缺失。

如果说李嘉诚在地产生意方面所强调的是地段、地段，还是地段的话，和黄在超市零售业所强调的自然是信誉、信誉，还是信誉。当然，和黄在电讯业方面的信条就是服务、服务，还是服务。

李嘉诚在被问到苹果促销倒闭并反指两大超市垄断经营事件时表示，香港超级市场竞争激烈，苹果网络销售倒闭，简单讲只是因为无法取得利润，并不等于，也不意味着百佳超级市场取得胜利，更不能意味着百佳垄断市场，因为在香港超市生意是开放的，机会是平等的，否则，精明强悍尚算理智的黎智英应该不会拿十个亿往维多利亚港里扔。

百佳不会造成垄断，百佳也不可能造成垄断。在香港也不可能见到独门独市的垄断行为。如果说有垄断，那只有一家，就是香港铁路。

　　我赚的每一毫子都可以公开，就是说，不是不明不白赚的钱。

香港的客观现实就是这样，就连经营专营线路的巴士公司都不可能垄断，那么完全开放自由竞争的超市零售，又如何能垄断呢？如果坚持说李嘉诚在香港有垄断，不可否认，港灯确实是特许区域性垄断经营。

李嘉诚在出席以他命名的香港公开大学"李嘉诚专业进修学院"命名典礼，在接受记者访问时强调，和黄旗下的百佳并无对市场造成垄断。他解释，除百佳和惠康外，还有华润、吉之岛等其他超市，市场是开放的，任何投资者都可以加入，任何投资者都可以经营。

令人不解的是，与百佳同等规模，拥有同样分店与经营模式的惠康，多年来，却未曾听到看到《苹果日报》有关垄断与其他品质方面的指责与报道。仅就这一点来看，该媒体所持之立场之公允与中立就令人质疑。

由传媒大股东黎智英私人投资的苹果速销，在经营了大半年，亏损十个亿，难以为继的情况下，宣布结束营业。据黎智英透露，该业务令他亏损约十亿港元。苹果速销声称，刚刚推出时，就受到香港两大超市集团百佳及惠康联手反击，营运困难，其后业务表现一直欠佳。

对于苹果速销正式宣布结业，有消费者担心两间主要超级市场百佳及惠康将会加价，对此，李嘉诚没有正面回应，只表示对于百佳的任何减价或加价行动，他本人并不知道，也无须知道。下属也绝不会将如此零碎的事务知会他本人，相信任何一个香港人都会相信这一点。如果你天真地以为，李嘉诚每时每刻都知道百佳售卖的猪肉价格，那将是一个不折不扣的天大笑话。

李嘉诚在北京出席其投资创办的长江商学院 EMBA／MBA 毕业典礼上表示，要帮助他人对社会有所贡献，正直赚钱才是最好的。李嘉诚认为，经营企业的主要动机是为盈利。传统儒家思想推崇道德标准的作用，而今天很多商业管理课程则强调效益和盈利是衡量企业成功与否的主要标准，两种有着明显冲突和矛盾的取向都是不完整的。李嘉诚说，一个有使命感的企业家在捍卫公司利益的同时，更应重视以努力正直的途径谋取良好的成就，正直赚钱是最好的。

事情确实是这样，一个操控千亿资产的资本家，绝对无可能知道辖下超市的富士苹果每个卖多少钱，也确实没有必要知道这个苹果的价钱，更加没理由知道属下超市的猪肉每斤卖多少钱。甚至，百佳将在哪个屋村开新店，亦毋须知会李嘉诚。

然而，每当超市个别货品出现问题时，个别别有用心的传媒则矛头直指和黄，甚至李嘉诚，居然有人昧着良心指责李嘉诚"为富不仁"。当然，有理由相信这是某些特定人士的"为了富而不仁"。虽然供应商慨叹："自己牌子才有'Brand Loyalty'（品牌忠诚度），帮他做，要卖平，边际利润又低。"边际利润低是事实，而百佳整体利润低也是事实，当然这不是每个人都知道的事实。

此外，以往做特价所减货价百佳和供应商一起承担，例如零售价 10 元的产品，做特价 9 元，供应商不用减批发价一元，只需减几毫。但 2003 年开始，就要供应商硬啃差价。虽然特价为期两星期，但百佳要特价供货多 10 日，即 24 日，而消费者就只获两星期特价。另外 10 日之差价，则用来做特价推广之广告费用。

其实这也完全合情合理，但凡特价货品，百佳多数都会做特价广告、街招、单张，这笔费用自然不菲，没有理由由百佳全部埋单。

不过，绞尽脑汁，百佳毛利虽有 5%，但由于铺租昂贵，尤其是超市竞争激烈，市场压力非常沉重，新鲜货品损耗又大，故纯利率估计只有 3%。有时甚至只有 2%。

试问，李嘉诚的任何一项投资曾经有过如此之低的利润吗？如果有，那只有是百佳。虽不算好赚，但百佳款期长达九十至一百日，现金流入对和黄其他业务大有裨益。

"余存心济世，誓不以劣品取厚利。唯愿诸君心余之，采办务真，修制务精。"胡雪岩在胡庆余堂戒欺匾上的这句惊世醒言，亦成为百佳、丰泽经营的座右铭。

李嘉诚常常对员工强调："钱要赚，但是原则也要讲。不只商人，一个国家亦是无信不立。"

李嘉诚旗下的长和系集团，业务遍及多个范围，其中和黄旗下之百佳超级市场，更是与本港市民日常生活息息相关的零售业务，唯自 2003 年以来持续的通缩严重，实际经营情况只属微利生意。

2002 年 5 月初，猪肉买手集体罢买，并堵塞百佳冻肉仓事件，真的令"诚哥"愤愤不平，大叹"连猪肉都关我事？"那迟些时候，莫非香港连养猪都关我事？一位和黄高层告知笔者，自从发生猪肉买手罢买事件后，李嘉诚曾经私下对朋友诉苦，他名下的百佳超级市场，若然连猪肉都不能卖，那算是一家怎样的超市？而且若然他因为舆论压力介入事件，不准百佳卖猪肉，"差不多等于绑起百佳的手来打仗，百佳又怎能应付另一家超市的竞争呢？况且百佳管理层为股东争取利益，也只是尽管理人的本分而已，何罪之有？"

对于外界质疑李嘉诚如今富可敌国，为何还要与民争利呢？李嘉诚更感到莫大的委屈，因多卖一点猪肉的收入，对他来说如沧海一粟。这完全是为股东利益着想，为百佳近万名员工着想。企业存在的本质就是为股东谋取最大的利益，企业生存的先决条件就是不能也不应该回避竞争，而是必须面对竞争以壮大自己。竞争若此，犹如逆水行舟，不进则退。李嘉诚感叹"这些额外的收入，可能不及他平均一日做公益事业所捐的款项"。

除了上述大道理之外，原来从不逛街市的李嘉诚对何处买猪肉也有自己的看法，因为他不认同一些主妇称，街市肉档的猪肉较新鲜的说法。他解释到百佳的猪肉处理好后，即时通过冷冻车队，送到超市的冻柜，保鲜效果自然胜过要面对路边滚滚沙尘蚊叮蝇咬的肉档猪肉。而且，就算猪肉进入超市，也是在冷冻的环境下，自然刻意保鲜，况且超市大量向批发商取货，故此可以要求低价入货。而其他街市及士多办馆的东主就却不得不以比较昂贵的价钱购入货品，而且街边的铺面大多数没有冷冻设施，其保鲜程度可想而知。至于其他的超级市场如家乐福、广南 K-K 以及苹果速销都相继踏上倒闭之路。

这是基本的市场法则，不是你的错，也不是我的错，更不是李嘉诚的错。

有证券分析员表示，和黄 2003 年上半年公布的中期业绩显示，其零售及制造业业务于期内的营业额达 293 亿元，除税及利息前盈利仅 5.99 亿元，只占营业额 2%，以如此庞大的生意额衡量，毛利率实际上只属微利生意，若扣除税项及利息，和黄旗下零售业务的毛利率更低于 2%。

该名分析员又表示，其他国际知名零售商如美国沃尔玛、法国家乐福及英国特易购等，其税前毛利率达到 3% ~ 5%，相对于百佳超市 2% 的毛利率，更印证百佳超市只是微乎其微的微利生意。

据零售业业内人士分析，投资零售业存在颇高风险，超级市场需要相当庞大的面积摆放货品，面对高租金及（土）地税压力，加上仓储、物流系统及劳工成本，投资风险相当高。此外，有关行业的折旧率相对较高，如水果蔬菜等食品之保质保鲜期限制，故要获取利润，必须有高效率的管理及物流成本控制措施，并非如外界所指超级市场是能获取厚利的行业，而现时在本港亦存在不少大规模的超级市场，故指百佳垄断市场的说法，实属毫无根据的无稽之谈。

据业内人士透露，和黄的零售业务除了百佳外，还包括屈臣氏及丰泽等，由于市场竞争激烈，部分业务、部分店铺仍未能达到盈利的水平。百佳超市进口的货品种类逾一万五千种，近年来，欧元、澳元及新西兰元甚至人民币都大幅升值，导致入货成本急升，百佳已尽力控制成本，减少对消费者的影响。

分析员表示，业外人士可能不完全知道经营超市存在的风险，但财雄力大的黎智英曾掏出十亿元经营"苹果速销"业务，最后落得严重亏损而倒闭的下场，理应让香港人知道这并非是一门有开必赚的轻易赚钱的生意。

在香港，李嘉诚一般不接受香港记者的个别采访，因为此例一开，他即使什么事也不做，专门接待记者，也未必能应付香港数十家媒体、数百名记者的轮番轰炸。

但是，李嘉诚也有例外。曾有一次主动向一家经常同他"过不去"的大报记者"爆料"。话说有一天，香港某大报财经版一名记者在中环长江中心的楼下苦等李嘉诚。他明知李嘉诚不会接受他的独家采访，但仍在公司楼下耐心等待，希望有奇迹出现。以便向公司交差。这位记者一直等了两个钟头，仍然未见李氏出现。

他拨电话问长实公司，回说李先生没有接受记者采访的计划。正当该记者要打道回府的时候，李嘉诚却恰巧从另一条通道，出现在停车场。他登车时，属下不经意地告诉他，一名记者已经等他两个钟头，正要离去。李嘉诚听了，心想该记者等了两小时，如果连我乘车走了都不知道，回去如何向报馆交代呢！于是，他叫司机开车到记者身旁，主动与记者打招呼。

该位记者听说李嘉诚已上了车，竟让司机倒车来到他的面前时，感动得几乎想不起来该问些什么。

∽ 广布全球，什么都做的企业

近几年在内地名声响亮的郎咸平教授曾执教于宾夕法尼亚大学、密歇根州立大学、俄亥俄州立大学、纽约大学、芝加哥大学等多家知名的商学院，他主要致力于公司监管、专案融资、直接投资、企业重组、兼并与收购、破产等方面的研究，在国际著名的经济及财务学刊上发表过多篇有影响的论文。

郎教授曾任世界银行及亚洲开发银行的顾问，后应邀回国担任长江商学院教授。郎教授曾做了一个专题讲座，解析李嘉诚投资战略的思维模式。作为一家总市值超过五千亿元港币的巨型跨国企业，保守稳健是非常重要的，也许本当忌讳大调整大波动，为何长江集团把重组当作家常便饭？郎教授跟踪多年，发现了其中秘诀，重组的目的恰恰是为了让整个集团稳定，降低风险。这种做法对国内的大企业都很有启发意义。

长江集团原是发端于香港本地的一家小地产商，从 1973 年至今四十年来，变成全球化经营，业务绝对多元化，郎咸平教授形容它为"广布全球，什么都做的企业"。

李嘉诚是如何降低风险的？郎教授把李嘉诚旗下的七项业务的 EBIT（息税前利润）增长曲线画出来，七根曲线每一根的峰谷波动都很大，最高的达到 200%，最低的为 −50%。这样的数值是任何一家大型企业都无法承受的，增长速度突然暴涨到 200%，你会发现人员、场地、现金什么都不够用，鞭长莫及，乱套了，根本不能正当运作，而如果衰退 50%，也是负担不了的，随时会倒闭。

对于一家 3 亿元以下的企业，依靠企业家个人的经验和聪明才智还可以应付，而上千亿元的航空母舰就不是那么简单的了。难道庞大的长江集团常常处在内外交困的边缘吗？当然不是。一旦把七根曲线放到一个坐标系里考察，戏剧性的场面就出现了。每一根线的波峰，都有另一根线的波谷与它相对应，也就是说，七大行业全部形成了严密的戏剧式的错峰互补关系，一个行业增长最高点一定有另一个行业是最低点，反过来讲，一个行业发展至最低点，一定有另一个行业恰巧达到最高峰。例如零售业 1998 年处在波谷，−50%，跟它相对的物业发展线正好在最高点。在坐标系中取七条线的加权平均数，增长率就变成了 −5% ~ 20%，这是一个十分稳健的投资数位。这是无为的巧合？抑或精心的谋略，只有见仁见智了。

李嘉诚降低经营风险的秘诀就是把风险分散，俗话说"把鸡蛋放在不同的篮子里"，但不同的是，李嘉诚的多元化策略表面看来无甚关联，但实质上做得有计划有条理，不是盲目地看到哪里赚钱就往哪里投资。

近年，李嘉诚屡次在汕头大学发表关于商业运作的演讲，每每都有出人意料、视野广阔、发人深省的见解。例如，一般人都认为范蠡功成而激流勇退，是人生最理想最浪漫境界；而富兰克林搞发明和参加美国独立运动的政治，是俗世功业，等而下之。

而李嘉诚则对此大有另外的见识。他说范蠡是为了个人的"虚妄"与浮躁的隐世遁世的消极的小智小慧的小我，富兰克林成功后，依然急流勇退，从另一方面协助建立美国民主体制，是真智慧、真伟大、真进取的大我。他认为富兰克林的人生境界，显然远远高于范蠡。

归根结底，李嘉诚的分散风险策略有这样的轨迹：

一是收购或从事低相关业务分散风险。李嘉诚旗下七大行业无论产业领域还是地域都分布广阔，但彼此又紧密相关。

二是收购或从事不同回报期业务降低风险。短期回报的业务如零售、酒店等，它的盈利波动，好处是经济景气时获利丰厚，长期回报的业务如基建、电力等，好处是收入稳定；长短互补，才能确保每段时间都有足够的资金流与集团正常运作。

三是在集团运作中，发挥资本杠杆作用，利用集团内部的资本波峰，在尽可能不依赖外部融资的条件下，达到集团内的平衡协调发展。利用多元化业务对资金需求之不同及现金回流之不同之时间差、地域差，最大限度地维持集团的平衡协调稳定发展。

四是收购或从事稳定回报业务来平滑盈利。稳定回报的业务，就算其回报偏低，但能提供稳定的现金流，亦有助"关联公司"业务发展。

五是资金充裕时考虑长线投资，资金紧绌时着眼短线投资。以确保公司在任何情况下的运作畅顺，并不至于高负债而陷入危机。

六是一如既往地奉行稳健发展战略，发展不忘稳健，稳健坚持发展。李嘉诚旗下各集团之资产负债是本港同业最低的，就连资本投入最大的长江基建，其负债也远远低于该集团资产总值。

尤其在长和系重组后，借重港灯之稳定回报与现金流，长江基建在稳健发展的基础上，始终保持低负债运行。

李嘉诚的投资思维模式还讲究"不为最先"。最新的最热的时候先不进入，等待一段时间后，市场气候往往更为明朗，消费者更容易接受，自己的判断决策也会比较准确，这时候采用收购的办法介入，成本最低。就算成本略高，也可以规避风险。

李嘉诚的历次成功收购，都与企业资产负债率显著低于同业有关，太高的资产负债率显然会给国内零售企业准确把握时机造成障碍。

∾ 打入内地

2004 年 7 月，李嘉诚控制的和记黄埔集团属下的百佳超市中国区董事总经理冯砚祖透露：百佳正式将与香港近邻的广东省定为其发展核心区域，随后向整个内地市场辐射，今后将挺进二三线城市，考虑重新杀回上海滩。

内地市场已成和黄超市发展拓展之重心。旋即，百佳超市在正佳广场正式开业，是该超市两个月以来新开的第七家店，年底前新店数目将达到八家，使其在内地总数达到三十二家。

百佳的进入，比家乐福在华第一家门店早了十一年，甚至比红色资本背景的华润进入内地也早了七年。因此，百佳和屈臣氏分别打入内地，不单首次引入"超市"、"连锁店"、"个人护理"这些新名词，也成为外资摸索中国零售市场的急先锋。

在 2004 年岁末的两个月内，百佳在南中国区的六家店在确定选址后的四十天内将接连开张。这种开店速度发生在中国"入世"过渡期即将结束之际，让人深感原来曾在中国市场败走麦城卷土重来的百佳之超霸气势。

作为最早进入内地的港资超市，百佳在 1994 年就已把触角伸至上海，百佳曾一口气在上海开了 21 家店，但由于水土不服，经营模式不当，加之政策限制等种种因素，2000 年年初上海百佳将大多数门店以非常低廉的价格，转让给顶顶鲜公司，其店铺从 1996 年开始急剧萎缩，到 2000 年年初，百佳已经正式退出了上海市场。

据业内人士分析，百佳超市在上海的第一家大卖场地处五角场与中原商圈的交合处，受到了这两个商圈的全力挤压；百佳超市国和店又距离极为强势的欧尚中原店仅一公里多一点，怎么能抵挡客流集聚度极高人气极旺的欧尚中原店对它的冲击呢？大润发黄兴店在五角场商圈内具有较强的竞争优势。他说："大润发黄兴店如果日营业额是 100 万元的话，那么沃尔玛五角场店的日营业额就是其一半，而百佳超市国和店又是沃尔玛的一半。"可见，百佳超市国和店在商圈内所处的竞争地位相当低下。

另外百佳超市国和店单店经营，销售业绩又不理想，很难得到供应商的支持，因此，在新品供应、商品价格等许多方面很难与其附近的竞争对手竞争；

还有业内人士认为，曾经以标超（经营食品，日用品的自助服务型零售商店）业态进入上海的百佳超市，2006 年卷土重来进入上海市场后，虽然开出的业态是大卖场，但是在经营管理上还是沿袭了以前标超业态的运作模式，将标超业态的运作模式套到了大卖场的经营管理上；另外，百佳超市国和店的店长只是单纯的门店前台现场管理，财务、业务等完全由总部决定，自身没有一点决定权，这也制约了店长经营能力的发挥。

种种原因表明，百佳超市在强劲对手林立的申城打出的"回马枪"，既没有杀出竞争的重围，更加没有出奇制胜的绝招，唯一的亮点是李嘉诚这块金字招牌，遗憾的是，属下并未擦亮这块招牌。

当接触统领百佳的屈臣氏集团行政总裁、在 1999 年百佳生死攸关之时披挂上阵的英国人艾一帆后，或许可以昭示这其中的些许奥妙。

艾一帆说："当时百佳的失败主要是不了解国内消费者需要什么，照搬香港的模式，当很多零售店都在卖国内产品时，我们却仍在经营价格高昂的进口商品。"当时，艾一帆临危受命的主要任务是到中国关店。他说："我面前有两条路：一是将店都关掉，撤出国内市场；二是重振旗鼓。我选择了后者，因为我们知道错在哪里，因为我们认为在中国市场可以发展一个新的适合内地人生活方式的零售模式。"

艾一帆的眼光与判断是正确的。李嘉诚的决策是英明的，因为他始终认为，内地广袤的市场腹地及日益壮大的中产阶层，将成为保鲜干净舒适的现代超市最基本的消费群。而且这一群体不是在萎缩，而是在不断壮大之中。

当然，不能寄希望这一中产阶级能够如同香港一样，不吝啬荷包，大撒银纸购买洋货。始终，这是中国内地，这还是刚刚摆脱贫困的温饱社会。消费习惯的改变绝非一朝一夕所能改变。

在和黄集团的全力支援下，2000 年百佳调整模式，二度出击，现在已发展成为最有竞争力的零售企业之一。2004 年全年销售额为 28 亿元，比 1999 年翻了 2.5 倍，年平均增远近 33%。

艾一帆为英国人，进入中国十年。1994 年任中国北区百佳负责人；1999 年接管南区，成为中国区董事总经理，负责中国百佳业务；2003 年升任百佳所属屈臣氏集团行政总裁，目前管理全球百佳、丰泽电器、屈臣氏酒窖、GREAT 等集团属下之食品、电子及百货部的业务。

牛奶公司零售业务全线北上，和记黄埔属下屈臣氏零售集团在穗盘踞多年，声名显赫的三股香港零售资本在广州二次相遇。

2004年10月9日，进入广东的香港零售企业——万宁在广州天河城的首间国内概念店正式开业。就一间三百平方米的店铺而言，万宁的庆祝仪式实在显得声势浩大。当天在天河城北广场的仪式现场，除广州市副市长王晓玲、广州市外经贸局局长肖振宇、广州市商业局局长李治臻、广州市外商投资服务管理中心主任王平生，以及香港特别行政区政府驻粤经贸办事处主任梁百忍等政府要员外，万宁母公司——牛奶国际旗下各零售业务的高层也悉数到场。

此外，该公司还邀请三名香港艺人担任开幕嘉宾，并有来自粤港两地的超过百人的庞大记者队伍捧场，可以说是天河城迄今为止租户入场庆祝规模最庞大的一次。

这一切也许并不像表面上看起来那么简单。作为香港三大零售巨头之一——牛奶国际控股有限公司在广东已率先推进7-11便利店及控股公司美心集团与星巴克合作的咖啡连锁店。

当初为招万宁进天河城，天贸集团董事长禹来亲自到香港与之接洽，双方就合作意向一拍即合。2004年6月1日，万宁到广州提交申请，8月11日即收到广东经贸委的批文，速度之快有如乘坐直通车。随后签约、装修、开业，整个工程花费仅用两个月时间，万宁迫切入市的心态可见一斑。据悉，万宁未来将在广东扩展至三十家分店，其重点城市为广州、深圳。

《孙子兵法》十分注重"示形"的谋略，《计篇》曰："能而示之不能，用而示之不用，近而示之远，远而示之近。"对敌人示之以假象，常能令敌人判断失误而使己方有机可乘，从而取得战争的胜利。《势篇》又说："善动敌者，形之，敌必从之。"

如果说香港的零售业呈现两强格局的话，屈臣氏与万宁无疑是香港个人护理用品方面的两大霸主。

此前，隶属于李嘉诚旗下的屈臣氏在广东的分店数已达四十家，但万宁的快速推进对昔日宿敌而言仍然构成一大威胁，而且万宁选择在广州的第一落脚点——天河城，恰恰也是屈臣氏的旗舰店铺所在，双方正面交锋，一触即发。

如何创造双赢局面，避免两败俱伤？难道真的是你死我活？对于万宁的来势汹汹，屈臣氏显然也是有备而战。该公司对天河城店进行了全面装修，从更

换货架、灯光、收银台到升级品牌、服务、LOGO 形象，打造出全新的第四代
个人用品护理店，屈臣氏已提前备足了武器弹药。

　　屈臣氏集团一方面静观其变，另一方面积极应变。一时间，狼烟四起，硝
烟弥漫。

　　与以往香港零售业北上渗透不同的是，今次香港三大零售资本属于集团军
作战，而且背后财团实力个个声名显赫。万宁、7-11、惠康属于香港牛奶公司
所有，其属下控股公司美心集团又与国际咖啡大王星巴克联合拓展咖啡连锁王
国。此外，牛奶公司还于 2002 年 10 月收购了香港宜家家私，其零售业务基本
上已进入或正在进入内地市场。

　　屈臣氏零售集团所生产的矿泉水、代理的化妆品、食品等已遍布内地，加
上尚未进入内地的丰泽电器，该资本能量十分庞大，完全可以独霸一方。百佳
现在的成功转型不是因为没有资本实力，而是得益于失败的教训，那就是经营
模式一时的成功不等于一劳永逸。而某一区域的经营在某一特定时段的失败也
不代表某一行业的失败。

　　艾一帆说："我们从挫败中得到了宝贵的经验，并立即积极应对，快速调
整，发展新的模式，重回市场。"艾一帆说话的语速很快，正如百佳近一两年
的开店速度。他反复强调速度的重要：决定一定要迅速果断，一旦决定做什么，
行动也一定要快。货架上的货要转得快，货转得快，发展自然就快。当然，最
重要的是，自己的脑袋要转得快。现在，内地零售业普遍陷入"不扩张等死，
扩张找死"的矛盾循环之中。比拼资本实力，本土零售企业普遍不是外资公司
的对手。外资公司可以玩战略性亏损，而本土企业连策略性亏损也玩不起。

　　艾一帆认为，发展一个新的店铺不仅仅是投钱下去，更重要的是怎样让资
金流转，卖好卖的东西，投资才可以收回，这是做生意的基本方法，并不是说
投钱少，做生意就会损失，也并不是投资大就一定有钱赚。如果找到好位置，
营运做得好，就可以继续发展。

　　2004 年，屈臣氏酒窖已被引入广州正佳广场百佳旗舰店内，向消费者展现
了许多独特的商品，在艾一帆的创意与实施下，香港百佳又新开设了一家名为
TASTE（意为品位）品牌的超市，提供国外一些独特商品的卖场。这一创意的
实施基于艾一帆对内地市场和消费的理解。他表示，了解顾客的需要是非常重

要的，但是除了了解到顾客需要便宜的价钱，更要看到，随着生活水准的不断提高，出国旅行的频繁，人们开始考虑品位问题。一些人在国外吃过一些好东西，但回来后买不到。TASTE 店可以为他们提供解决方案。

"我们从国外收罗很多独特新商品来满足这部分细分市场的需求。我们将很快将 TASTE 店引入国内，首先会在广州、上海和北京推出。"艾一帆说。

随着店铺越开越密，价格战在所难免。有消费者说："身边有个百佳，每月至少可省下保姆费。"这对消费者来讲，是最实在不过的实惠。这也正是百佳以低价谋求市场份额所达到的社会效应之一。

艾一帆说，在国外也是一样，因为价格是顾客永远关心的重要因素。如果在百佳店铺附近的其他商场有些货品的价格很优惠，那么百佳也一定要有这个优惠给顾客，让顾客在百佳也能享受到在别处享受的优惠，甚至享受到比别处更多更好更快的优惠。

但价格战要打得有原则。这一原则是价格战是有理有利有力的，不做假宣传，不标假价格，承诺保障食品安全，给顾客最好的质量，最好的服务，包括最好的售后服务，而不仅仅是停留在口头上的最好的承诺。

艾一帆说许多零售企业常说要以消费者为上帝，但做出来效果各自不同。那是因为他们未能在所有环节的执行过程中都坚持这些原则。他说："我们告诉自己，绝对不要愚弄顾客，愚弄顾客就等于愚弄我们自己。"

李嘉诚再三告诫："当我们在建立自我成功的同时，永远不要忘记追求无我，常常抱着为民族和人类做出贡献的良愿，当有能力及有意愿对社会竭尽一己之责，我们必能创出希望和有效的变革，打造一个公平、公正、充满自由动力和快乐和谐的社会"。这是香港百佳的待客宗旨，这也是李嘉诚的超市成功之道。显然，李嘉诚旗下的超市，不分内外，不分地区，不分行业，都忠实不渝地奉行李嘉诚的经营信条。

对于百佳的扩张计划，和记黄埔集团给予了财政等多方面的大力支持。

值得注意的是，此前，2000 年百佳超市曾全面退出上海市场。

"上海是个竞争激烈的城市，但仍有很大的发展前景。从某种意义上说，上海是中国市场的制高点。为此，百佳已进行了三年的市场调研。"

"公司方面计划在上海、北京等大城市，引入全新概念的大型购物广场。此前，我们已经在内地开设了百佳最大的购物广场，其店铺面积约一万九千平方米。"冯砚祖对外表示。

此番，百佳选择超级市场的进取姿态再次进攻上海滩，前景如何？百佳进入这个竞争手法已经与国际最先进水平开始接轨的上海市场，胜算实在难估。但是，以李嘉诚一贯之经营风格，百佳二进宫势必有番作为，也势必给上海滩带来出人意料的惊喜。否则艾一帆将如何向大老板李嘉诚交差？

零售业扩张引爆商业地产？沪上零售业竞争之激烈为业内公认。家乐福、欧尚等零售巨头在上海零售市场上，几乎已经形成铜墙铁壁，甚至沃尔玛依然还在上海市场门外苦苦徘徊，超人如何发功破壁，冲出重围？

百佳的真正优势在于母公司和黄集团在上海有大规模的房地产开发专案，这一得天独厚的条件，正是百佳能够冲出重围的先决条件。百佳方面的底牌是："为加快中国内地市场的开拓，有合适的机会，不排除收购、兼并等方式。未来，上海百佳将采取合资公司模式，不会采取100%独资的运作方式。"彼时，美国第三大零售巨头普尔斯马特（Price Smart）在华快速扩张中，资金周转出现断裂问题，其长沙店、北京店、昆明店、天津店、武汉店等分店，几乎陷入关门的严重危机中。

依靠和记黄埔的雄厚财力，从2000年开始，百佳调整了经营模式，从以前传统连锁超市到现在的大卖场，四年来百佳已经在华南区具备了一定的连锁规模。回忆起四年前的兵败上海，冯砚祖坦言："百佳确实是每时每刻都想进入上海，但进入之前肯定会经过深思熟虑。"为了给进军上海铺路，目前百佳已选择南京作为进军华东市场的第一站。

事隔六年后，李嘉诚麾下的百佳超市上海第一家超市终于在2006年开业。冯砚祖接受记者采访时表示，百佳没有做中国最大连锁超市的野心，只想在华南、华东、华中、西南四地形成区域优势。在上海，他认为开满五个大卖场就能形成区域优势。

冯砚祖说，百佳此次在上海打出细分市场的旗帜，在卖场设计、设备、布局上进行创新。在拓展网点方面则遵守三个原则：其一，集中发展杨浦区网点，2007年会在这个区域再开两家门店；其二，配合李嘉诚旗下的商业地产项目开店；其三，以一万平方米的中型超市为主，已在积极选址，尝试进入一些大型社区，开设社区超市。

未来几年内，计划在上海开设八到十家大型超市。从全国来看，除上海外，还要发展以成都、昆明为代表的西南区，以及以武汉、长沙为主的华中区。三年内全国至少再开二十家店。

屈臣氏为何在李嘉诚接手的短短几十年内迅速发展壮大？提到屈臣氏，恐怕现在国内的消费者都已耳熟能详。屈臣氏集团——全球第三大保健及美容产品零售集团，在亚洲和欧洲拥有三千三百多间零售店。去过的人真切地享受到它舒适的购物体验，没去过的对它个人护理专家的大名也是如雷贯耳。不过，身处都市的人们，就算不会购物，没去过屈臣氏的人可谓寥若晨星。

自 1989 年 4 月在北京开设第一家店，如今已发展到四十多家。2002 年屈臣氏个人护理店在全球的销售额超过人民币六百一十多亿，但在中国仅仅只有 5 个亿。

～ 无论你发展得多好，你时刻都要做好准备

屈臣氏为何在短短十五年内就在竞争激烈的国内零售业内迅速发展壮大，引来如此高的关注度和认同度呢？这个话题，就如同人们关注李嘉诚在短短半个世纪内创造如斯辉煌之骄人业绩一样，令人陷入苦苦沉思。

1828 年，有一位叫 A.S.Waston 的英国人在广州开了家西药房，取名广东大药房。1841 年药房迁到香港，并用广东方言将公司名译为屈臣氏大药房，这就是屈臣氏的由来。这个以药店经营起家的公司至今仍保留着这一特色。

在 1981 年成为李嘉诚旗下和记黄埔有限公司全资拥有的子公司后，凭借和黄雄厚的经济实力和紧贴市场的灵活的经营理念，屈臣氏经营的品牌涵盖之广之丰，在亚洲迅速崛起，成为家喻户晓的零售品牌。

屈臣氏个人护理店是集团首先设立的旗舰零售品牌。凭借其准确的市场定位，使其个人护理专家的身份深入人心，以致人们一提到屈臣氏便想到个人护理专家，其品牌影响力由此可见一斑。屈臣氏以探索为主题，提出了健康、美态、快乐三大理念，协助热爱生活、注重品质的人们塑造自己内在美与外在美的统一。

在内地，屈臣氏是第一家以个人护理概念经营的门店，其独特而准确的市场定位，令人耳目一新。商店的目标顾客锁定在十八至三十五岁的都市女性，

她们注重个性，强调个性，渲染个性，甚至夸张个性，创造个性，有较强的消费能力与消费意欲，但时间紧张不大可能频频去大超市购物，追求的是舒适方便的购物环境而不愿意步入令人烦心的劳累的购物店堂。

"这与我们的定位非常吻合。"屈臣氏集团董事兼中国区总经理谭丽娴如是说。屈臣氏个人护理店经营的产品可谓包罗万象，来自二十多个国家，药品占 15%，化妆品及护肤用品占 35%，个人护理品占 30%，剩余的 20% 是食品、美容产品以及衣饰品等。当然，产品也不仅是为女士提供，各种国外原产的食品也足够让男食客口水四溢。

> 从前经商，只要有些计谋，敏捷迅速，就可以成功，可现在的企业家，还必须有相当丰富的知本资产，对于国内外的地理、风俗、人情、市场调查、会计统计等都非常熟悉不可。

屈臣氏产品最大的特色便是处处传达着健康、美态、快乐三大经营理念。药品及保健品保留着创店以来的特色，倡导回归自然的淡雅的写意的恒久的健康；美容美发及护理用品占比重最大，种类也最繁多，表达自然生理的美态的与自然概念；而独有的趣味公仔及糖果精品则传递着乐观的随意的舒适的开心的生活态度与取向。为了配合这三大理念，公司的货架上、收银台和购物袋上都会有一些可爱的标志，给人以温馨、愉快、有趣的感觉。总之，置身其环境是一种赏心悦目轻松自然的感觉感受，而不是嘈杂心烦的闹市超市。

屈臣氏通过差异化和个性化来提升品牌价值，自然，其定价也一般相对内地其他普通店铺为高。屈臣氏集团公共关系总经理倪文玲解释道，是"希望做到价格与市场需求一致"，而不是"具有竞争力的价格"。显然，集团长远发展来看，是以服务赢取顾客，而不是以价格赢取顾客。

纵然如此，据个人护理店对六百多位女性顾客的调查显示，有超过 85% 的人认为屈臣氏产品丰富和环境优雅舒适是吸引她们来此购物的首要因素。由此可见，对日益同质化的零售行业，价格已不是吸引顾客的首要因素。"你能在这儿买到其他购物场所买不到的东西。"一位屈臣氏的老顾客这样说。

19 世纪初的义诊及送药的行为会为屈臣氏赢得良好的社会形象，更让人意想不到的是，屈臣氏曾为孙中山在香港就读港大医学时提供过奖学金，这样的营销经营之策略没有理由不成功。

营销策略方面，屈臣氏十分注重以下各个环节细节。

一、专业化指导。屈臣氏现在拥有一支强大的健康顾问队伍，包括八十位全职药剂师和一百五十位"健康活力大使"。他们均受过专业的培训，为前来购物的顾客免费提供保持健康生活的咨询和建议。

二、特色化经营。每家屈臣氏个人护理店均清楚地划分为不同的售货区，货品分门别类，摆放整齐醒目，方便顾客随意挑选。

三、现代化管理。积极推行电脑化计划，采用先进的零售业管理操作系统，能够将任何销售讯息迅速反馈到总店，并根据这些讯息总结分析产品之价格销售，以便适时调整价格及产品种类，提高了订货与发货的效率，加速了货品的流转。

四、市场化运作。零售最大的困难是如何及时准确反馈千变万化的市场讯息，追贴市场潮流，屈臣氏在这方面可说尽领风骚。屈臣氏的产品基本上都是市场最时尚的产品，其中相当部分除自产外，都完全根据市场变化要求产家做出不断修正调整，以完全迎合消费者的口味。

五、社会化营销。企业是社会的企业，"取之于民，用之于民"，屈臣氏深谙其道。

六、人性化服务。屈臣氏个人护理店的日常运作除了商家一般的微笑服务外，更多的是令到顾客从踏入店门那一刻起，就能够感受到与众不同的温馨享受。

七、品牌化策略。用自有品牌来传达屈臣氏实现经营特色的最有效手段，不仅使各个门店的商品品种构成更加充实，而且进一步借助自有品牌的导入在消费者心中强化零售商的企业品牌形象，形成差异化的品牌识别，从而培养和增强了消费者对屈臣氏的忠诚。

八、诚信化保证。屈臣氏的经营理念就是李嘉诚的经营理念，确保每一个顾客在这里都能够获得令人满意的消费，甚至获得赏心悦目的仅仅是闲逛式的走马观花，并确保顾客的消费在任何情况下都是价格、品质、服务三位一体的满意放心的消费。

2002 年，屈臣氏个人护理店与香港癌症基金会发动"粉红革命"，向市民传达预防乳癌的资讯，并筹募善款用于乳癌的研究。

2003 年年底，又成功支援中国儿童少年基金会实施"春蕾计划"，通过开展爱心购物行动，集捐款项达 23.6 万元，令五百名失学女童重返校园。

　　凡此种种，充分体现了屈臣氏一贯坚持奉行老板李嘉诚服务社会的义不容辞的社会责任感，取得了巨大的社会反响与商业效益。当年商店的营业额获得了 80% 的增长，更重要的是为企业树立了良好的社会形象。

　　　　科技世界深如海，正如曾国藩所说的，必须"有智、有识"，当你懂得一门技艺，并引以为荣，便愈知道深如海，而我根本未到深如海的境界，我只知道别人走快我们几十年，我们现在才起步追，有很多东西要学习。

　　一直有人猜测，李嘉诚关于商业的高瞻远瞩的长篇讲话，事先都有大内高手为之代笔，所以每每能够出其不意又能带出新境界新思维新启发。姑不论此事是否属实，但是他将香港问题的分析架构引入商企管理，解剖香港这二十多年的政治转型与经济起伏，可谓融会贯通，可以顺手拈来，自成佳句。以此看来，若没有如李嘉诚般的商场起落，风雨无常，又如何这般信手拈来？

　　李嘉诚的演讲更是常常妙语连珠，称自我管理是静态管理及培养理性力量的基本功，是人把知识和经验转变为能力的催化剂。"好的管理者"首要是"自我管理"，以身作则。他说："想当好的管理者，首要任务是知道自我管理是一大责任，在流动与变化万千的世界中，发现自己是谁，了解自己要成什么样是建立尊严的基础。"

　　李嘉诚经营屈臣氏的成功经验值得内地零售业学习与借鉴：

　　其一，零售业的竞争已不再只是价格竞争。

　　　　身处在瞬息万变的社会中，应该求知，求创新，加强能力，在稳健基础下力求进展，居安思危。无论你发展得多好，你时刻都要做好准备。

　　由屈臣氏可以看到，零售业同样需要品牌，同样需要维护品牌，只有在市场上准确地确定了自己的定位及服务对象，在产品质量、品类、服务水平等各个层面，各个环节，各个角度，各个方位，才是企业长期发展之计。

屈臣氏不失时机地推出了充满新鲜感的屈臣氏蒸馏水：流线型的瓶身、简洁时尚的绿色包装以及独有的双重瓶盖设计，把单纯的饮水变成了一款独具时尚品位、尽显个人风格的享受，甚至成为都市白领的身份象征。该产品在香港推出后即受到了消费者的喜爱，其时尚的外形吸引了大批追求个人形象的消费者，并获得了第十四届香港印制大奖包装印刷优异奖。

> 做事投入是十分重要的，你对你的事业有兴趣，你的工作就一定会做得好。

其二，特色经营与发展是大势所趋。

零售行业的同质化现象已促使有先见之明的商家更加重视细分市场的重要性。屈臣氏在国内首次提出个人护理专家的概念，可谓一石多鸟。既奠定了自己专业与服务的龙头地位，又迎合了目标顾客个性化多元化人文化家庭化的需要，倡导了一种全新的消费购物理念和安逸的生活态度，帮助人们在健康美容方面做出积极的改善，从而舒适安逸地享受人生。

> 精明的商家可以将商业意识渗透到生活的每一件事中去，甚至是一举手一投足，充满商业细胞的商人，赚钱可以是无处不在，无时不在。

广东地区因其独特的潮湿闷热气候特征，消费者对清热温补十分关注，素有喝凉茶的习惯。随着生活节奏的加快，以往由家庭煎煮或在街头凉茶铺购买才可以喝到的清凉类饮料，能否通过包装成品备在身旁随时饮用呢？

就是在这种市场需求的背景下，屈臣氏潜心研制，在市场上推出自有的新品牌MJ甘蔗汁，并于2004年再度上市新产品MJ（果汁先生"Mr.Juicy"的缩写）酸梅汁，全面打造具有岭南特色的清润饮料市场。总而言之，只有正确把握企业家制胜权变谋略与军事家在战争行动中所采取的处变原则的异同，才能运用好兵法中的谋略思想，掌握市场竞争的主动权。而在这一互动的过程中，和黄超市的核心理念就是李嘉诚生意经中最基本的一条——诚信为本，信誉至上。

2002年8月23日，李嘉诚耗资13亿欧元（约一百一十亿港元）买进荷兰的保健美容化妆品连锁店集团Kruidvat，将旗下公司在欧洲的业务从移动电话及港口扩展至连锁保健与化妆品零售业。这项交易是由李嘉诚家族所控制的和记黄埔旗下的屈臣氏购入，Kruidvat 在欧洲拥有一千九百家连锁店，是欧洲第三大保健品与化妆品零售集团，有两万四千名员工，分布荷兰、比利时、波兰、匈牙利、捷克及英国。

和黄董事总经理霍建宁在公司公布业绩记者会上说，新购入的连锁店集团将可与和黄所持有的屈臣氏零售集团相辅相成，进一步扩充欧洲业务。估计当年两大连锁集团的营业额将超过 68 亿美元。

和黄上半年在电讯业务上的利息及税前盈利只上升了 10%，比港口业务取得的 22% 增长相差很远，但和黄半年纯利仍达 59.5 亿港元，虽然下跌 17%，也远比市场预期佳；而长实半年盈利也达 39.2 亿港元，仅下跌 6.8%。

在回应上半年是否只有港口业务表现最出色时，李嘉诚表示，集团各项业务均做得很好。他也不同意香港的房地产业已是夕阳行业，只是以前这一业务在香港取得的回报太高，是"不公平及不合理"。他认为房地产仍是香港民生之中四大需求之首，而彼时困扰香港楼市的是负资产及市民的信心不足，只要解决好就会对楼市有帮助。

2005 年 1 月，李嘉诚旗下的屈臣氏集团宣布，将斥资 55 亿港元获得法国最大香水零售商玛利奥诺（Marionnaud）的控股权。

玛利奥诺集团发展过快，2004 年年底会计账发现错误，出现 9800 万欧元的亏损，集团陷入困境。弗里德曼宣布向屈臣氏出售他一手做大的香水销售集团，并认为这是一次"大家都会幸福的婚姻"。

玛利奥诺是欧洲第二大香水零售商，目前在全球有四千七百余家零售分店，在欧洲有 1300 家店铺。该公司已经拥有好几个品牌的美容品和香水连锁店，在英国开有 SUPERDRUNG 和 SAVERS，荷兰和比利时开有 ICI PARIS XL 廉价香水店。

香港金融市场管理局 1 月 31 日披露，公开订价收购行动 3 月 21 日结束，这个行动令屈臣氏公司持有 90.69% 的资本和表决权。但是屈臣氏公司并未取得玛利奥诺 95% 以上的资本，这是它制定的将玛利奥诺撤出股票市场的目标。因此公司 31 日决定，待 4 月 4 日公布公开订价收购的最终报告之后，以同等条件再进行公开订价收购，购买剩余股票。

香港百佳超级市场起步于 20 世纪 70 年代中期，在不到十年的时间里，后来居上，一跃而成为香港超级市场的龙头大哥。目前，百佳集团在香港本土拥有180家连锁分店，占领市场份额的三至四成，并积极将触角伸入台湾、大陆市场，其发展势头令人瞩目，成为亚太地区连锁超级市场中一颗璀璨的明珠。

百佳超级市场在成立之初，即全面引进西方成套的超级市场管理方法，实行高度集中的管理体制，各连锁分号的商品进货、价格制定、广告策划、商品摆设、橱窗设计等均由总部根据各大区不同的消费群体的不同喜好，进行专业化的管理实施，既节省管理费用，又塑造了整齐划一的企业形象，以向消费者展示他们的服务水平和商品品质的一致性。在公司总部，共设有六大部门：

店铺管理部：主要职责为筹划开设新店铺，监管各个店铺的日常业务，包括雇员工作效率、服务态度、店铺的外观及清洁、商品的陈列及补充、费用开支的控制等。

采购部：主要职责是采购超市出售的所有商品，负责验收及保管，并随时向各连锁分号补充货物，并且根据各店销售情况进货，甚至确定特价优惠销售策略，有选择性地代理其他公司的商品采购。

市场推广部：全面搜集各种市场信息，开展各种有效的针对不同屋村的广告宣传，研究提出改善公司经营管理效果的新建议。

人事及训练部：负责雇聘和培训工作，制定公司奖金福利制度，全面改善雇员与公司之间的关系，激发前线员工的工作主动性与积极性。

保安部：负责商品的运送安全，检查收款计算是否准确，店铺除装有有效的防盗、消防设备外，还派有专门人员进行看守。

会计部：负责各项业务的财务工作及资料报告。

百佳超级市场的进货管理井然有序，其下属分店的所有商品均由公司总部的采购部门负责，在全世界范围内寻找市场畅销的优良商品，经过严格筛选和检验后进货，分店按需求向采购部申报，甚至每个分店的货物流通，都通过这样电脑，清晰准确地显示出来，然后由高效率的现代化的中央仓库统一及时配货。

为了进一步加强公司的内部管理，使总公司领导层能迅速了解基层情况，早在1991年，百佳投资了1600万港元购置了一套连接所有分店的电脑系统，于是哪一分店销售了商品，哪种商品畅销，哪种商品滞销，哪一分店需要补货，补进多少，何时进入卖场等，总公司的中央电脑中心随时可以显示出来，并直接指挥物流中心调配。

这种集团式连锁经营能有效增加自有网点规模及扩展广大的区域规模。连锁经营从外延上拓展了零售企业的市场阵地，不仅使自有品牌较易进入广阔的市场领域，而且可以大大延长自有品牌在市场上的生命周期。

百佳超级市场于每周六都在报纸上大做所谓特价周广告，用百种比市价便宜一至两成的特价吸引顾客。踏进店内，更是草木皆兵，店墙上到处贴满不同颜色的明显标志，显示某种商品以特价出售，刺激消费者的购买欲。

遇上冬至、圣诞节、元旦和春节等大节日，更是张灯结彩，大肆宣传，大幅度降价，号称为"亏本大拍卖"。其实，超级市场并不会真的亏本，虽然大多数特价货确实无利可图，但由于供应商必须给他们支付一笔作为每周特价货的广告费和市场内的陈列费，特价货"曝光率"越高，对厂家的收费亦相应提高，再加上供应商给百佳提供的数量折扣，因而大部分特价货并不是亏本大甩卖。

百佳超级市场十分注重店内商品摆设，常常以此作为刺激顾客购买欲望的手段之一。他们尤为重视研究特价货的陈列，将最吸引人的特价货放置在超市最显眼的地方，其余的则分别陈列在店内各处，力求使顾客不得不走完商场一周，才能全部看完商场推出的特价贷，这样无形中延长了顾客的逗留时间，促使顾客在寻找特价商品时顺手牵羊购买其他非特价品，这才是他们热衷于特价品促销的真正原因。

此外，他们将一些利润较高的商品放在与视线平行高度的货架显眼处，借以引起消费者注意与垂青，甚至在收银机前摆放零散小货品，如口香糖、电池、安全套等，诱使顾客在等待付款时不经不觉间产生随手购买小件商品的冲动。顾客很多时侯都是多一件少一件无所谓，最主要就手方便。

此外，百佳还尽量美化店内环境，除装饰优雅、窗明几净外，在入口处还陈列有各种新鲜、干净、整齐的水果蔬菜，加之购物车篮充足，灯火通明，甚至开设烘烤面包的柜台，通过这些色、香、味俱全的实物诱惑，使消费者留连忘返，忘乎所以间，大撒银纸。

∽ 油鱼风波

2007 年 1 月 24 日，针对香港市场油鱼当鳕鱼卖并引致多人肚泻事件，李嘉诚在深水湾高尔夫球曾遭记者"突袭"访问时，首度开腔回应百佳出售油鱼一事。李嘉诚表示"香港人呢，要有头脑，入口油鱼一大堆，好多人、好多人、好多商店都有卖，我们自己每间公司有自己的答复，但我希望呢，要用脑筋想想，其实不单只百佳卖，是吗？"

李嘉诚强调百佳超级市场是负责任的公司，必定会妥善处理今次事件。百佳发言人也表示，该公司在整件事处理上表现相当负责任，顾客可要求退款，如证实因食用该类鱼引起敏感，亦可凭医生诊断收据，取回医药费。

食物环境卫生署先后接获五百八十宗有关油鱼的投诉及查询，百佳在周四公布有逾万顾客索偿后，一直未公布有关累积索偿人数。

对于李嘉诚的讲法，一直与李嘉诚过不去的医学界立法会议员郭家麒直言其说法十分过分及缺乏商业道德，"这个世界一定有好的标准同坏的标准，为什么你不跟好的标准？百佳是有规模之集团，李先生不是普通人，这样做令人好失望。"

郭家麒又指，百佳食品监控部总经理张思定多次相约他吃饭，游说他支援延迟推行如食物标签条例等可保障市民健康或影响业界的措施。不论是否属实，郭大议员的说法，始终都令人怀疑，百佳要员居然单纯到苦苦寻求一贯与自己的主人过不去的议员的大力支持，岂不是天方夜谭式的童话。

立法会食物安全及环境卫生事务委员会副主席李华明也批评李嘉诚的言论不负责任。他表示，这次油鱼事件证明两大超市营商手法欠缺诚信，令市民非常失望。他呼吁市民重新光顾街市，一起杯葛两大超市，以免大商家以为小市民可任人鱼肉。

为尽快平息事端，百佳随后高调展示由印尼政府部门发出的油鱼卫生证明，但有业内人士表示，在部分国家，卫生证明可以钱银解决，"他们手上这张证明不代表是超级市场正在卖的这批鱼，怎么样证明他们手上那张卫生证明是半年前卖的那批鱼？"该人士又指，鱼获未必来自印尼，可能由澳大利亚等地转口到印尼，销售商根本不能掌握油鱼的产地来源。

其实，油鱼事件除百佳外，还涉及其他众多零售商，反映有关问题存在相当大的普遍性，因为百佳所售卖的油鱼只占全部市场的两成左右。不过，由于事发首天揭露的个案，事主报称会进食从百佳购买的鳕鱼，百佳超市遂成零售的关注目标。亦因此，李嘉诚遭到部分传媒恶意攻击；一些别有用心的政客，更乘机大造文章，借题发挥，用"文革"式的语言发泄"文革"式的不满情绪，对他肆意抹黑。

事实上，李嘉诚在今次事件中遭部分传媒刻意针对，亦令部分商界人士感到相当不安。有商界人士指出，李嘉诚的业务遍布全球五十多个国家，旗下集团拥有数以千计的公司，通常集团主席订下企业大方向后，基本上不会过问干涉集团下属部门的日常运作，日常营运均交由个别管理层处理，当营运偶尔出现一些问题时，不应将所有问题完全归咎于集团主席身上。

就好像已经成年的儿子驾车撞伤人，总不能开口就指责儿子的父亲吧，甚至让这位父亲承担法律与道义责任。当然，做父亲的，自然亦不能反过来说，马路上每天都有撞伤人，为什么你们单单只是指责我一个人呢。

当然，不论印尼国情如何，也不论进口商如何获得批文，作为零售商，决然不可能要求供应商解释报告的真切性，更不可能组织人力物力对自己超市的四万种产品逐一化验，更不可能对四万产品的每一批次逐项验证。况且，在百佳的鳕鱼售货卡上，清楚写明又名油鱼，根本就不存在欺骗与误导。

为什么全港销售的油鱼责任要由百佳一力承担呢，这其中的公正又从何体现呢？那些所谓的为公义说话的人士是否本身的出发点就没有公义呢？为什么明知以偏概全而依然信口雌黄呢？若然如此，如果一个凶犯从一间超市买了把刀杀了人，难道这间超市也要为此负上道义责任甚至法律责任吗？

资料显示，香港每年入口该等鱼产品共三千吨，百佳向供应商购入不足两成，也就是说，约有两千四百吨油鱼已经被其他包括惠康在内的零售商所销售，然而众多的人却把攻击的目标毫无例外地对准百佳，甚至直指李嘉诚，好像油鱼是百佳独家代理进口，独家垄断销售一样，其他零售商只字不提，这显然是醉翁之意不在酒。

百佳发言人表示，他们向批发商购货时，货品附有卫生证明书，上写"鳕鱼"，他们并非专家，一般都会依据来货说明订立标签；当知道部分人食用后出现肠胃敏感，也已立即加上提醒标贴。发言人又指，政府已确认该等鱼产品不会导致食物中毒，有人进食后可能会出现敏感，亦有可能因未能消化而肚泻，但这是因人而异，故政府部门也无意禁售。

另外，惠康超级市场也证实，曾向入口商海洋行购入部分怀疑为油鱼的鳕鱼，经食环署通知，获悉过去六个月有市民投诉在进食怀疑为油鱼的"鳕鱼"后出现腹泻症状，惠康随即自动全面停售有关产品，并与食环署跟进事件。

百佳是李嘉诚旗下的大集团公司，出事自然特别起眼，所以百佳在出事后，尽快安排顾客可以要求退款。在这次风波后，李嘉诚亦高度关注，并即时指令属下，务必相当谨慎留意，要求管理层做好善后，安排退款与赔偿，安抚民心，确保百佳形象不会受损，令到市民在百佳放心购物。当然，若然检讨油鱼事件，不能否认百佳超市在应对问题时存在的明显不足。

其一，当有顾客提出有关问题时，售卖油鱼分店漠然置之，完全未有明察其中可能存在的危机。

其二，顾客要求退款换货时一再推诿卸责，置之不理。

其三，当问题经媒体揭露后，又未积极主动联络投诉的买家，化解怨气。

其四，从管理的角度来看，百佳分店与管理层缺乏承担责任的勇气，面对问题，麻木不仁，任由扩大，造成公关危机扩大，最后造成不必要不应该的负面影响，以致要自己的老板李嘉诚充任消防员灭火。

其五，这或许从另一个层面上反映出百佳存在着责权不清的管理误区，一个分店经理居然无权答复顾客提出的退换货品的要求，同时担心影响自己的前途声誉，未有主动将问题向上汇报，令到解决危机的最佳时机转瞬即逝。

其六，百佳不能以其他商户皆有出售问题货品而对出现的问题置之不理，因为就算全港都在销售，百佳毕竟是第一商户，在承担法定的商业责任的同时，基于其与民生息息相关的特点，又必须承担必要的社会道义责任，况且任何问题都有可能针对最具代表性的商户，在这方面绝对不会存在法不责众的侥幸。

参考书目

李嘉诚传	夏　萍	作家出版社	1993 年
李嘉诚画传	卢琰源	新华出版社	1996 年
李嘉诚全传	陈美华	中国戏剧出版社	2004 年
香港海港及土地发展一百六十周年	何佩然	商务印书馆	2004 年
香港华资财团	冯邦彦	三联书店	1997 年
香港英资财团	冯邦彦	三联书店	1996 年
香港史话	林友兰	香港上海印书馆	1978 年
香港旧事见闻录	陈　谦	香港中原出版社	1987 年
香港家族史	何文翔	三思传播公司	1989 年
李兆基博士传	梁凤仪	三联书店	1997 年
香港史略	元邦建	中流出版社	1988 年
香港富豪列传	何文翔	香港明报出版社	1993 年
霍英东传	瞿　琮	红旗出版社	1996 年
李嘉诚成功之路	方式光	香港出版公司	1992 年
香港超级富豪列传	郭　峰	香港文艺书屋	1980 年
香港豪门的兴衰	齐以正	龙门文化	1986 年
香港巨富风云录	王　希	香港明报出版社	1994 年
李嘉诚的商业智源	梁小刚	中国社会出版社	2004 年
李嘉诚经商手段与孙子兵法	林　冲	中国电影出版社	2003 年
李嘉诚做人经商之道	方　军	中国华侨出版社	2003 年
李嘉诚的超人胆识	黄永军	线装书局	2003 年
孙子兵法与市场谋略	唐突生	青岛出版社	1994 年

李嘉诚经商自白书	达 人	群言出版社	2004 年
《孙子兵法》与企业经营战略	曹凤高	武汉大学出版社	1994 年
孙子学文献提要	于汝波	军事科学出版社	1994 年
香港人之香港史	蔡荣芬	牛津大学出版社	2001 年
谋略大典	苏晓东	黄山书社	1994 年
孙子兵法	曹书印	陕西人民出版社	1994 年
孙子兵法与现代经济运筹	李鼎文	江苏人民出版社	1995 年
孙子兵法与经营谋略	赵瑞民	黑龙江人民出版社	1995 年
孙子兵法与三十六计公	孙道明	广西民族出版社	1995 年
《孙子》古本研究	李 零	北京大学出版社	1995 年
孙子兵法与经营艺术	张志祥	军事科学出版社	1995 年
商战谋略	张 平	中国物资出版社	1995 年
老子·庄子·孙子·吴子	黄寿成	辽宁教育出版社	1997 年
孙子兵法与商政谋略	王建民	蓝天出版社	1997 年
孙子商法—孙子兵法与商战谋略	姜瑞清	人民中国出版社	1998 年
孙子兵法与现代经济决策	傅文章	中国农业出版社	1998 年
孙子兵法经营管理新解	张 广	黑龙江人民出版社	1999 年
孙子兵法与商战	阮其山	上海古籍出版社	1999 年
孙子兵法与现代企业竞争谋略	李永山	河北教育出版社	2000 年
梁漱溟全集	梁漱溟	山东人民出版社	1993 年
三松堂全集	冯友兰	河南人民出版社	1986 年
中国哲学史	冯友兰	北京中华书局	1984 年
心体与性体	牟宗三	台北正中书局	1968 年
五十自述	牟宗三	鹅湖出版社	1989 年
生命的学问	牟宗三	台北三民书局	1970 年
读经示要	熊十力	台北明文书局	1984 年
中国学术思想史论丛	钱 穆	台北东大图书	1975 年
朱子哲学思想的发展与完成	刘述先	台湾学生书局	1982 年
中国历史精神	钱 穆	台北东大图书	1981 年
马斯诺心理学	(美)弗兰克·布戈尔	上海译文出版社	1987 年

美国人和中国人：两种生活方式比较	许烺光	华夏出版社	1989 年
血酬定律	吴　思	中国工人出版社	2003 年
经济史中的结构与变迁	（美）道格拉斯	上海三联书店	1994 年
就业利息和货币通论	（英）凯恩斯	商务印书馆	1983 年